UNION GÉNÉRALE D'ÉDITIONS
8, rue Garancière, PARIS VI<sup>e</sup>

# LE MARIN BLANC
# DU PRÉSIDENT

PAR
JEROME CHARYN

Traduit de l'américain
par Birgitta Hessel

10|18

Série «Domaine étranger»
dirigée par Jean-Claude Zylberstein

RAMSAY

Titre original :
*The Franklin Scare*

© Jerome Charyn, 1977
et Éditions Ramsay, 1980
ISBN 2-264-00492-4

« *Mes enfants, je vous permets, en temps de grand danger, de donner la main au diable pour passer le pont.* »

FRANKLIN DELANO ROOSEVELT,
d'après un vieux proverbe ecclésiastique
bulgare.

# Le sorcier au lit

Comparé à Londres, Paris ou Berlin, c'était un patelin perdu, une pustule au sud de Baltimore créée par Georges Washington, le premier roi américain, pour abriter un misérable petit gouvernement effrayé par ses treize États. On l'avait construite sur un marécage, autour de la résidence de pierre blanche du roi-président, une résidence qui commença à s'effriter et à s'écailler avant même d'être achevée. C'était une ville à moustiques, Washington D.C., avec une humidité qui vous pinçait l'hiver et vous donnait la fièvre sous la lumière intense du long été. Elle ne pouvait même pas s'administrer elle-même. Le Congrès campait sur la ville, préparait ses finances et l'endormait de ses caresses. Elle avait quelques marchés et pêcheries çà et là, pas de vrai centre commercial, seulement des monuments, des cafétérias, des ruelles et des bâtiments officiels. Mais c'était, en temps de guerre, la capitale du monde.

On trouvait les épaulettes les plus étranges dans ses rues commerçantes : après 1940, les soldats et les marins des alliés de l'Amérique avaient envahi Washington. Le District était devenu une mosaïque d'uniformes : des hommes de la marine belge en imperméables civils, calots, et chaussures éculées ; des amiraux chinois dans de vieilles vareuses de la marine américaine ; des marins britanniques, les pantalons froissés ; des généraux polonais, la mine triste et le poignard pendant au ceinturon ; des officiers d'un bataillon de Français libres en tenue de sortie, la croix de Lorraine cousue sur leur sein droit. Des pompons, du liséré écarlate aux chemises et des poignards, encore des poignards. Les rois et princes des pays occupés entraient en uniforme dans les magasins. Personne ne sourcillait. Le District s'était habitué aux majestés.

Tant d'armées et de marines étrangères n'étaient pas arrivées là par hasard. Washington était le poste de commande du Monde libre. Et ces amiraux, généraux, princes et rois s'étaient déplacés pour passer vingt minutes avec le commandant en chef américain. Il était plus facile d'approcher F.D.R. que de demander une audience à Churchill et à son état-major. Les Britanniques vous faisaient toujours attendre. Churchill n'avait pas de temps pour tous les généraux polonais. Il vous abandonnait à l'un de ses sous-secrétaires qui pouvait fort bien vous prendre en grippe ou pas. Pour les généraux et les rois dans le pétrin, la Maison-Blanche était beaucoup plus accueillante. F.D.R. vous emmenait dans sa chambre et vous faisait asseoir avec un interprète de sa Marine et un bol de cacahuètes. Vous rencontriez l'homme le plus puissant de la terre dans une robe de chambre grise flottante. Il ne s'entourait pas de valets, de généraux et gardes du corps. Des officiers n'entraient pas pour saluer le commandant en chef ; rien qu'un maître d'hôtel avec un verre de jus d'orange.

Il n'était pas pompeux avec un général. Il vous serrait la main et ne vous laissait pas faire de courbettes ni dire « Monsieur Roosevelt ». Vous deviez l'appeler « Frère Franklin » à la polonaise, autrement il se mettait à bouder. Au début, vous étiez troublé parce que vous ne vous attendiez pas à une telle absence de cérémonie chez un chef d'État, bien que vous ayez assez souvent entendu dire que les Américains étaient une tribu étrange ; prompts à la querelle et aux familiarités, ils aimaient par exemple vous saisir les vêtements, vous parler les poings sur votre poitrine, chaque fois qu'ils voulaient faire valoir leur point de vue.

Mais F.D.R. ne vous touchait pas. Il avait un chien sous son lit, un scottish-terrier obèse qui s'appelait Fala, l'animal le plus connu du monde, qui avait une respiration sifflante et ne se calmait pas tant que F.D.R. ne lui avait pas frotté le crâne. Alors vous émettiez une petite plaisanterie sur l'animal par l'intermédiaire de l'interprète de la Marine et Franklin Roosevelt riait. Ce n'était pas un petit rire ordinaire, fait pour être poli. Le président de tous les Alliés renversait la tête en arrière et rugissait. Le célèbre pince-nez de F.D.R. lui tombait presque du nez. Le lit grinçait sous son poids. La chose grise et flottante qu'il portait s'entrebâillait et vous pouviez voir un instant la vaste poitrine du Président, prise de violents frissons au milieu de son éclat de rire. Le bruit chassait Fala vers un panier près de la chaise de l'interprète. L'animal pleurnichait et s'y creusait une place sous les couvertures aussi loin que possible.

Puis le rugissement s'arrêtait ; le pince-nez était repoussé entre les deux yeux, F.D.R. reprenait ses esprits. Vous faisiez un petit signe de tête à l'interprète et remerciez le Président d'accueillir un général du troisième dragon polonais quand il avait à commander toute une armée et surveiller les combats sur tant et tant de fronts. Vous demandiez donc à Pan Franklin * de vous excuser, mais vous préoccupait l'intégrité de la Pologne après la guerre. Ce n'étaient pas les soldats de Hitler, d'ailleurs tous en train de mourir, qui alarmaient le général. C'était l'Armée rouge. Les Russes allaient franchir l'Oder. S'installeraient-ils sur le sol polonais pour y créer leur propre gouvernement fantoche ? Ou bien le Président pouvait-il garantir l'indépendance de la Pologne ?

F.D.R. ne décourageait pas le général d'un haussement d'épaules. Il s'alarmait lui aussi de l'ambiguïté de Staline quant à la Pologne. Il rencontrerait les Russes d'ici un mois. Et il promettait de résoudre la question avec « Oncle Joe ».

Le général, content, ne pouvait s'empêcher de faire des révérences à F.D.R. Il n'y avait pas d'hommes plus épris de justice que ces Américains. Il se levait pour partir. Mais le Président le retenait en racontant une histoire. Alors le général faisait un effort pour entendre. L'histoire avait quelque chose à voir avec un prêtre bulgare, le diable, un vieux margrave et des enfants sur un pont. L'interprète avait dû laisser tomber quelques nuances. Les mots ne signifiaient pas grand-chose. F.D.R. construisait-il une allé-

* M. Franklin en polonais (N.d.T.).

gorie à l'usage du général ? Les enfants sur le pont représentaient-ils les Polonais ? Qui était le diable ? Staline ? Hitler ? Churchill ? Ou Roosevelt lui-même ?

Heureusement pour le général, un jeune marin fit irruption dans la chambre et lui évita de se creuser la cervelle plus longtemps. Curieux marin, tout en sourcils, un pantalon blanc au mois de décembre, une cravate froissée autour du cou, il se permettait d'être bourru avec F.D.R. « Il est l'heure, Patron. Vous avez deux rois dans l'entrée. » Fala mordillait les talons du marin. « Chien, dit-il, j'veux pas que tu m'ennuies. »

Le général avait du mal à croire qu'une telle insolence fût possible près de F.D.R. Le marin ne devait même pas frapper à la porte. Il était libre d'aller et venir comme le quartier-maître de la chambre de « Frère Franklin ». F.D.R. ne punissait pas le marin. Il s'adossait à ses coussins, rajustait sa robe de chambre et disait : « Ce petit boucle son Poppa dans une camisole de force. Bon Dieu, avec lui, pas moyen de respirer... »

Et vous partiez avec l'interprète, remarquant deux rois ébouriffés, parqués dans l'antichambre sur de simples chaises pliantes. Votre voyage à la Maison-Blanche commençait à s'entourer du halo d'un rêve chaotique. Les plafonds au-dessus de vous étaient fendillés, les lustres crasseux, les tapis fortement entaillés comme si des tigres affamés rôdaient dans les couloirs. Mais pas un soldat dans l'escalier pour assurer la garde de « Frère Franklin » en cas d'insurrection. N'importe quel fou pouvait rendre visite au président des États-Unis. Le seul rempart était le marin aux sombres sourcils. Ces gens dans l'entrée étaient-ils vraiment des rois ? Le général leur trouvait l'air peu recommandable. Que pouvait-il écrire aux siens ? Il avait été chez « Frère Franklin ». La Maison-Blanche semblait sous le coup d'un charme ténébreux. Il se demandait si le reste de l'Amérique était une monstrueuse hallucination conçue par F.D.R. pour duper les gradés polonais. Dans son lit, Franklin Roosevelt avait l'air d'un sorcier mal attifé. Il vous serrait la main, riait, vous offrait des cacahuètes, vous posait une devinette, câlinait son chien, mais que pouviez-vous dire de lui ? Le sourire, le pince-nez, le fume-cigarette, le jeune marin, la robe de chambre flottante... Autant d'énigmes. Le général fit un petit signe de tête au canon sur la pelouse. Il quitta la ville de Roosevelt avec l'impression d'avoir été ensorcelé par un marin, un chien et un Président qui portait au lit une robe de chambre magique.

# L'arrivée d'Oliver

## UN

C'était un marin comme les autres, un garçon en tenue d'été, le matelot Oliver Beebe. Il n'était descendu d'aucun navire. Simple coiffeur qui restait à terre. Il côtoyait d'obscurs amiraux dans le vieux bâtiment de la Marine sur Constitution Avenue. Il allait, coupant les cheveux, d'un bureau à l'autre. Les amiraux lui faisaient confiance. Il était calme, discret, et avait de belles petites mains habiles à masser un début de calvitie ou poudrer les petits plis derrière l'oreille d'un homme de la Marine, le matelot Oliver Beebe.

Il arriva par le portail nord avec une carte signée par le chef des Opérations navales. Un soldat inspecta son attirail de coiffeur. Un homme du Service secret * l'accompagna jusqu'au bureau de l'huissier. La routine. Un des amiraux avait recommandé le matelot Beebe. L'autre coiffeur du Président était malade. On l'escorta jusqu'au second étage. Une demi-heure après, il était parti.

Personne ne s'attendait à le revoir. Le mois de mai touchait à sa fin. Il portait le même uniforme blanc. Bien que la chaleur fût insupportable dans la demeure, le marin ne semblait pas transpirer. Son laissez-passer portait la signature du Président, avec l'autorisation d'aller et venir comme il voulait. Le Patron l'avait arraché aux amiraux. Il n'avait plus rien à voir avec la Marine. Il était affecté au Quartier général, au commandant en chef.

---

* Le Service secret, chargé de la protection du président dépend du Département du Trésor. Il est distinct du F.B.I. qui dépend du Département de la Justice (N.d.T.).

Le Service secret n'apprécia pas cet enlèvement d'Oliver Beebe. Il n'avait pas été averti de la décision du Président. Kirkland Horn, chef du détachement spécial à la Maison-Blanche, dut prendre le train en marche. Des agents secrets sillonnèrent Washington précipitamment pour enquêter sur le garçon. Il avait vingt-trois ans. Il venait du New Jersey. Son père et sa mère étaient morts. Il habitait une chambre près de H Street dans Chinatown et n'avait pour famille qu'une sœur de vingt-sept ans. Il n'était ni républicain ni démocrate (il ne s'était jamais fait inscrire pour voter). Ses années d'école avaient été discontinues. Deux ans de lycée à Weehawken. Il avait failli rater le test d'intelligence de la Marine. Son casier judiciaire était vierge.

Horn n'arrivait pas à saisir l'étendue des fonctions d'Oliver à la Maison-Blanche. Il se trouvait avec le Président tous les jours. On lui avait donné sa propre chambre au grenier. Qui était cet Oliver ? Rafraîchissait-il la nuque du Président le matin et la nuit ? Une étrange nébuleuse entourait Oliver Beebe. Plus qu'un coiffeur, mais pas tout à fait un assistant. Il promenait le chien du Président, poussait le Président dans son fauteuil roulant au second étage, portait les lettres à la femme du Président, jouait avec les petits-enfants du Président dans la cage à écureuils sur la pelouse sud. Sa fonction n'était pas plus définie que cela. Kirkland avait beau réfléchir, il ne voyait pas en quoi il était indispensable. Le patron aimait la présence à ses côtés d'un jeune marin peu bavard, voilà tout. Il n'emmenait pas Oliver à Hyde Park. Le marin était réservé à la Maison-Blanche.

Le naturel secret du garçon créa des problèmes. La presse s'empara d'Oliver. Les journalistes dans le hall ne pouvaient s'empêcher de poser des questions sur le marin du Président. Ils examinèrent les galons sur sa manche, tous ses insignes et n'en tirèrent pas un seul indice. Il ne portait pas de badge spécial. Un coiffeur ? Pourquoi pas un cuisinier ? Était-il expert en communications, décodait-il des messages pour le Président ? Aucun d'eux ne voyait jamais Oliver pénétrer dans la Salle des Cartes, salle du cabinet de Guerre. Ils écrivirent donc le peu qu'ils savaient. Le garçon était photogénique. Ils exploitèrent son uniforme et son visage. Ils le photographièrent en train de tirer sur la laisse du petit scottish noir du Président. Ils le firent poser sur la cage à écureuils. Mais ils ne purent lui délier la langue. « J'aide le Patron », disait-il. Le coiffeur ne voulait leur donner aucune autre information.

## DEUX

Oliver se trouvait au grenier. Il était minuit et un silence de mort régnait dans la maison. Mme Roosevelt était partie pour sa maison de campagne à Hyde Park ; presque tout son entourage s'en était allé avec elle : secrétaires, compagnons, une princesse yougoslave, des amies journalistes, un soldat égaré qu'elle avait rencontré sur Washington Circle. Mis à part les maîtres d'hôtel et les bonnes noirs qui ne se mêlaient pas des affaires d'Oliver, il ne restait qu'une autre personne au grenier, Zena de Bulgarie, eximpératrice et grande dame de cinquante-cinq ans. Zena avait perdu son mari, l'empereur Charles, ses enfants, ses bijoux et sa couronne. Pauvre en Amérique, elle était l'hôte permanent des Roosevelt.

Zena ne voulait pas se rendre à Hyde Park. Les trains et les soldats à baïonnette l'effrayaient. Elle préférait rester chez elle, au grenier, errant à tâtons le long des murs. Elle ne pouvait utiliser la véranda de la terrasse ; un nid de mitrailleuses était installé sur le toit. Il lui fallait donc chercher de l'air dans les couloirs si elle ne voulait pas être rôtie vivante.

Les mitrailleurs faisaient la fête et n'arrêtaient pas de marcher au-dessus de la tête d'Oliver. Ils étaient deux là-haut, des spécialistes de Fort Meyer qui buvaient du rhum à l'eau. Oliver donna des coups de chaussures contre le plafond. « Je suis en train de lire. Ça suffit ! »

Un des spécialistes culbuta du toit. Il atterrit sur le balcon en face de la fenêtre d'Oliver. Il entra dans la chambre, les guêtres défaites, les lanières de son casque lui retroussaient le nez. « Allez viens, Ollie, monte. »

Oliver l'agrippa par son pantalon, le sortit sur le balcon et le hissa sur le toit. Il ferma sa fenêtre et se mit au lit avec un magazine de cinéma. Le marin était un fan d'Alan Ladd. Le *Silver Screen* du mois lançait Sonny Tufts, Turhan Bey, et Willard Parker, l'étoile montante de 1944. Lire l'enfance de Turhan Bey à Istanbul donna faim à Oliver.

Le grenier avait sa propre cuisine. Oliver aurait pu y aller prendre des biscuits et une bouteille de lait. Il aurait pu réveiller le valet et lui demander des œufs brouillés. Celui-ci le bassinait continuellement avec des histoires sur Mme Roosevelt et son chauffe-plat miraculeux : la Première Dame n'avait pas son pareil pour réussir les œufs brouillés.

Oliver enfila son pantalon de marin et se peigna. Zena de Bulgarie l'effleura sur le palier. Son peignoir pendait sur son ventre souverain. L'ex-impératrice avait la peau blanche comme du papier. Elle accepta le verre de lait qu'Oliver lui proposait.

Il raccompagna Zena dans sa chambre et descendit. Il n'eut pas à affronter Kirkland Horn qui surveillait les galeries principales chaque fois que le Président était là. Horn se trouvait avec le Président à Hawaï. Il avait laissé un semblant d'équipe du Service secret pour garder une Maison-Blanche vide. Oliver n'emprunta pas la porte principale. Des journalistes dormaient toujours dans le hall, et ils auraient pensé qu'Oliver se précipitait au Département de la Marine pour avoir une petite conversation nocturne avec quelques amiraux importants.

Pas un journaliste à la porte de derrière. La sentinelle dut sortir de sa guérite pour ouvrir le portail sud qu'on gardait fermé depuis le début de la guerre. Oliver aurait pu se rendre à Chinatown et boire du bourbon dans une théière. Les propriétaires de H Street connaissaient bien Oliver Beebe. Il aurait pu peloter une serveuse dans un coin obscur de l'*Old Shangat*. Mais il n'était pas d'humeur à tripoter des jarretelles. Il se dirigea vers Sailor's Row.

Oliver n'avait pas toujours été coiffeur. Il avait commencé comme simple matelot. Il avait gratté la rouille sur un destroyer léger au large de la baie de Guantanamo, le mousse Beebe. Son capitaine se prit d'affection pour lui et le retira du pont. Il devint l'aide du steward. Il débouchait le vin à la table du capitaine. Il apprit à couper les cheveux des officiers. Le capitaine partit pour Washington et l'emmena avec lui. Personne ne lui donna d'insigne de steward. Seulement quelques mois de travail à terre, lui avait-on dit. Et il l'avait traîné au milieu d'amiraux pendant deux ans avant que le Président ne l'enlève.

Il sentait la brillantine, avait le pouce entaillé par les marques de ciseaux, transportait des poudres contre les puces du chien du Président et vivait dans un grenier parmi les cuisiniers, les bonnes et une impératrice qui serait morte de faim sans Mme Roosevelt.

Il y avait des baraquements dans les ruelles autour de Sailor's Row. Oliver déambulait maintenant dans la colonie philippine. Des femmes, la soixantaine, des bas sombres qui leur couvraient les varices et assez de rouge aux joues pour étouffer un chat, se mirent à le harceler. C'était des putains du *Penguin*. Oliver entra au *Ship's Café*.

Des matelots, des bleus et des sous-officiers y dormaient debout avec pour seule nourriture une chope de bière où nageaient des mouches. Oliver se trouvait au comptoir avec une bande de sous-officiers. Ils s'en prenaient à Mme Roosevelt. « C'est la garce la plus moche d'Amérique. Elle s'abaisse devant les nègres pendant qu'on se fait tirer dans le cul. »

« Elle ne s'abaisse pas tellement », dit Oliver. Il n'aimait pas Mme Roosevelt. Elle l'agaçait avec ses bavardages décousus, ses aiguilles à tricoter et son chauffe-plat. Si elle ne vous faisait pas d'œufs brouillés, elle vous parlait à n'en plus finir. Mais il ne pouvait laisser ces sous-offs offenser la femme du Patron.

Ils fusillèrent Oliver du regard.

— Qu'est-ce que ça veut dire ?

— J'ai dit que la dame ne s'abaisse pas.

Ce fut une piètre rixe. Cinq sous-officiers sur le dos d'Oliver. Ils auraient pu lui casser le cou. Ils voulaient l'humilier, fesser son petit derrière. Ils commencèrent par lui baisser le pantalon. Un filet de sang coula sur sa joue.

Son pantalon entourait ses chevilles quand la police militaire arriva.

Les deux policiers arrêtèrent Oliver après lui avoir renfilé son pantalon. Le reste du café l'injuria. Des marins lui crachèrent à la figure. On pensait qu'il était un espion du *Penguin*, venu là pour semer la pagaille. Les policiers le jetèrent à l'arrière de leur DeSoto. Il était incapable de hurler. Il avait la bouche collée contre la fenêtre. « Je travaille pour M. Roosevelt », arriva-t-il à crier.

Ils lui braquèrent leur torche sur le visage et lui firent les poches. Ils en sortirent une carte autorisant Oliver à entrer à la Maison-Blanche. Bon Dieu de merde. Ils avaient dans leur voiture un marin qui relevait du commandant en chef. Le chouchou de Roosevelt. En touchant à Oliver, ils pouvaient perdre leur planque. L'idée de retourner en mer leur donna mal au cœur. En mer on pouvait se noyer. Ils engloutirent des chips et s'avisèrent de ce qu'ils allaient faire. Ils pouvaient emmener cet Oliver à l'Arsenal et y engager des poursuites contre lui ; ils pouvaient le lâcher en face du *Penguin*, ils pouvaient téléphoner au capitaine et s'expliquer auprès de lui.

Une demi-heure d'hésitation. Puis ils allèrent à la Maison-Blanche. Ils saisirent Oliver par les bras et les jambes, le déménagèrent vite fait et le remirent à la sentinelle du portail nord. « Il habite ici, Oliver Beebe », dirent-ils.

Un homme du Service secret descendit. Il reconnut Oliver Beebe et remercia les policiers. Oliver rentra dans un buisson en zigzaguant et s'égratigna l'œil. L'homme du Service secret le monta dans sa chambre.

## TROIS

Oliver se réveilla avec des cheveux blonds dans la bouche. Il vit une autre tête sur son oreiller. Ethel Rosenquist, responsable-adjointe du standard de la Maison-Blanche, se trouvait sous les couvertures avec lui. Ethel était folle d'Oliver. Quand elle se sentait un grand manque, elle venait le rejoindre au lit vers cinq heures du matin, se pelotonnait contre lui, puis retournait furtivement à son poste. Elle avait dû trop dormir. Le soleil était haut à la fenêtre d'Oliver. Il reniflait une odeur de café qui venait du palier. Les bonnes étaient debout.

Oliver lui donna des coups de coude pour la sortir du lit. Il lui mit sa culotte, sa jupe et son soutien-gorge. Il n'était pas encore remis de l'échauffourée du *Ship's Café*. Il guida Ethel jusqu'à l'escalier en s'assurant qu'il n'y avait personne dans les couloirs. Puis il fouilla dans sa penderie à la recherche de ses vieux magazines de cinéma. Son téléphone se mit à sonner. Il savait que ce serait Ethel. Il laissa sonner dix-neuf coups.

— Chéri, tu veux m'emmener au cinéma ce soir ?

— Non.

— Pourquoi es-tu revenu avec une joue violette ? Oliver chéri, es-tu retourné à l'Arsenal ?

Avec elle il se taisait. Elle espérait, en papotant, transformer ces petits sommes en relation durable. Elle était diplômée d'équitation et sortait d'une école réputée pour jeunes filles de bonne famille du Wisconsin. Une Rosenquist de Sheboygan, arrivée à Washington pour servir à la Maison-Blanche, le temps de la guerre. Amoureuse d'un

22

marin au grenier, un garçon obscur qui n'avait même pas l'élégance de l'inviter à aller voir un film.

Il la décrocha du téléphone sans promesses mielleuses. Oliver n'était pas doué pour les discours exaltés. Il lui dit au revoir et raccrocha. Elle l'appela une seconde fois. Une pointe de désespoir lui pénétra le cœur. Il était condamné à vivre sous un nid de mitrailleuses, à dire non à Ethel Rosenquist, le téléphone à la main.

— Oliver chéri...

— Quoi ?

— F.D. est en ligne. Il appelle d'un navire de guerre, je pense. Il veut te parler.

Oliver n'entendit pas de grésillement, seulement cette voix rauque et familière, comme si le Président se trouvait en bas dans son Bureau ovale.

— Ollie, tu manques à Fala. Il est dans un piteux état. Les marins du bord lui ont rasé la tête. J'imagine qu'ils voulaient des souvenirs.

Oliver était content que le Patron ne lui ait pas collé Fala. Il se serait installé au grenier, et Oliver l'aurait nourri, promené, brossé. Et Fala aurait réclamé F.D.R. en gémissant. Oliver était jaloux. Roosevelt emmenait son chien et laissait tomber son marin.

— Patron, vous devriez mettre sur Fala un écriteau : « Si vous me touchez, c'est à vos risques et périls. » Ne vous inquiétez pas, je lui ferai un shampooing à son retour. Patron, qui vous a coupé les cheveux ?

— Des garçons bouchers, dit le Président. Ollie, ils m'ont brûlé le cou avec leur tondeuse de la Marine... Bon, petit, Poppa doit partir.

Oliver oublia d'interroger le Président sur sa sinusite et sa toux. Avait-il besoin d'autres albums de timbres ? Oliver aurait pu les glisser dans la valise qui quittait la Maison-Blanche tous les matins. F.D.R. était le philatéliste numéro un du Monde libre. Il esquissait des projets de timbres, commerçait avec des marchands spécialisés, se querellait avec le ministre des Postes à propos de toutes les émissions. Oliver ne cessait de courir au Bureau de la gravure et des presses pour chercher les épreuves d'un nouveau timbre afin que le Patron puisse décider.

Le grenier le rendait fou. Les pas des mitrailleurs résonnaient sur le toit. L'ex-impératrice griffait les boiseries du couloir. Les bonnes repassaient dans la lingerie. L'odeur des chemises chaudes s'accrochait au lit du marin. Oliver se rasa dans la minuscule salle de bains qu'il devait partager avec le valet du Président. Il enfila une vareuse blanche et quitta le grenier. Aujourd'hui il ne sortirait pas de la demeure à la dérobée. Les journalistes le coincèrent dans le hall. Ils avaient l'impression de pouvoir tirer quelque chose de ce visage étrangement coloré. « Ollie, vous êtes-vous cogné dans le noir ? Êtes-vous rentré dans un poing, un mur ou un genévrier ? »

Il sortit par le porche de devant en lorgnant le canon sur la pelouse, les obus de bronze, tout l'équipement d'une batterie antiaérienne qui n'aurait pas été capable de descendre un cerf-volant. Les canonniers flirtaient avec les secrétaires de l'aile Ouest. C'étaient des types arrogants, coiffés de métal, qui parlaient de ballons, de bombardiers et du calibre des canons. Le plus minable des marins leur était supérieur.

Oliver louait une chambre qui donnait sur Mount Vernon Square. Chaque fois qu'il était en rogne contre la Maison-Blanche, il allait dans cette chambre. Hors de l'emprise du Président, il pouvait prendre ses distances, loin des maîtres d'hôtel, des assistants et du Service secret. Elle lui coûtait sept dollars par semaine. Washington était devenu un drôle d'endroit après 1940. Avec l'afflux des soldats, secrétaires, rois et reines esseulés, il était impossible de trouver un appartement. Et le marin Oliver était deux fois logé.

Sa propriétaire lui lança un regard noir. « Vot' dame est en haut, dit-elle, vous ne m'avez jamais dit que vous aviez une femme. Ça sera six dollars de plus par mois. Et dites à vot' dame qu'elle doit se débarrasser de son ami. Ce n'est pas un hôtel ici, monsieur Beebe. »

Oliver ne pouvait s'expliquer l'apparition de « sa dame ». S'il avait eu une femme, il s'en serait souvenu.

Sa sœur était dans la chambre avec un homme étrange. Elle était assise, sans bas, sur le lit. Elle avait les cheveux noirs, comme Oliver, et un beau cou. Elle lui sourit.

24

L'homme portait un costume large qui aurait fait fureur en 1930, mais rendait ridicule en 1944. Oliver tenait son goût vestimentaire du Président qui ne jetait jamais une chemise, une cravate ni un pantalon.

— Ollie, j'ai dit à Vivian que tu ne dirais rien si nous habitions dans ta chambre. Les hôtels sont bourrés. Impossible d'y entrer. Vivian est journaliste. Vivian de Vries.

Oliver serra la main de Vivian de Vries, l'épouvantail qui avait accompagné Anita. Vivian avait le visage tout en creux, de petits yeux, une petite bouche et de petites oreilles grises. Oliver se demandait où Anita avait bien pu le ramasser. Elle était censée être à Milwaukee avec un dessinateur réfractaire. Anita affectionnait tout particulièrement les insoumis. Elle vivait avec ce type depuis plus de quatre ans. Ils avaient eu un enfant mais Anita ne voulait pas épouser son dessinateur. L'enfant avait pris le nom de sa mère. Michael Beebe avait deux ans et demi. Oliver ne l'avait vu qu'une fois. Son neveu avait la peau luisante et rouge.

— Vivian fait des articles, dit Anita. Pour un magazine indépendant. Il écrit sur toutes sortes de gouvernements. C'est son domaine. Il veut t'interroger.

Oliver fronça les sourcils.

— M'interroger ? Pourquoi ?

— Tu vis avec les Roosevelt, n'est-ce pas ? »

Oliver avait passé la moitié de son enfance à se battre avec Anita. Ils portaient tous deux de légères traces de griffes sous les lèvres qui leur rappelaient ces bagarres. Impossible de s'entendre avec elle. Elle aimait le brutaliser, le forcer à faire ses quatre volontés.

— Je ne vis avec personne, décocha-t-il à Anita et à son journaliste, l'homme au nom de femme. Je suis le serviteur de M. et Mme Roosevelt. A elle je porte les messages. A lui je coupe les cheveux. Ils ont un chien. Je le nourris. C'est tout ce que je sais du gouvernement.

Ce Vivian de Vries ennuyait Oliver. Il avait l'air d'avoir quarante-cinq ans. Que faisait-il avec une fille de vingt-sept ? Où était Michael Beebe ? Oliver n'avait ni tantes ni oncles qui puissent héberger l'enfant d'Anita. Avait-elle refilé Michael aux bonnes sœurs de Milwaukee ? Elle était impitoyable et rusée. Capable de convaincre n'importe quel inconnu de lui prêter de l'argent, de prendre Michael et de lui payer un repas.

— Je vais m'arranger avec Mme Saunderson, dit-il.

Saunderson était sa propriétaire. Il ne ferait pas bon venir ici désormais. Il ne serait guère en paix avec Anita dans la chambre. Mais il ne put partir si vite. Elle toucha son col de marin, il n'avait pas encore passé la porte.

— Tu ne m'embrasses pas, Oliver ?

La langue d'Anita collait déjà à son menton en grondant bizarrement. Même pendant leur enfance de bagarreurs, ils n'avaient pas l'habitude de s'embrasser froidement sur la joue. Anita exigeait une allégeance passionnée de quiconque se glissait près de sa peau. Frère ou facteur, peu lui importait. Oliver l'embrassa sur les lèvres et dit au revoir.

Il calma Mme Saunderson. Erreur, dit-il. Anita était sa sœur, pas sa femme. Et mariée à un homme qui écrivait dans des magazines. Racontait des histoires de gouvernement. Interrogeait des gens. M. et Mme de Vries. La propriétaire se radoucit. Un couple marié ? Votre sœur et un homme qui écrit ? Elle ne saignerait pas un gentil couple. Ils pouvaient occuper les lieux au loyer habituel.

Il s'assit à l'*Old Shangaï* avec du bourbon dans sa théière. Une visite d'Anita le bouleversait toujours. Elle l'obligeait à se rappeler les pots cassés et le bric-à-brac de sa famille. Élevés à Weehawken avec un père et une mère ivrognes, il avait bien fallu qu'Oliver et Anita s'occupent. Orphelins chez leur père, ils jouaient à de petits jeux sinistres, faisaient semblant d'être morts. Anita déménagea à seize ans et demi, abandonnant Oliver qui en avait douze. Elle eut une série de soupirants, toujours des hommes graves, plus âgés qu'elle et l'air souffreteux : ils ne quittaient pas des yeux sa sœur. Elle vécut avec eux, l'un après l'autre, les plaqua, tandis qu'Oliver arpentait une maison pleine de bouteilles de whisky, avec une mère incapable de ramper hors de son lit et un père qui, des bars de dockers de Weehawken, oubliait de rentrer chez lui.

Oliver apparut au portail nord avec un coup dans le nez. La sentinelle appela la Maison-Blanche. Un huissier rentra en soutenant le marin titubant sans emprunter la grande porte. Les secrétaires auraient froncé les sourcils. Les journalistes se seraient accrochés à ses vêtements. Il était à peine midi. Il n'y avait qu'Oliver pour se soûler à une heure aussi peu convenable. On le fit passer par le sous-sol et on l'amena au grenier dans l'ascenseur de M. Roosevelt. Un serviteur ordinaire aurait été renvoyé. Personne ne pouvait toucher au « petit » du Président.

# Eleanor

## QUATRE

Oliver entendit des bruits de pieds nus au grenier : la Première Dame était revenue de Hyde Park. Elle rendait visite à Zena avant le petit déjeuner. Vêtue de sa robe de chambre, elle aimait monter l'escalier en martelant les marches, traverser les couloirs à la hâte, donner des instructions à sa bonne, s'asseoir sur le lit de Zena un petit moment, presser la main de l'ex-impératrice dans la sienne, la consoler de la perte de ses trois fils. La Première Dame avait une voix pointue. Oliver ferma sa porte. Mme Roosevelt était capable d'entrer. Elle lui poserait des questions sur les boursouflures de son visage et l'enverrait à l'infirmerie.

Un huissier tambourina sur la porte d'Oliver cinq minutes après que Mme Roosevelt eut quitté le grenier. C'était un garçon du Sud dont le costume noir commençait à faire des plis tellement il faisait chaud.

— Ollie, tu ferais bien d'enfiler tes fringues.

— Comment ça ?

— Mme Franklin t'invite au petit déjeuner.

Oliver noua sa cravate autour de son cou et descendit un étage. Mme Roosevelt faisait des œufs brouillés pour sa petite cour dans le Salon ouest. Elle ne dit pas un mot des couleurs étranges de la joue du marin. Elle sourit. Il ne comprenait pas sa discrétion. D'habitude, elle jacassait, le bras au-dessus du chauffe-plat.

Il mangea ses œufs près de la fenêtre.

— Merci, madame.

Même les secrétaires lui souriaient. Aucune d'elles ne

l'aimait. Il appartenait à Franklin. La Maison-Blanche était divisée en deux camps ennemis. Les gens de Franklin se réunissaient dans l'aile Ouest ; ils méprisaient l'autre partie de la maison. Les gens d'Eleanor étaient deux fois plus féroces. Elle avait dans son camp des actrices, des poètes, de jeunes étudiants, des éducateurs noirs, et des femmes journalistes. Pleins de mépris pour les généraux et politiciens qui entouraient M. Roosevelt. Les huissiers et les hommes du Service secret étaient du côté du Président. Les cuisiniers, les maîtres d'hôtel et les bonnes prenaient parti pour Eleanor.

Oliver n'avait rien à voir avec la politique et l'aile Ouest. Il descendait du grenier pour rendre de petits services à M. et Mme Roosevelt. Mais les gens d'Eleanor n'étaient pas du genre à accueillir un marin qui coupait les cheveux du Président. Oliver était donc troublé par les sourires, le léger bruit des tasses de thé, les marques de sympathie.

Une des protégées de Mme Roosevelt s'empara de l'édition de la veille au soir du *Washington Star*. La fille, une actrice dont Oliver ne se souvenait pas, lui fit un clin d'œil. Oliver était bien trop mal à l'aise pour lui répondre. Pourquoi flirterait-elle avec lui devant une douzaine de dames ? L'actrice se leva de sa chaise pour embrasser la joue endommagée d'Oliver. Personne ne s'en offusqua.

— Oliver, vous avez été merveilleux, dit-elle.

Oliver succomba aux œufs brouillés et au baiser puant. On prenait trop de libertés avec lui. Il n'était pas un de leurs pantins. C'était à lui de décider qui pouvait et qui ne pouvait pas l'embrasser.

— Pourquoi suis-je si merveilleux ? demanda-t-il.

Son air renfrogné les amusa. Excepté Eleanor, elles éclatèrent toutes de rire. La Première Dame continuait à brouiller des œufs. L'actrice se tortillait sur sa chaise.

— Vous ne savez donc pas ?

Elle lança le journal à Oliver.

— Doris Fleeson vous a consacré un quart de sa rubrique.

Oliver ne lisait pas le *Washington Star*. Il ne supportait pas les caractères d'imprimerie des journaux et leur disposition en colonnes le déroutait. Mais les bonnes au grenier parlaient souvent de Doris Fleeson. C'était une sorte de commère.

— Qu'est-ce qu'elle me veut, Fleeson ?

Les dames n'arrêtaient pas de se moquer de lui :

— Oliver, tenez-vous bien.

— Regardez, dit l'actrice en pointant du doigt l'article, vous êtes notre héros...

Le coiffeur n'en revenait pas.

— Ne vous êtes-vous pas bagarré dans un bar contre neuf marins qui tournaient Mme Roosevelt en ridicule ?

— Moins de neuf, marmonna Oliver et il n'en dit pas plus.

Les dames prirent son silence pour un acte de modestie extrême. Puis on passa à un autre sujet de conversation. Oliver se retrouva au beau milieu d'une conférence sur la présence des Noirs dans l'Armée et dans la Marine. Elles voulaient qu'il leur donnât des statistiques. Une poétesse l'interrogea.

— Oliver, avez-vous jamais servi sous les ordres d'un officier noir ?

— Non madame.

— En avez-vous jamais *vu* un ?

— Non madame.

— Y avait-il des Noirs à bord du dernier navire sur lequel vous étiez ?

— Oui madame.

— Quel était leur travail ?

— C'était des hommes du mess... et des coiffeurs, comme moi.

La table du petit déjeuner s'enflamma. Les dames s'engueulaient. Oliver n'en fut pas surpris. L'huissier-chef l'avait averti. Des bolcheviks, il les appelait. Ce qu'était un bolchevik, Oliver était incapable de le dire. Mais sans doute quelque chose de bruyant. Il les regarda, le cœur amer. Il n'allait pas salir la Marine pour une tribu de bolcheviks.

Mme Roosevelt dut percevoir son embarras. La Première Dame tira sur les revers de sa robe de chambre et la bataille prit fin. Elle donna une pelletée d'œufs à Oliver. Elle était toujours gentille avec lui. Il l'aurait aimée

31

davantage si elle ne s'était pas promenée pieds nus.

Oliver resta vingt minutes. Il pouvait s'excuser maintenant. Il lui fallait remplir ses devoirs de serviteur : monter le courrier d'Eleanor dans son petit bureau (le Service secret passait d'abord au crible paquets et grosses enveloppes pour y déceler d'éventuelles bombes), rassembler les petits-enfants Roosevelt éparpillés dans les étages et guider leurs exercices sur la pelouse. La poétesse essaya de le retenir, mais Eleanor l'autorisa à partir. « Au revoir », dit-il en faisant un petit signe de tête, et il alla chercher le courrier.

# CINQ

Juillet était pluvieux. Les amiraux et tous les militaires, debout sous les chênes le long de Pennsylvania Avenue, marmonnaient. Les feuilles semblaient transpirer, comme dans une ville tropicale. Les amiraux ne savaient où aller. Comme les simples soldats, ils étaient cloués à Washington sept jours par semaine. En réponse à cette torpeur générale, les journaux se mirent à inventer des histoires de sabotage. La fièvre s'empara du District. Des rumeurs venaient directement du Département de la Marine : un mini sous-marin avait été pris en train de labourer le fond du Potomac. On attendait l'apparition des Japs à Rock Creek Park. L'Armée doubla les gardes à chaque pont. Des marins parcoururent les alentours marécageux du Potomac avec des matraques à la ceinture. Des patrouilles traversaient l'esplanade de l'Ellipse en rampant. Et un saboteur qui se serait approché d'East Executive Avenue serait mort sous les coups de pied.

Le Service secret ne voulait pas lâcher Eleanor d'une semelle. Des agents tentaient sans cesse de la filer. « C'est une période d'épouvante », disaient-ils. Mme Roosevelt les renvoyait et les agents n'osaient pas protester. Il était difficile d'aller contre la volonté de la Première Dame. Et ils ne pouvaient la dénoncer à Kirkland Horn. Le chef du détachement spécial de la Maison-Blanche était à Singapour, ou à Hawaï, en train de jouer aux cartes avec le Président.

Mme Roosevelt se prit de pitié pour eux. Elle mentionna le nom d'Oliver. Les agents du Service secret écarquillèrent les yeux devant les énormes dents d'Eleanor.

— Ne vous inquiétez pas. Le coiffeur de mon mari me protégera.

Ils télégraphièrent à Kirkland Horn, s'attendant de sa part à un non catégorique. Ils furent ahuris. Kirkland approuvait. Ils parlèrent d'équiper Oliver d'un fusil en bois. Puis leur excitation retomba. Ils renoncèrent à assurer la garde de Mme Roosevelt.

Oliver n'avait pas le physique d'un garde du corps. Il était fragile et incapable de gronder ou de prendre l'air menaçant. Il en voulut à M. Roosevelt. Le Patron n'aurait pas dû le laisser au grenier pendant tout le mois de juillet. Oliver monta l'escalier, l'air sombre. Les huissiers l'arrêtaient à tous les paliers pour l'accabler d'informations décourageantes. Sale boulot en perspective que d'accompagner la Première Dame en voiture. Eleanor n'utilisait pas une limousine de la Maison-Blanche. Elle avait sa propre petite Chevrolet. « Mme Franklin est la pire des conductrices. Vraiment épouvantable. » Elle y avait déjà perdu ses dents de devant. Elle parcourait le District en tamponnant ailes de voitures, trottoirs et arbres...

Mais Oliver ne s'intéressait pas aux Chevrolet. Un homme du nom de Vivian lui occupait l'esprit. Sa sœur vivait dans sa propre chambre avec un épouvantail. Elle était venue à Washington sans son petit garçon pour suivre ce Vivian de Vries. Sa mélancolie se mit à croître. Il se trouvait maintenant dans la voiture de Mme Roosevelt. En conduisant elle avait les mains et les pieds occupés. Il y avait aussi trois dames écrasées à l'arrière, leurs épaules comme des couteaux aplatis. Oliver avait la place de choix, à côté de Mme Roosevelt. Les trois dames bavardaient à n'en plus finir. Leurs sujets de conversation lui échappaient. Elles passaient sans transition de la politique aux crèmes pour le visage.

Eleanor était plutôt silencieuse. De temps en temps elle demandait des bricoles :

— Mon Dieu, quelle chaleur ! Oliver, mon petit, voudrais-tu ouvrir ta fenêtre s'il te plaît ?

Les trois dames descendirent à Dupont Circle, et Mme Roosevelt fut toute à lui. Ils grignotèrent des biscuits, parlèrent de la Maison-Blanche. Les boiseries sont les meilleurs baromètres, dit-elle. Si les lambris du Salon Bleu se dilataient de trois millimètres au mois de juillet, la Maison-Blanche serait un marécage au mois d'août. La Première Dame n'avait pas grand-chose dans le crâne mais quelle importance ? Elle pouvait transformer le Salon Bleu en station météo si ça lui chantait. Il commençait à se prendre d'affection pour elle dans sa petite voiture. Il ne lui en voulait pas pour ses chaussures de tennis ni pour ses tristes chaussettes blanches. Mais il pensait qu'une femme de son âge devrait porter une gaine.

Les flics le long de Rhode Island Avenue reconnurent la Chevrolet. Ils fermèrent les yeux lorsqu'au passage elle accrocha quelques ailes et lui firent signe de continuer. Une marée de têtes surgit des voitures pour la regarder, bouche bée. « Voilà Eleanor. » Oliver remercia le ciel : elle ne rentra dans aucun arbre.

Ils arrivèrent à une école pour enfants sourds dans Florida Avenue. Oliver vit de vastes bois et pelouses. C'était Kendall's Green. Il n'y avait pas un endroit où la Première Dame pût passer inaperçue. Instituteurs et élèves entourèrent la voiture. Oliver ne s'était jamais approché à ce point de sourds-muets. Le bruit qu'ils faisaient, la bouche ouverte et les lèvres retroussées, lui donnait la chair de poule. Eleanor n'avait pas l'air de se soucier de ces plaintes ininterrompues.

Oliver voulait rester assis dans la voiture, les genoux contre son front. Mme Roosevelt ne voulut pas l'y autoriser. Il dut quitter la Chevrolet. Les enfants lui attrapèrent la main. Il était le marin qui accompagnait Mme Roosevelt. Les enfants essayaient de crier son nom de leurs voix rauques, il l'aurait juré. Oliver était stupéfait. C'était vraiment bien l'école pour sourds, même les muets savaient parler.

On les emmena dans un bâtiment pour le déjeuner. Oliver eut des poires cuites, de la laitue et du fromage blanc. La surdité ne coupait pas l'appétit aux enfants. Ils savaient manger les poires à la cuiller mieux qu'Oliver. Et ils ne laissaient pas tomber de fromage blanc sur leurs genoux.

La Première Dame prit la parole après le déjeuner sans avoir besoin de bouger les doigts. Ces enfants étaient intelligents, capables de lire sur ses lèvres. Oliver était démora-lisé. Ils suivaient ce qu'elle disait aussi vite que n'importe quel marin.

Mme Roosevelt l'acheva. Elle joua au volley-ball avec les champions de l'école. Elle s'assit dans une énorme maison de poupée que les sourdes avaient elles-mêmes construite et elle les aida à habiller et déshabiller leurs baigneurs. Elle dirigea un cours de couture. Elle rendit visite aux malades et estropiés dans l'infirmerie. Elle ne se fâchait jamais avec un enfant. Elle se penchait au-dessus de chaque malade, le serrait dans ses grands bras. Oliver la quitta au milieu de sa tournée.

Il avait l'intention de fumer dehors mais il vit un homme recroquevillé sur le marchepied de la Chevrolet. Le visage émacié de l'homme ne put tromper Oliver. C'était l'amou-reux crasseux de sa sœur, Vivian de Vries. Oliver le réveilla.

— Tu m'as suivi jusqu'ici ? Tu es sourd-muet ? demanda Oliver. Tu ne sais pas que c'est un délit de suivre la femme du Président ?

Vivian rit. Ses yeux étaient encore rouges après son somme sur le marchepied.

— Tu ne comprends donc pas qu'on se sert de toi ? La moitié du pays pourrait te manipuler et tu n'y verrais que du feu.

Oliver fronça les sourcils :

— Qui donc me manipule ?

— Eleanor, la reine. Tu es le bon marin, tu fais bien dans le décor. Elle t'a emmené pour se faire de la publicité, pour prouver quelle gentille petite démocrate elle est. Oli-ver, c'est du chiqué, un spectacle pour épater les indigènes.

— Foutaise. Je l'ai vue transpirer. Elle s'est blessé le pouce avec une aiguille. Elle s'est cogné la tête dans la mai-son de poupée.

— La vieille routine des maladresses. Ne pas quitter l'endroit sans blessure. Une goutte de sang de la reine est un souvenir fantastique. Tu piges ? Elle est descendue de la Maison-Blanche pour sourire à ses sujets, pour faire plaisir aux prisonniers.

Le froncement de sourcils d'Oliver s'accentua.

— Ce n'est pas une prison, c'est une école.

— Ouais, une école pour les blancs comme neige. Les riches peuvent jeter leurs bébés retardés derrière le mur. Pour eux, c'est un dépotoir. Cette école s'occupe des bébés et personne n'en doit rien savoir. Si tu es pauvre et sourd, on t'envoie au Maryland, à l'école nègre.

— Où as-tu été chercher ça ?

— Combien de garçons et de filles noirs as-tu rencontrés sur les lieux ?

Oliver mentit :

— Je ne me souviens pas. On est à Washington. Les enfants de couleur ne jouent pas avec les Blancs.

Il en avait plus qu'assez de Vivian de Vries.

— Va-t'en.

Vivian ne voulait pas bouger. Oliver se préparait à en venir aux mains quand Mme Roosevelt apparut au milieu d'un groupe d'instituteurs et d'enfants qui l'escorta jusqu'à la Chevrolet. Elle sourit à Vivian.

— Bonjour. Je suis madame Franklin Roosevelt.

Vivian lui donna une courte poignée de main.

— Je suis un ami de la sœur d'Ollie. J'écris pour *Contempo*. C'est un petit magazine.

— Peut-on vous raccompagner quelque part ?

L'épouvantail eut un mouvement de recul. Il avait peur d'être assis près de Mme Roosevelt. Les enfants ouvrirent la porte de la Chevrolet. Mme Roosevelt s'en alla avec Oliver. Les enfants lui dirent au revoir en agitant la main. Elle dit « au revoir, au revoir, au revoir ».

LE FLEUVE

# Le sauvage

## SIX

L'école des sourds de Kendall's Green n'était qu'un début. Eleanor l'emmena partout, dans des foyers de vieillards, des hôpitaux, des postes de défense passive. Elle ne faisait jamais la difficile. Elle se rendait dans tous les services réservés aux gens de couleur, s'arrêtait à chaque lit, passait de malade en malade dans ses chaussures de tennis, touchait les mains, gribouillait des notes, aidait les infirmières à changer les draps. Personne ne se moquait d'elle. Personne ne la menaçait. Et elle supportait très bien un garde du corps docile comme Oliver Beebe.

Les malades étaient heureux de la présence d'un marin. Et Mme Roosevelt avait un compagnon pour ses tournées. Oliver l'empêchait de s'endormir au volant. Il commençait à apparaître dans sa chronique. « Un des aides de mon mari, le matelot Oliver Beebe, m'a accompagnée dans les visites des hôpitaux de Washington. C'est un jeune homme ouvert et parfait. Les médecins et les malades l'adorent. Les infirmières veulent savoir si le beau marin a une fiancée qui l'attend quelque part. Je ne vais pas les décevoir. Oliver est célibataire. Mais il se voue entièrement aux États-Unis. »

Oliver devint une célébrité au grenier. Même l'ex-impératrice de Bulgarie qui passait le plus clair de son temps à se cogner aux murs des couloirs, lut ce qu'on disait d'Oliver dans *Ma Journée*\*. Les bonnes étouffèrent de petits rires en le voyant. Les huissiers montèrent d'énormes paquets de lettres. En une semaine Oliver reçut dix-huit

---

\* Chronique de Mme Roosevelt publiée quotidiennement (N.d.T.).

demandes en mariage. Il ne pouvait venir à bout de son courrier.

Quelque chose d'autre l'ennuyait. Impossible de se débarrasser de Vivian de Vries. L'épouvantail avait l'habitude de surgir soudain sur les marches des hôpitaux ou ailleurs avec ce visage fermé et ricanant. Il harcelait Oliver avec toujours la même histoire insensée. Des ostréiculteurs avaient découvert un marin japonais sur l'île de Tangier dans la baie de Chesapeake. Le Jap se cachait dans un arbre. Ils lui avaient lié pieds et poings et l'avaient livré au maire de Tangier. Une querelle s'éleva. A qui appartenait le Jap ? Il était réclamé par l'Armée, la Marine, le Congrès des États-Unis, le Maryland et le maire de Tangier. Le Jap avait un drôle de comportement. Il hurlait dans une langue qui ne ressemblait pas beaucoup au japonais. Le garde-côte l'enleva vite fait de l'île. Il fut amené dans un asile fédéral, St. Elizabeth, et mis en cage. Vivian jurait que le sauvage de Tangier était un Noir fou, pas du tout un Jap.

— Alors pourquoi ressemble-t-il à un Jap ? Qui lui a donné la peau jaune ?

— Roosevelt, dit Vivian. Il faut faire peur en temps de guerre. La Marine l'a peint en jaune pour que le roi Franklin puisse avoir son quatrième mandat. On fabrique un Jap, on le fait défiler, on laisse grandir l'hystérie et les gens disent que décidément on ne peut changer de président au beau milieu d'une guerre.

Oliver ne croyait pas à ces sornettes. Pourquoi Mme Roosevelt n'irait-elle pas à St. Elizabeth pour examiner le sauvage ? Si c'est un nègre, elle le dira. Oliver n'eut pas à ruminer cette idée très longtemps. Eleanor parla très vite du sauvage dans sa chronique. « Y a-t-il vraiment des Japs sur l'île de Tangier ou la Marine a-t-elle incarcéré un innocent ? Seule une enquête scientifique permettra de répondre. Le prisonnier doit subir publiquement un examen minutieux devant un jury d'experts. Le public a le droit de connaître la véritable histoire du sauvage de Tangier. »

Une grande clameur éclata dans la ville. Certains hystériques auraient aimé que le sauvage fût exécuté. Quelques « aborigènes », des plus anciennes familles de Washington, voulaient lui arracher les yeux. Certains militaires souhaitaient le fusiller pour rétablir le calme. Mais le sauvage comptait aussi des partisans. Les enfants de Georgetown firent la quête pour lui jeter des sous dans sa cage. Les employées du gouvernement lui cuisinèrent du pudding sur leurs réchauds. Un pasteur de Virginia Avenue promit à ses paroissiens de prendre d'assaut St. Elizabeth avec une armée de messieurs vertueux pour libérer le sauvage. Son église fut fermée pendant quelques jours. Qui l'avait fait taire ? La Marine ou le F.B.I. ? Personne n'était prêt à le dire.

L'affaire du sauvage avait dû parvenir aux oreilles du Président. Mais pas un mot de sa part dans la valise qui arrivait à la Maison-Blanche chaque matin. C'était une année d'élection, les vendeurs de journaux le rappelaient à tout le monde. Un Président avisé n'interviendrait pas. Ils n'avaient pas compté sur Eleanor. La Première Dame mobilisa toute son astuce en faveur du sauvage. Elle forma un comité avec Doris Fleeson du *Washington Star*. Elle fit une descente sur St. Elizabeth avec des géologues du Smithsonian Institute, des hommes d'église, Doris Fleeson, Oliver, et le reste de sa bande. Fleeson se tenait à côté d'Oliver. Elle lui flanquait la frousse. Il avait peur qu'elle ne parle de son supplice avec les sous-offs. Fleeson n'en dit pas un mot. Elle sourit et l'appela M. Beebe.

Le directeur sortit de St. Elizabeth pour accueillir Mme Roosevelt. Il se montra aimable et plein d'égards pour tous mais ne voulut pas lui accorder la permission d'interroger le sauvage. Ils étaient sur une propriété fédérale. Les fous de St. Elizabeth appartenaient aux États-Unis. Mme Roosevelt ne fit pas valoir les prérogatives de femme du Président.

— Nous sommes autant les États-Unis, dit-elle, que les pierres et les barreaux de cette institution.

Le directeur donna un coup de téléphone. Une équipe de géologues de la Marine arriva. Le directeur fit alors preuve de bienveillance, il laissa entrer les gens de Mme Roosevelt dans l'asile. Tout le monde descendit inspecter la cage. Le sauvage était gardé par deux « marines ». Il avait de longs ongles bruns et dentelés. Une barbe lui couvrait presque tout le visage. Son teint était uniformément jaune. Oliver chercha des signes de peinture derrière les oreilles du sauvage. Si la Marine l'avait fabriqué à coups de pinceau et avait changé à coups de gifles un vieux Noir fou en marin espion, Oliver n'en trouvait pas de traces. Les taches de rousseur du sauvage étaient réelles. Les yeux étaient suffisamment bridés. Il n'avait pas la bouche d'un nègre. Il ne pouvait être qu'un Jap.

Le directeur le sortit de la cage. Il ne bondit pas. Il n'attaqua pas les deux « marines ». Il émit un bruit, un hurlement, comme les enfants sourds-muets de Kendall's Green.

— Le pauvre homme a faim, dit Mme Roosevelt.

Elle sortit une tablette de chocolat de son sac et la lui mit dans la bouche. Le directeur ne fit aucune objection. Le sauvage téta doucement le pouce de Mme Roosevelt.

Les géologues du Smithsonian étaient impatients de s'en emparer. Ils le voulaient nu, ne pouvaient l'examiner que dans son état naturel. Les experts de la Marine durent accepter, ou l'enquête n'aurait jamais commencé. Les deux gardes saisirent les épaules du sauvage et le dépouillèrent de sa blouse d'hôpital. Sa couleur restait la même partout. Ses fesses étaient aussi jaunes que ses oreilles. Les femmes du groupe de Mme Roosevelt essayèrent de ne pas jeter de coups d'œil furtifs à ses parties génitales. Mais elles ne purent s'en empêcher.

Les géologues demandèrent un coiffeur. Oliver dut délivrer le sauvage de sa barbe. Il utilisa des ciseaux grossiers fournis par le directeur. Pas facile. Il lui fallut employer toute sa force pour tailler dans cette végétation féroce sans réussir à le raser de près. La peau sous la barbe ne laissait pas découvrir grand-chose. Elle était jaunasse. Les géologues de Mme Roosevelt tournèrent autour de lui, mesurèrent son crâne avec une série de pinces de bois. Ils lui tapotèrent le thorax, mirent tous la tête contre sa poitrine et écoutèrent son cœur. Ils tâtèrent son scrotum avec un gant en caoutchouc qui passa de main en main. Leur opinion était faite. Ils revinrent près de Mme Roosevelt.

— Madame, dit leur porte-parole, c'est bel et bien un Jap.

On sentit la déception se répandre dans le groupe de Mme Roosevelt. Une grande amertume et un grand chagrin. La bande était prête à tomber à bras raccourcis sur les géologues. Alors un des experts de la Marine s'approcha du Jap. Il frotta le visage du sauvage avec un chiffon humide. Il était obstiné, cet homme de la Marine. Les hurlements du sauvage ne pouvaient arrêter son chiffon. Bientôt le jaune commença à peler de place en place.

— C'est de la boue de Chesapeake, dit-il, de la boue jaune.

Et ils regardaient tous les yeux de nègre, les oreilles de nègre et un large nez de nègre. Le directeur était atterré. On n'avait pas le droit d'héberger un nègre à St. Elizabeth en 1944. Une starlette s'évanouit au spectacle de cet homme à demi jaune. Oliver la ranima, éventant son visage de starlette avec son béret de marin.

## SEPT

Personne ne réclama le nègre de Tangier. On parla de l'enrôler dans la Marine, mais que faire de son vocabulaire de hurlements et de grognements ? Des psychologues l'examinèrent pendant une semaine, mais il n'arriva même pas à réussir une version simplifiée du test d'intelligence de la Marine. Après la Marine, l'Armée se désista elle aussi. Un mouvement se créa parmi les gens éclairés pour rendre au nègre son milieu originel. Les éleveurs d'huîtres n'auraient jamais dû l'enlever de son arbre. Le maire de Tangier refusa cette proposition. Domestiques ou sauvages, les nègres n'étaient d'aucune utilité à Tangier.

Le nègre fut abandonné au gouvernement. Un juge fédéral tança les agences d'adoption du District qui ne voulaient pas aider l'ancien sauvage. Il dut confier le nègre à Mme Roosevelt jusqu'à ce qu'on lui trouve un domicile. Et gentil juge qu'il était, lui donna trois dollars, des vêtements, et l'appela Jonathan, du nom de son fils défunt. Les habitants de Washington jugèrent Mme Roosevelt indigne. Amener Jonathan à la Maison-Blanche ! Les nègres civilisés étaient suffisamment mauvais, disaient-ils. Un nègre sauvage se suspendrait aux lustres.

Toute la calomnie du monde ne pouvait blesser Mme Roosevelt. Elle suivit les instructions du juge. Elle ne permit pas que Jonathan devienne un objet de spectacle. On ne l'exhibait pas à l'heure du petit déjeuner pour amuser les invités. On avait averti les membres de son entourage de ne pas lui donner sans cesse des friandises. On dit aux huissiers et aux hommes du Service secret de ne pas le bousculer dans les escaliers. Les reporters ne pouvaient en approcher pour l'interroger. On le remit à Oliver.

Les mitrailleurs sur le toit furent ravis de ce qui se passait au grenier.

— Seigneur, dirent-ils, un singe vit juste en dessous de nous.

Oliver s'amusait moins, maintenant qu'il avait Jonathan pour frère. Il était chargé de la bonne tenue du nègre. Il devait s'assurer que les manches de Jonathan ne dépassaient pas de sa veste. Il rasait le nègre, faisait briller ses chaussures, lui enseignait le raffinement d'un siège de W.-C. Il était le seul précepteur que Jonathan ait jamais eu.

Oliver ne pouvait s'ébattre dans le grenier avec une ex-impératrice qui obstruait les couloirs. Et pourtant le nègre devait bien faire sa gymnastique. Aussi Oliver l'emmenait-il en courant sur la pelouse sud devant les policiers et les jardiniers, puis il l'entraînait dans la cage à écureuils. Mais il ne voulait pas cloîtrer Jonathan à l'intérieur d'un jardin. Pour un marin tel qu'Oliver, l'éducation du nègre nécessitait davantage d'espace. Il voulait donner à Jonathan une petite idée de la ville. Il lui fit traverser l'avenue pour aller à Lafayette Park. Ils s'assirent en face de l'église épiscopale, à près de cinq cents mètres des amiraux et des généraux qui sortaient de la Maison-Blanche avec leurs salières et leurs gamelles.

La chance ne souriait pas à Oliver. Il savait éviter les amiraux fouineurs mais pas l'épouvantail de sa sœur. Vivian de Vries avait le don de se faufiler. Il était assis sur le banc d'à côté. Ses yeux vitreux fixaient Jonathan.

— T'as pas besoin de parler, dit Oliver. Ça ne m'intéresse pas !

Il aurait aimé s'enfuir. Mais les amiraux l'auraient vu empoigner Jonathan pour l'entraîner loin de Vivian. On ne pouvait galoper avec un nègre dans Lafayette Park pendant très longtemps sans être remarqué.

— Tu devrais rendre visite à Anita, dit Vivian sans détourner les yeux de Jonathan. Elle ne partage pas tes opinions, fiston.

— Je ne suis pas ton fils, dit Oliver.

Vivian ignora la réplique.

— Elle ne peut te rendre visite ni frapper à ta porte, maintenant que tu habites avec tous les rois.

Oliver sentit un penchant meurtrier grandir en lui. Mais Lafayette Park n'était pas l'endroit pour étrangler un épouvantail. Il l'inviterait à aller dans Sailor's Row, le refilerait aux putains et aux poivrots au *Ship's Café*. Vivian ravalerait son journalisme avec des morceaux de verre dans la bouche.

— Anita n'a pas besoin de mes visites, dit Oliver, puisqu'un renard comme toi l'occupe.

Oliver s'attendait à ce qu'il traite le nègre de monstruosité électorale. Mais Vivian resta silencieux. Puis il dit :

— C'est vraiment une grande dame d'adopter un sauvage et de te le donner pour cousin.

— La ferme, répondit Oliver. Il ne faisait plus attention aux amiraux.

Dans la Salle des Cartes, ils étaient tout-puissants, mais dans Lafayette Park, leurs petites épingles ne servaient à rien. Il traversa la pelouse en courant avec Jonathan. Le nègre s'amusait. Il gardait la langue enfoncée dans la bouche. Il semblait avoir de l'affection pour Oliver.

La présence du nègre au grenier irritait Ethel Rosenquist. Elle montait à trois heures du matin et trouvait Jonathan dans le lit d'Oliver.

— Qu'est-ce qu'il fait là, lui ? Est-ce qu'il n'a pas sa propre chambre ?

— Ethel, il n'est pas habitué aux plafonds et aux murs. Il aime rester avec moi.

Passer sa vie avec Jonathan rendait Oliver triste. Les hurlements du nègre lui hachaient le cerveau. Impossible de penser, de ranger sa chambre, ni de fureter dans ses magazines de cinéma. Un après-midi il laissa les bonnes lui emprunter Jonathan. Il put s'asseoir près d'elles dans la lingerie et regarder repasser les chemises. Les bonnes eurent le plaisir de l'accompagner aux toilettes. Oliver alla boire du bourbon dans Chinatown. Il pelota une serveuse dans l'arrière-cuisine de l'*Old Shangaï*. Avec les cuistots qui entraient et sortaient, ils ne pouvaient se déshabiller. C'était éreintant pour Oliver. Il dut copuler le ventre plein de bourbon, allongé par terre en pantalon blanc. Puis il reboutonna sa braguette et s'en alla à pied voir sa sœur à Mount Vernon Square.

Anita ricana en le voyant. Elle n'était pas aveugle et avait remarqué la sciure sur son pantalon.

— Tu t'es bien amusé ? demanda-t-elle.

La garce s'était servie dans sa garde-robe. Elle portait une de ses vieilles chemises. Elle méprisait sans doute les boutons d'Oliver. Elle nouait les pans de sa chemise sur ses seins.

— Dis à Vivian de me laisser tranquille, dit Oliver, je vais lui mettre mon poing sur la gueule s'il me suit encore. Qu'il exerce son journalisme sur quelqu'un d'autre.

— Il ne peut pas. Il écrit sur les Roosevelt.

— Vivian ? Qu'est-ce que c'est que ce nom ? C'est pas un nom d'homme. Et où diable se trouve le petit Michael ?

— T'occupe pas. Michael m'appartient.

— Ferme ta chemise, dit Oliver.

Elle resserra le nœud en laissant son ventre à découvert. Elle avait des vergetures autour du nombril. Oliver fut grossier. Il regarda fixement les marques jusqu'à ce qu'elle cache son ventre. Pas possible de se détendre dans son ancienne chambre. Il avait baisé une serveuse et était venu voir Anita le pantalon humide. La serveuse n'était pas chinoise. C'était une blonde de Philadelphie qui avait un faible pour l'allure d'Oliver. Les propriétaires du restaurant ne l'avaient pas découragée de rencontrer Oliver dans l'arrière-cuisine. Ils n'auraient jamais permis à une Chinoise d'approcher à ce point Ollie. Ils engageaient des blondes de Philadelphie pour servir le thé et sourire aux soldats et marins qui inondaient Washington en 1944. Oliver n'endommagea pas la blonde et ne lui écrasa pas les seins. Il l'aimait bien, appréciait la générosité avec laquelle elle le servait. Mais pour Anita il devait se faire sauvage. La garce lui faisait peur.

Il s'en prit donc à sa sœur morceau par morceau, autrement elle l'aurait avalé tout entier. Il avait été sa proie pendant les douze premières années de sa vie. Quand elle était dans la baignoire, elle le priait de lui gratter le dos. Avec chacune des différentes parties de son corps, elle pouvait le tenir à sa merci. Il se serait coupé la langue pour un coup

47

d'œil au cul, aux jambes, aux omoplates d'Anita. Elle adorait qu'Oliver l'épie. Quand elle gémissait sur le divan avec un de ses soupirants, elle gémissait pour Oliver. Ça l'excitait de forniquer sous les yeux de son frère. Il se rappelait les tremblements de son dos, sa taille fine contre l'oreiller, les grandes oreilles du soupirant.

Elle avait dû remarquer la terreur sur son visage, la crispation de ses mâchoires.

— Ollie, dit-elle, Michael n'est pas perdu. Comment aurais-je pu abandonner mon propre enfant ? Je l'ai laissé à un ami. On ne peut pas voyager avec un bébé par les temps qui courent. Et il est difficile de se procurer de la nourriture. On ne sait jamais si on ne va pas trouver des insectes dans l'eau.

— Où est ton autre type ? Philip, le réfractaire. C'est à lui que tu as laissé le bébé ?

— Ne joue pas les durs comme ça. Je suis avec Vivian maintenant.

— Vivian est un moins que rien. Saurait-il même s'occuper d'un enfant ?

Anita gonfla les narines :

— Ollie, arrête...

— Oui, un moins que rien. Tu pourrais le jeter dehors d'une pichenette. Et en plus, il est fou. Il voit des nègres dans les buissons et il appelle Mme Roosevelt la reine.

Anita posa ses mains sur la vareuse d'Oliver.

— Retire ton uniforme, dit-elle, il est tout en désordre.

Elle lui ôta sa cravate. Elle s'était déjà glissée dans ses vêtements. Oliver ne pouvait pas y croire. Elle le caressait avec son nez. Sa tête était sur ses genoux. Il sentait l'odeur de ses cheveux. Il avait encore son slip, Dieu merci, sa queue à l'abri dans du coton blanc. Il n'arrivait pas à contrôler la tête qui le reniflait. Il était pétrifié. Il n'avait pas la force de hurler ou d'attraper la figure de sa sœur. Il fit un bond, culbuta hors du lit et sortit de la chambre en courant, ses chaussures et son pantalon à la main.

## HUIT

Le supplice du sauvage n'était pas terminé. Les phonologues du vieil hôpital de la Marine arrivèrent à la Maison-Blanche avec une masse imposante d'appareils acoustiques. Ils attachèrent des écouteurs sur le crâne de Jonathan. Ils accrochèrent des morceaux de métal dans sa bouche. Ils extirpèrent des bactéries du dessous de sa langue. Ils lui caressèrent les cordes vocales. Ils annoncèrent enfin à Mme Roosevelt que Jonathan était muet. Ses hurlements ne signifiaient rien pour eux. Ses grognements de sauvage ne ressemblaient en rien aux sons mélodieux des êtres humains. Il lui fallait une éducation dans une école pour sourds. Ils ne pouvaient le faire entrer à Kendall's Green. Il devrait aller à l'école pour gens de couleur dans le Maryland.

Jonathan ne voulait pas quitter son grenier. Il s'accrocha à Oliver quand les phonologues essayèrent de le tirer en bas de l'escalier. Vivian, ce salaud, n'avait pas menti, Oliver ne cessait d'y penser. Les nègres vont au Maryland. Si le sauvage avait été un peu plus blanc, il aurait pu jouir du soleil de Kendall's Green. Les phonologues agrippèrent les jambes de Jonathan. Oliver était content d'avoir limé les ongles du sauvage, autrement l'étreinte de Jonathan n'aurait pas été de tout repos. Il y avait des coups de griffes sur la chemise d'Oliver. Du sang tombait goutte à goutte de ses manches, et pourtant il souhaitait garder Jonathan. « Je te ferai sortir de l'école de nègres », lui promit-il à l'oreille. Peine perdue. Jonathan ne comprenait pas l'anglais de

Weehawken. Ses ongles cassèrent net. Les phonologues l'arrachèrent.

Avant le départ de Jonathan, Oliver ne s'était pas rendu compte de l'affection qu'il lui portait. Il maudit la méchanceté des gouvernements, la facilité avec laquelle ils déracinaient les êtres humains. Dans ce monde, on pouvait être décroché d'un arbre de Tanger, arriver à la Maison-Blanche, et puis se retrouver au Maryland.

Pendant deux jours entiers, Oliver ne voulut pas regarder Mme Roosevelt. Eleanor appartenait au gouvernement, non ? Qui d'autre était la Première Dame d'Amérique et la maîtresse de la Maison-Blanche ? Il commença à lui pardonner vers le troisième jour. Elle aurait sauvé Jonathan si elle en avait eu la possibilité. Il descendit à ses petits déjeuners. Il mâcha ses œufs brouillés. Il écouta sa bande préparer une énorme campagne de tricot en faveur des mères célibataires. On parlait beaucoup d'adopter des bébés chinois. Oliver bouillait sur sa chaise. Ses œufs refroidirent. Personne ne comprit son chagrin si ce n'est Mme Roosevelt.

— Ollie, nous avons dû renoncer à Jonathan. Nous ne pouvions le priver de son éducation. Ne vous inquiétez pas. Il aura un foyer splendide.

Une des compagnes de tricot de Mme Roosevelt intervint :

— Hé, Eleanor, de toutes les façons tu n'aurais pas pu le garder éternellement. Jonathan serait devenu encombrant.

Oliver quitta la table du petit déjeuner, des morceaux d'œufs et de bile sur le cœur. Où est le Patron ? Tout le monde a-t-il oublié que c'était aussi la maison du Président ? Les gens de Mme Roosevelt prenaient possession de toutes les meilleures pièces. Impossible de monter un escalier sans se prendre les pieds dans une actrice ou un éducateur. Les proches du Président, quant à eux, étaient réfugiés dans l'aile Ouest, on ne les invitait pas au petit déjeuner, au déjeuner, ni au thé. Oliver devenait fou. Il avait une sœur qui essayait de brouter son caleçon et un Président qui flânait dans le Pacifique avec ses amiraux. En un mois, Oliver n'avait reçu qu'un communiqué de M. Franklin : une poupée, arrivée avec le courrier, une poupée hawaïenne au visage violet foncé et avec des cils probablement arrachés de la tête d'un animal. Un mot accompagnait la poupée : « Cher Ollie, cet objet provient d'une tribu. Il te servira de conscience, m'a-t-on dit. Si tu agis mal, la poupée est censée piquer. Tu manques à Fala. Porte-toi bien, Franklin D. Roosevelt. »

Oliver n'aimait pas la poupée. Son museau violet l'agaçait, lui donnait envie de déchirer la bourre du cou. Mais il ne voulait pas abîmer un cadeau du Président. La poupée resta sur le bureau d'Oliver, négligée, mal aimée, tellement recroquevillée qu'on ne voyait plus de violet. Il se sentait pourchassé dans sa chambre. La poupée le persécutait. Sa colère contre Anita montait. Ce n'était pas la passion qui l'avait poussée à embrasser son caleçon. La garce voulait obtenir quelque chose de lui. Oliver retourna à la pension.

Cette fois-ci, elle n'était pas dans une de ses chemises. Elle portait une robe. Sa silhouette effraya Oliver. Si l'on oubliait les marques autour de son nombril, elle avait le corps d'une fillette de quatorze ans. Il retrouvait celle qui recevait ses admirateurs sur le divan pendant que M. et Mme Beebe buvaient jusqu'à l'abrutissement dans la pièce à côté.

— Où est Vivian ? Est-il dehors en train de faire campagne pour le parti républicain ?

Anita ne voulut pas lui répondre. Elle épousseteait les murs avec un vieux chiffon qui sentait mauvais. Ses rites domestiques étaient inconnus d'Oliver. Il n'avait jamais vu sa sœur laver la moindre assiette.

— Qu'est-ce qui se passe ? Vivian essaie de me faire passer pour un imbécile ? Pourquoi ça t'intéresse de me retirer mon pantalon ?

Il lui enleva le chiffon des mains. Anita ne dit rien. Il lui attrapa les poignets, serra. Le corps d'Anita cédait. Ils culbutèrent sur le lit. Il sentait l'odeur de sa peau. Le musc lui était si familier qu'il en fut effrayé. La garce s'était infiltrée dans son sang. Il n'aurait jamais dû s'éloigner de la poupée du Patron. Tout ce violet aurait pu le guérir d'Anita. Il avait en face de lui sa sœur, les mains sur la tête, les coudes écartés pour lui. Elle avait l'éclat luisant d'un animal. Inconsciemment, il lui lécha les cheveux. Il n'était pas troublé. Le matelas était troué de brûlures de cigarettes. Pour la plupart des Lucky Strike. Oliver avait l'habitude de somnoler une cigarette à la bouche. La fumée le réveillait juste à temps. Il toussait et éteignait avec la main les petits débuts d'incendie.

Que faire des dents d'une sœur ? Ils s'embrassèrent bruyamment et se déshabillèrent. Il pénétra Anita. Stupéfait qu'elle soit humide. « J' t'aime », marmonna-t-il, les mots lui collaient à la langue. Remuer en elle ne lui semblait pas curieux. C'était comme si tous deux n'avaient qu'un rythme à partager et qu'une chair.

Oliver s'attarda dans sa vieille chambre. Il regardait sa sœur, guettant les signes de regret. Ils burent du jus de pomme dans une grande boîte. Anita ne s'habilla pas. Une fille de vingt-sept ans, une femme presque, avec un enfant à Milwaukee. Oliver adorait ses vergetures. Il lui toucha les poils du pubis tandis qu'elle finissait la boîte. Il aurait renoncé à la Maison-Blanche pour un autre après-midi avec elle. Il en avait assez du grenier et d'un Président qui ne revenait pas. Il s'était mis à aimer Mme Roosevelt mais il pouvait se passer de ses bonnes actions. Anita fit la moue, les lèvres pleines de jus de pomme.

— Oliver, tu ferais mieux de t'en aller. Vivian va être là d'un moment à l'autre.

Cet épouvantail ne le gênait pas. Qu'est-ce que ça pouvait lui faire que Vivian voie sa queue ? Les yeux d'Anita devinrent gris. Elle ne voulait plus regarder son corps. Oliver partit. Sans dire quand il reviendrait. Le coiffeur avait des scrupules. Il n'allait pas commencer à fixer des rendez-vous pour baiser sa propre sœur. Il s'arrêta dans Chinatown pour prendre un thé noir et des beignets. Les serveuses blondes ne purent obtenir de lui le moindre signe de tête. Un homme l'appela d'une table voisine.

— Dites, vous n'êtes pas Oliver Beebe ?

Oliver ne le salua ni d'un sourire ni d'un clin d'œil. Il avala son beignet et paya l'addition.

# Anita de Vries

## NEUF

Elle habitait à Weehawken dans une maison de Jupiter Street. Après l'école, les garçons la suivaient. C'était la beauté de sa classe. A douze ans, des Packard la raccompagnaient jusqu'à sa porte, des Packard à pots d'échappement énormes et à miroirs roses. Elle avait un frère, bébé Oliver, qui l'accompagnait pendant ses promenades en voiture. Anita ne s'en occupait pas, elle ne l'emmenait que pour le terroriser, le faire hurler de peur. Il avait huit ans, portait des culottes courtes, avec une patte de lapin malodorante dans sa poche. Il ne parlait jamais. Il ne mangeait pas, à moins qu'Anita ne lui bourre la bouche de nourriture. Elle lui écrasait des bananes dont il se barbouillait les joues.

Anita jonglait avec ses admirateurs, les gardait pendant un mois, et puis soudain refusait d'aller dans leurs voitures. La Packard de ce mois-ci appartenait à un représentant en chaussures du South Jersey. Murray, c'est ainsi qu'il s'appelait. Il avait à Hackensack une femme et une flopée de marmots, et dans son coffre des formes cassées. Anita l'avait rendu dingo. Murray ne prenait aucune précaution. Il passait son temps chez un marchand de glaces, au milieu de filles de douze ans qui mangeaient des crèmes au chocolat et des banana splits. Il faisait des détours pour acheter des robes à Anita. Il lui servait de taxi jusqu'au lycée. Il approvisionnait sa famille en chaussures.

Il ne pouvait échapper à Oliver. A l'arrière de la voiture, la tête du petit garçon émergeait des échantillons de chaussures, grimaçait, tel un gros œil gourmand, et le représen-

tant en perdait son érection. Anita ne protestait pas. Elle
lui perçait ses capotes anglaises avec une épingle à cheveux,
lui chatouillait les chevilles. Ils s'embrassaient pendant des
heures. Anita, sur les genoux du représentant, faisait des
clins d'yeux à Ollie. Regarder béatement sa sœur était sa
seule occupation. Durant ce mois-là, il sentit le cuir. Où
que le représentant glissât la main, Anita ne fermait pas les
yeux. Oliver restait tranquille. Il apprit ainsi à rester assis
sur une boîte de chaussures sans remuer le derrière.

Avec le représentant, l'aventure ne dura pas longtemps.
Sa femme apparut un jour dans Jupiter Street traînant derrière elle une couvée de petits Murray. Et les marmots se
mirent à crier juste en face de chez M. Beebe. M. et
Mme Beebe étaient trop ivres pour se soucier du bruit. Mais
les voisins écoutèrent. Ils entendirent une femme se lamen-
ter sur l'avenir de ses petits garçons. Il commençait à faire
noir. La femme disparut vers Hackensack. Sa visite laissa
une forte impression. Quand le représentant ramena Anita
et Oliver chez eux, les hommes de Jupiter Street entourèrent la voiture. Ils s'en prirent à Murray, lui démolirent
le portrait et lui volèrent son stock de chaussures. Puis ils
grondèrent Anita et farfouillèrent dans ses vêtements. Ils
l'emmenèrent chez son père, leurs mains bien au chaud
entre ses cuisses. Ils pelotèrent plus Anita que le représentant ne l'avait jamais fait.

Oliver fut abandonné sur le trottoir. Les bons maris de
Jupiter Street sortirent, la bouche déformée par un rictus.
Ils tapotèrent la tête d'Oliver, le plaignirent d'être né dans
une famille de Beebe. Oliver s'en alla chercher Anita. Elle
se trouvait en haut, dans les toilettes. Ils l'avaient sanglée
sur le siège avec des lambeaux de sa jupe. Il lui fallut une
heure pour la détacher. Pas du tout à cause des nœuds.
Mais Oliver travaillait face au mur, il ne voulait pas regarder les jambes de sa sœur.

Il n'y eut plus de Packard dans Jupiter Street. Elles
avaient peur. Anita ne pouvait plus prendre le large. Ses
soupirants devaient la rencontrer au parc ou venir chez
elle. Elle eut quatre ans de flirts sur le divan familial. Puis
elle se lassa. Elle écrivit une lettre à Murray. Elle avait
besoin de vacances, disait-elle. Loin de Weehawken. Mur-

ray obéit. Il balança femme et enfants pour son ancienne chérie. Il eut un choc en la voyant. En quatre années, elle avait vieilli. Agée maintenant de seize ans, elle avait maigri et perdu son piquant. Mais le représentant en était toujours aussi fou. Ils allèrent vivre à New York. Il choisit un appartement à Irving Place pour son Anita et lui acheta deux coiffeuses et un lit. Mais il était incapable de garder longtemps un travail. Les coiffeuses furent renvoyées au magasin de meubles. Anita reçut des cadeaux d'autres hommes. Ce n'était pas une fille vénale. Elle n'acceptait rien d'un homme à moins qu'il ne lui mangeât dans la main.

Murray repartit pour Hackensack demander pardon. Sa femme l'accueillit avec un balai. Ses enfants le mordirent dans un long accès de rage. Mais il rentra chez lui.

Anita n'avait pas fini avec un petit ami qu'un autre arrivait. Elle commençait à étouffer dans l'écheveau de ses soupirants. Elle devenait un terminus pour tous ses hommes. Ils se glissaient dans son corps, arrachaient le plaisir qu'ils pouvaient et s'accrochaient à elle jusqu'à ce qu'elle trouve une façon de les écarter. Elle traversa son adolescence, une petite tache grise dans les cheveux. A vingt ans, elle n'avait toujours pas de soupirant permanent. Elle mourait de faim. Anita ne travaillait pas et elle ne voulait pas coucher avec un homme qui ne lui plaisait pas. En 1941, elle rencontra Philip, un dessinateur au chômage. Il savait aussi peu survivre qu'Anita. Philip vendait des lacets dans les rues.

Il se cachait pour ne pas être enrôlé dans l'armée. On pourrait le tuer, disait-il, le jeter au pénitencier et lui arracher les dents avant qu'il ne mette un uniforme. Il s'arrêta de vendre des lacets parce qu'il avait peur de se lancer dans les rues. Roosevelt avait des agents partout. Anita partageait l'hystérie de Philip. Mais ils n'avaient rien à manger. Ils déménagèrent à Terre Haute près du collège de St. Mary-of-the-Woods. Philip fit de petits travaux pour les bonnes sœurs, terrifiées par Roosevelt et le parti démocrate. Il se sentait à l'aise jusqu'au jour où elles lui demandèrent pourquoi un garçon en bonne santé comme lui n'avait pas reçu d'avis d'incorporation. Ils se sauvèrent de

St. Mary-of-the-Woods et atterrirent à Milwaukee où il trouva un travail dans une fabrique de cartes de vœux. Il y avait tant à faire que personne ne se préoccupait de la situation militaire des employés.

Il pria Anita d'avoir un enfant de lui.

— Je ne suis pas faite pour être mère, dit-elle. Il y avait trop de laisser-aller chez moi. Je ne voyais mon père que lorsqu'il devait vomir. Ma mère m'aurait étranglée si elle avait pu se retenir de boire. Elle était assez jalouse pour ça. En tout cas j'ai déjà eu un enfant. J'ai élevé mon frère Ollie. On est braques tous les deux. On ne pouvait jamais rester en place.

En proie à des nausées dès le matin, elle vomit pendant sept mois. D'étranges petites taches brunes se développèrent sur ses tétons. Son ventre s'assombrit. Son nombril était plus large qu'un pouce. Elle avait assez de poils au pubis pour en doubler un gant. Les veines de ses jambes serpentaient comme des vers de terre. Elle traversa l'hiver de Milwaukee, cheminant sans manteau, la peau en feu. L'accouchement fut horrible. Les contractions lui firent presque exploser les yeux. Elle perdit les eaux en allant à l'hôpital et resta assise ainsi pendant trois quarts d'heure. Les docteurs lui arrachèrent le bébé. Michael naquit la tête violette.

C'était en 1942 et Philip avait peur de déclarer sa paternité. L'enfant prit le nom d'Anita. Ce fut Michael Beebe.

Philip était bon pour Michael, si bon qu'il prit l'enfant pour lui. Peu importait à Anita d'être méprisée. Elle était reconnaissante à Philip de son dévouement. Venant d'une famille bancale, elle n'avait pas la moindre idée des devoirs d'une jeune mère. Elle se montrait maladroite avec Michael Beebe qui atteignit l'âge de deux ans sans l'aide de sa mère. Anita ne s'éloignait pas de la maison. Elle tricotait pour le bébé des chaussons qui ne furent jamais terminés.

Un représentant frappa un jour à la porte alors que Philip et Michael étaient dans le parc. Il essayait de lancer un magazine d'art et de politique. Elle ne put en comprendre un seul paragraphe. Le chapeau du voyageur de commerce était graisseux et ses manchettes commençaient à s'effilocher. Elle eut pitié de lui. Vendre une marchandise aussi pourrie... Il ne se montra pas farouche avec elle, il lui dit tout de suite son nom, Vivian de Vries, l'unique rédacteur de *Contempo*. Cet homme tout gris pétrifia Anita. Elle ne comprenait pas ce qu'il voulait d'elle. Ils s'enlacèrent sur son divan pendant que le café bouillait. C'était comme embrasser un bout de pierre froide. Vivian avait les manières d'un représentant. Il ne retirait pas son chapeau.

— Mon ami est dans le parc, dit-elle, vous feriez mieux de me laisser ma culotte au cas où.

Il n'avait pas touché ses vêtements. Elle se démena pour se déshabiller. Elle avait besoin de ce corps de pierre. Il la pénétra comme un harpon. Elle crut qu'elle accouchait de nouveau. Le représentant avait une façon de lui faire l'amour qui tenait du miracle. Rien ne bondissait si ce n'est ses cuisses. Elle ne pouvait concilier cette douleur délicieuse en elle avec l'immobilité de son chapeau, de ses membres et de sa poitrine. Elle lui mordit l'épaule pour savoir s'il était vivant. Son sang salé ne servit qu'à la troubler davantage. Il jouit sans trembler une seule fois, avec le grondement sec d'un chien. Déjà, il s'était retiré. Elle n'avait même pas remarqué la couleur de son caleçon.

Elle jacassa, espérant le retenir avec la résonance de sa voix. Elle mentionna Oliver, Weehawken, Hitler, Terre Haute, tout ce qui lui venait à l'esprit. Vivian se prit d'un goût soudain pour le café d'Anita. Il déballa ses magazines et la fit revenir à Oliver.

— Il vit à la Maison-Blanche, dit-elle. Mais il garde une chambre à Chinatown au cas où Roosevelt deviendrait trop exigeant. Il est petit, mon frère. Un mètre soixante-sept. Il a les cheveux si noirs... on dirait un corbeau. Il était marin. Maintenant il fait des shampooings.

Le représentant adorait visiblement entendre parler d'Oliver. Elle lui disait n'importe quoi pour entretenir sa curiosité.

— Ollie m'aime. Il m'a toujours aimée. Vivian, quelle est votre prochaine étape ?

— Washington D.C.

Anita avait fait ses valises avant que le représentant n'ait repris ses magazines. Elle laissa ses écharpes et ses chaussures à talons aiguilles toutes neuves. Juste le nécessaire.

Des mocassins, des blouses, des jupes, un tas de sous-vêtements. Elle n'avait pas prévu de se sauver avec le rédacteur de *Contempo*. Milwaukee ne l'ennuyait pas. Elle aurait pu continuer avec Michael et Philip, mère inutile près du lac Michigan. Mais quand Vivian annonça Washington, elle dut partir.

Elle rentra difficilement dans la voiture de Vivian. La vieille Plymouth était bourrée de magazines. Anita fut obligée de s'asseoir sur une pile de *Contempo*. Le moteur crachait un liquide verdâtre dégoûtant. Une aile se décrochait tous les cinq kilomètres.

C'est sans doute une sorte de fripouille, se disait Anita, mais il s'y prend comme un magicien avec les voitures. Il savait soigner un vieux tacot. Il récitait de la poésie, la joue dans le volant, il s'agissait de haricots, de criquets et de miel qui envoûtèrent la fille de Weehawken. Il ronronnait pour la voiture. En enjôlant la Plymouth, il réussit à la faire tenir jusqu'à Washington.

Il laissa Anita dans un petit hôtel de New Jersey Avenue et disparut pendant huit jours. Elle dut vivre d'une poignée de menue monnaie, tout ce qui restait à Vivian. Par la fenêtre elle voyait des visages noirs. A cause de lui, elle se retrouvait perdue dans un quartier nègre. Elle aurait bien appelé le Président et demandé son frère, mais Vivian le lui avait défendu.

— J' veux pas qu'Ollie sache qu'on est à Washington. On lui fera une surprise, le moment venu. C'est une célébrité, ton petit frère. Il fourre ses doigts dans les cheveux de Roosevelt.

Elle descendait tous les après-midi pour acheter des petits choux à l'épicerie noire. C'était sa seule excursion. Le reste du temps elle traînait dans sa chambre à faire des petits trous dans les choux et à aspirer la crème. Vivian revint le visage mangé par la barbe. Il avait l'air encore plus minable. Il dévora tous les choux, les écrasa dans sa bouche. Anita crut qu'il allait s'avaler les pouces.

— Fais les valises, dit-il.

— Où va-t-on, chéri ?

— Se cacher dans la chambre d'Oliver.

Ils pénétrèrent dans la pension. Anita se fit passer pour

la femme d'Oliver. Vivian serra la main des pensionnaires et se présenta comme un ami du marin. Les boîtes de soupe du placard les maintinrent en vie.

— Chéri, on pourrait vivre un peu mieux si tu vendais quelques-uns de tes magazines.

Vivian lui tordit le col de sa blouse. Ses poings lui serraient la gorge.

— La ferme, à propos de ce magazine.

Oliver arriva avant que la gorge n'ait eu le temps de se remettre. Il était mignon dans son pantalon de marin. Anita lui aurait bien sauté dessus, froissé sa vareuse blanche et propre, mais Vivian n'aimait pas les épanchements entre frère et sœur. La conversation fut sinistre. Elle sentait battre les tempes d'Oliver. Elle n'aurait pas dû quitter Milwaukee.

Après le départ de son frère, elle sombra dans l'apathie. Vivian ne voulait pas la laisser sortir de la chambre. Il disparut de nouveau. Lorsqu'il revint à la pension, il titubait avec un paquet de billets de cinquante dollars dans la poche et du whisky sur la langue. Il voulait danser. Il étreignit Anita et, couinant un air, trotta avec elle sur le plancher. La pension grinça. Vivian marmonnait ce refrain idiot à l'oreille d'Anita. Le whisky donnait une odeur aigre à ses mots.

*Ollie et le Président*
*Ollie et le Président*
*Qui est le pauvre, qui est le roi*
*Qui est le coiffeur, qui est le fou*
*Qui est la tondeuse, qui est la bourse*
*Ollie et le Président*
*Ollie et le Président*

C'était comme les pages de poésie, du magazine de Vivian. Une masse de mots stupides, bons à se payer la tête des gens. Mais ces billets de cinquante dollars lui permirent de sortir de la chambre. Vivian avait l'humeur dépensière. Il lui choisit une robe de cocktail aux grands magasins *Garfinkel*. Elle déambula devant des glaces dans un bustier froufroutant et du crêpe autour des talons. Le rédacteur en chef de

*Contempo* était un aristocrate. Il avait grandi avec les riches dames de Charleston, si elle devait en croire ses histoires. Et il l'emmenait dans un endroit qui avait du merisier aux murs. Toutes les femmes de sénateurs font leurs achats chez *Garfinkel*, dit Vivian.

Elle n'alla pas danser dans sa robe de cocktail. Ils s'assirent dans une obscure gargote d'un autre quartier noir, près de Dupont Circle. Les clients reluquèrent le crêpe qui coulait entre ses seins. Vivian l'avait déguisée comme un misérable mannequin pour s'asseoir parmi des bouteilles de ketchup et des nègres en chapeau de paille. Un homme entra. Il se dirigea directement vers Vivian. Doux Jésus, ils s'embrassaient devant tous ces nègres.

— Je te présente mon copain, Orlando Frayard.

Il avait des manières imposantes, cet Orlando Frayard. Il donna un baiser humide sur la main d'Anita. Un Espagnol qui avait grandi dans le Sud américain, il était grand et blond, avait trente-neuf ans, l'âge de Vivian. Ils étaient allés à l'école ensemble à La Citadelle de Charleston.

L'Espagnol heurta le genou d'Anita sous la table. Ç'aurait pu être une erreur. Il avait un avantage sur elle. Il était assez grand pour plonger le regard dans son bustier. Il ne resta pas très longtemps. On pouvait déguiser en mannequin une fille de Weehawken mais pas la duper. Anita avait passé son enfance dans une maison sombre, le museau entre les barreaux de la rampe d'escalier. Elle avait l'œil infaillible. On ne rencontre pas des amis dans un café de nègres sans raison. Ce grand Espagnol était venu pour la jauger.

— Pourquoi Orlando est-il si blond ? dit-elle.

— Que diable veux-tu dire ?

— C'est de lui que tu tiens ton argent ?

— Tu ferais mieux de la fermer.

Elle ne retourna pas à la pension. Vivian réserva une chambre au *Willard*. C'était une forteresse sur F Street, un hôtel de pierre, avec de petits balcons, une foule de toits et une façade d'un blanc sale. Une plaque sur le mur affirmait que Charles Dickens avait couché au *Willard* en 1867.

— Qui est ce Dickens ? demanda-t-elle.

— Un Anglais, dit Vivian cachant son mépris. Il a écrit *Oliver Twist*.

L'hôtel de Vivian n'enthousiasmait pas Anita. Ses halls étaient bourrés de fonctionnaires qui se faisaient les ongles et lisaient plutôt que de rester dans leurs meublés. Des filles plus âgées, plus entreprenantes envahissaient le bar, cherchant des hommes. Le *Willard* pullulait de femmes qui lorgnèrent Anita avec envie et méfiance parce qu'elle était accompagnée d'un homme. Elle fut inscrite sous le nom de Mme Vivian de Vries.

Vivian ne l'avait pas déçue. Leur chambre se trouvait tout en haut du *Willard*. Elle allait vivre sous les combles, tout comme Oliver. Elle fourra sa robe de cocktail dans le placard et prit possession des lieux. Elle s'habituait au *Willard*. On voyait la Maison-Blanche de sa fenêtre.

Ce salaud la ramena à la pension après le petit déjeuner. Vivian se gardait la chambre pour lui.

Alors se produisit cet entracte de rêve. Depuis des années et des années, l'idée de coucher avec Oliver lui trottait dans la tête, et Vivian lui en donnait l'excuse. C'était de l'audace, audace dont elle était déjà coutumière à Weehawken où elle avait eu assez de soupirants pour étouffer l'armée de Roosevelt et sa Marine.

— Je connais Oliver, dit-elle, il fera tout ce que je demanderai.

Elle attendit donc Ollie, fit l'amour avec lui dans cette chambre nauséabonde, une chambre pour veufs égrotants et marins sans navire. Impossible de prendre un bain, dans la chambre d'Oliver. Il n'y avait qu'un lavabo et l'eau de la pension laissait à désirer. Elle sortait des tuyaux avec une couleur brun sale. Anita en fit bouillir sur le réchaud. Elle était pleine de l'odeur d'Oliver. Son sperme lui dégoulinait entre les jambes. Elle s'accroupit et se lava en se frottant avec une vieille serviette de toilette. Mais rien à faire, Oliver ne partait pas. Marin de grenier, il n'allait jamais au soleil. Elle revoyait ses genoux blancs. Les bosses pâles et poilues lui donnèrent la nausée. Elle n'aurait pas dû s'installer près d'Oliver. Washington était une ville diabolique.

Un des locataires lui cria quelque chose par la porte. Elle se glissa sur le palier vêtue de la robe de chambre d'Oliver.

Elle haïssait l'allure disgracieuse et flasque qu'elle avait dans les vêtements de son frère. Vivian lui aboya des obscénités au téléphone. Anita l'interrompit.

— Oliver vient de partir, dit-elle.

Elle était forcée de murmurer à cause des pensionnaires.

— Félicitations.

— Tu ne me demandes pas ce qu'on a fait ?

— Pourquoi ? De toute façon, tu le trouves idiot.

— Il est assez malin pour travailler à la Maison-Blanche.

— C'est parce que Roosevelt ne peut supporter que des andouilles par les temps qui courent. Tous les autres lui tiennent tête. Il a toute une série d'Oliver qui traînent leurs savates à la Maison-Blanche. Il les vole à des généraux s'il le faut. Il a la manière. Cet homme est un voleur.

— Alors pourquoi est-ce si important d'avoir Oliver pour ton magazine ?

— Parce que je n'ai pas la possibilité de parler avec tous les imbéciles de la Maison-Blanche. Oliver, tu le connais. Maintenant, viens me rejoindre.

Elle arriva au *Willard*, trop tard pour regarder le soleil descendre sous la crête des toits. Vivian accroupi, des jumelles à la main, monopolisait la fenêtre.

— Vivian, puis-je avoir du champagne ? Je suis plus facile à vivre quand je bois du champagne.

— Commande un gâteau, dit-il sans se retourner. Du gâteau au chocolat.

Le service réservait des surprises. Un garçon arriva avec une tarte aux pommes dans un humidificateur spécial. C'était une tarte curieuse, sans fond. Anita ne savait pas comment la couper. L'odeur attira Vivian. Il cassa la croûte du dessus qui ressemblait à des gravats pour grignoter les morceaux de fruits. Anita le regarda de travers. En voilà un gentleman du Sud. Qui mange une tarte avec ses doigts.

Elle avait racolé son propre frère pour cet homme-là qui lui volait sa tarte. Il était uniquement venu au *Willard* pour jouir du panorama et scruter la Maison-Blanche. Il cajolait sa paire de jumelles et elle, il la fourrait dans une pension. Elle aurait bien jeté un coup d'œil à ses notes posées sur le rebord de la fenêtre, mais elle ne comprenait rien à ses esquisses ni à ses gribouillages. Il dessinait des rideaux et des mâts, lui semblait-il. Elle n'avait encore jamais vécu avec un écrivain. Les mots de Vivian étaient comme les pinces qu'utilise un épicier pour faire basculer des paquets de papier hygiénique rangés sur une étagère élevée. Avec les phrases qu'il écrivait. Vivian vous faisait tomber la culotte.

Quelqu'un frappa à la porte. J'espère qu'on n'apporte pas d'autres tartes aux pommes, se dit-elle. Vivian n'aurait pas pu en avaler une autre.

— Ouvre, dit-il.

C'était l'Espagnol blond, Orlando Frayard. Il se glissa dans la chambre avec une bouteille d'Old Kentucky sous sa veste. Après avoir baisé la main d'Anita, Frayard l'ignora. Il se dirigea vers la fenêtre avec son Old Kentucky. Le bourbon est une boisson de gentleman, comprit-elle. Ils se passèrent la bouteille. La tétèrent comme de bons chrétiens. Ils échangèrent des histoires sur les crétins de Washington, les nègres, les actrices et les généraux idiots qui demeuraient à la Maison-Blanche pour lécher les bottes de Roosevelt, à en avaler le cuir.

Vivian laissa ses jumelles sur la fenêtre.

— Je descends chercher des cigarettes.

Il tapota son portefeuille, renoua ses lacets, tira sur les nœuds. Ses gestes étaient trop appuyés. « Salut », dit-il et elle se trouva seule avec Orlando Frayard. A l'époque les gens s'entretuaient pour une pinte de whisky. Frayard devait avoir sa propre source. Il l'appela près de lui sur le lit. Anita aurait pu résister à une bouche qui sentait l'Old Kentucky. Elle n'était pas un morceau de pudding au chocolat où des Espagnols blonds allaient fourrer leurs doigts.

Frayard avait la manière espagnole. Il l'embrassait, les mains dans son soutien-gorge. Ça ne faisait pas mal. Elle pouvait penser à Oliver tandis que Frayard soufflait avec passion sur son cou. Le corps pâle et privé de soleil de son frère lui avait donné l'impression de saisir un reptile. Ses yeux noirs étaient malsains, ses cheveux rugueux et poussiéreux, comme le charbon. Frayard s'accrocha à Anita,

Elle trouvait du réconfort dans ses épaules blondes et sa blonde poitrine. L'Espagnol lui fit l'amour dans le sillage d'Oliver. Ses yeux scintillaient sur elle dans leurs couleurs douces, naturelles. Au moins, ses cheveux à lui n'étaient pas poussiéreux.

# Tempête d'été

## DIX

On demanda au coiffeur de descendre dans l'aile Ouest avec ses ustensiles. Les hommes du Service secret se sentaient seuls sans le Président et Kirkland Horn. Ils n'avaient rien à faire mais ne pouvaient ordonner à Oliver de leur rafraîchir la nuque. Même les amiraux de la Salle des Cartes avaient perdu ce privilège. Il n'était tenu de couper que les cheveux du Président. Qu'une forêt pousse dans les oreilles du secrétaire d'État, Oliver n'était pas censé le savoir. Mais les hommes du Service secret savaient combien il était gentil. Sans se plaindre, Oliver consacra à chacun une demi-heure pour tailler de parfaits arrondis autour de leurs têtes.

Il grignotait une barre de chocolat fourré entre chaque coupe. Ce fut tout son déjeuner. Il ne put retourner à ses magazines de cinéma. La Première Dame le souhaitait dans son petit salon. Elle était, comme d'habitude, entourée de sa suite de harpies et de jeunes étudiants. Ils préparaient une garden-party. Ils poussaient des cris perçants et s'envoyaient des crayons à travers la pièce en dressant la liste des invitations. Celle-ci rétrécissait et augmentait tandis que les crayons claquaient contre les murs. Ils raturaient des noms puis les gribouillaient à nouveau. Ils n'arrivaient pas à se mettre d'accord sur les personnes à ne pas inviter.

Oliver dut esquiver les crayons pour ne pas perdre un œil. La vigueur des vociférations de ses camarades embarrassait Mme Roosevelt. Elle invita Oliver à la réception avec un sourire morne. Tous deux se penchèrent pour ramasser quelques crayons sur le tapis.

— Ollie, mon petit, amène donc ta sœur, je t'en prie.

Oliver tressaillit.

— Elle est très occupée, madame. Elle tricote des chaussettes, elle est marraine de guerre.

— Parfait, dit Mme Roosevelt, elle pourra tricoter avec moi ce jour-là.

Oliver quitta la pièce avec « Anita Beebe » griffonné sur un carton à bords dorés. Il ne parla pas à Anita de l'invitation. Il avait bien trop peur. La bande d'Eleanor prendrait frère et sœur sur le fait, se tenant par la main sur la pelouse de la Maison-Blanche. Elle les montrerait du doigt en s'exclamant : « Quelle honte ! » ... et Oliver se retrouverait au chômage.

La culpabilité commença à le tenailler, à lui rapprocher les sourcils et à lui pincer le nez, mais il ne pouvait rester longtemps loin d'Anita. Il lui apportait des fleurs du jardin de Mme Roosevelt. Des tulipes qui transpiraient dans le noir, des roses d'un rose à en perdre l'âme, des iris qui auraient bien pu vous avaler les ongles. Anita avait l'impression d'être revenue au temps de ses soupirants cinglés. Les fleurs exhalaient un parfum lourd dans la pension. Les iris laissaient tomber des clochettes bleues fripées qui collaient aux orteils d'Anita. Les tulipes exténuées enroulaient leurs pétales comme des vieillards qui se voûtent. Les roses refusaient de mourir. La morbidité douceâtre de la chambre d'Oliver engorgeait les narines d'Anita d'une glu très spéciale. Elle éternuait sans arrêt. Elle couchait avec Oliver au milieu de fleurs qui embaumaient. On n'était pas dans un roman d'amour mais au beau milieu d'une salle funéraire.

Seulement Oliver ne venait pas la voir en vêtements de deuil. Il avait certains privilèges à la Maison-Blanche. Les bonnes amidonnaient ses uniformes, repassaient ses cravates. Il rendait visite à Anita dans une superbe tenue blanche. Sa vieille colère s'en était allée. Désormais il avouait au grand jour son amour aveugle. A Weehawken, il n'avait pas de jouets à lui. Il jouait avec les poupées d'Anita lorsqu'elle n'était pas à la maison. Il les peignait, frottait leurs jupes, les emportait dans son lit. Il n'était pas efféminé, ne s'intéressait pas aux poupées des autres. Anita était trop garce, il ne pouvait montrer son affection qu'à ses poupées.

Ils ne se battaient plus, maintenant. Il la caressait sans la menace perpétuelle d'être mordu. « Je t'aime Nita. » Il se sentait bien dans le corps de sa sœur dont les hanches se balançaient comme la coque patinée d'un bateau qui l'entraînerait vers la mer. Anita était la Marine d'Oliver. Il oubliait la coiffure et les cages à écureuils, les mésaventures d'un marin de grenier. Les guerres à coups de griffes de leur enfance prenaient rétrospectivement leur véritable signification. C'était comme faire l'amour à l'envers, une sorte d'apprentissage. Il aurait laissé tomber la Maison-Blanche et tenté sa chance avec Anita, mais à la fin de l'après-midi, elle lui conseillait toujours de renfiler son pantalon. Et Oliver revenait furtivement à la maison, Pennsylvania Avenue.

Un jour, il fut imprudent et le petit carton doré tomba de sa poche. Anita vit son nom écrit à l'encre bleue.

— Garden-party, dit-il, j'ai parlé de toi à la dame du Président. Elle nous a invités ensemble.

Oliver était malheureux. Il passa au grenier la veille de la réception. Mais on n'échappait pas à l'odeur d'asperges qui s'élevait de la grande cuisine. Des ouvriers installaient des tables dans le jardin sud. Le bruit des planches que l'on cognait traversait les murs de sa chambre. Les éclats de voix des ouvriers parvenaient jusqu'à la terrasse, derrière sa fenêtre. Il entendait une foule de jurons et des disputes sans fin. Les ouvriers vitupéraient Eleanor, Fala et F.D.R. sans merci. Les coups de marteau le poussèrent à se cacher sous les oreillers. Le coiffeur devenait fou.

Les mégères d'Eleanor gloussaient partout dans la demeure. Elles enrôlaient tous les individus qu'elles trouvaient. Les mitrailleurs du toit durent quitter leur poste pour trimbaler des caisses de fraises. Ils regagnèrent le toit en marmonnant, leurs chemises tachées d'un rouge grisâtre. Elles s'emparèrent d'Oliver qui dut traverser la rue en courant pour aller à Blair House qui servait alors d'annexe à la résidence présidentielle. On en avait fait un hôtel pour têtes couronnées de second ordre, princes, reines et ducs déracinés des petits États européens. Autant d'hommes, de femmes et d'enfants arrivés en Amérique avec le statut ambigu de réfugiés pur sang.

Blair House était à court de princes en cette première semaine d'août. La plupart se trouvaient en villégiature au fin fond du Maryland. Impossible de ramener la moindre recrue. On l'aurait envoyé chercher du sang royal dans le District entier s'il n'avait été assez malin pour fuir. Il était assis au sous-sol, enfermé à clé dans une des cabines près de la piscine du Président. Il fumait une Camel qu'il avait fauchée aux mitrailleurs et mangeait son chocolat fourré.

Mais Oliver dut faire surface pour la réception. Il retrouva sa sœur au portail. Anita avait des fronces sur les seins et le dos nu. Elle était venue à la résidence dans sa robe de cocktail, n'ayant absolument rien d'autre à se mettre. Les sentinelles se frottèrent les yeux, en rabattant leurs casquettes décolorées par le soleil. C'était encore le matin pour elles et leur strict respect de l'étiquette les avait rendues snobs. On ne portait pas de robe longue en plein midi. Le soleil flamboyait sur la pelouse. Les parasols qui abritaient les tables commençaient à cuire. Des cloques se formaient sur la toile et les manches vous brûlaient les doigts. Toutes les autres femmes avaient choisi d'élégants vêtements d'été, des jupes de toile, des robes légères en coton, une sorte de coton indien. Elles buvaient du jus de tomate, et ne s'éloignaient pas de leurs cavaliers.

Des groupes s'étaient formés, chacun avec leur propre langage. Les mots crépitaient autour d'Anita qui n'avait jamais entendu de sa vie autant caqueter. Elle ne s'y mêla pas. Elle se tenait un peu à l'écart, à l'extérieur des interminables écheveaux de paroles. Oliver l'avait abandonnée. Il était monté chercher l'ex-impératrice Zena, seul exemplaire royal alors en ville. Eleanor ne voulait pas que Zena fût dérangée mais les mégères étaient d'un autre avis. Si aucun autre prince de Blair House n'était disponible pour honorer leur réception, une impératrice en mauvais état ferait l'affaire. Elles firent la leçon à Oliver.

— Dites-lui de ne pas être morbide. Elle peut mentionner tous les rois qu'elle veut, mais pas les bébés morts qu'elle a portés dans ses bras.

Zena arriva dans une des robes d'intérieur de Mme Roosevelt. Elle salua les étrangers avec des révérences, comme un ours tenu en laisse. Personne ne l'appela *majesté*, personne ne lui serra la main en s'inclinant. On l'aurait oubliée si Oliver Beebe ne l'avait amenée avec Anita auprès de Mme Roosevelt. Ils étaient quatre maintenant, Eleanor, Zena, le coiffeur et sa sœur, debout sous le magnolia d'Andrew Jackson.

Anita s'était préparée à attaquer la Première Dame. Vivian lui avait bourré le crâne de racontars mesquins sur les Roosevelt : des aristocrates vampiriques, disait-il, prêts à vous sucer le sang si votre sang les aidait à remporter l'élection. Telle était la nature de la politique. La Maison-Blanche était envahie d'animaux affreux, des hommes transformés en cochons par les Roosevelt, qui ramperaient pour Franklin et Eleanor, donneraient leur corps jusqu'à ce que mort s'ensuive. Mais Anita ne trouva que des maîtres d'hôtel noirs en jaquette d'un rouge éclatant qui portaient des friandises. Elle mangea des canapés aux champignons et de petites boules de melon à la menthe. Certes, les maîtres d'hôtel transpiraient comme des porcs, mais c'était à cause du soleil et non du caractère démoniaque de leurs tâches.

Elle se mettait à aimer la figure ridée de Mme Roosevelt. Vivian la disait laide. Ce n'était pas vraiment ça. Un menton fuyant et de grandes dents ne pouvaient abîmer ce visage. Une émotion perçait parmi les rides, un flux qui animait saillies et lignes. Les parties discordantes trouvaient leur unité dans un tremblement lumineux qui retenait l'attention d'Anita et qu'elle trouvait beau. Elle n'arrivait pas à détacher les yeux de la femme du Président.

Plusieurs dames importantes du Département de l'Agriculture commencèrent à harceler Anita.

— Êtes-vous une des Beebe de Philadelphie ? demandèrent-elles, s'approchant du magnolia.

Elle répondit par un sourire et continua de regarder Mme Roosevelt. Les dames se rapprochèrent.

— Les Beebe de Boston ? La fille du colonel Edgar ?

Anita se gratta le nez.

— Les Beebe de Dupont Circle ? Chevy Chase ?

Les dames ne quittaient pas des yeux le crêpe et le tulle sur Anita.

— Jupiter Street, dit-elle. Mon père était plombier à Weehawken. Quand il travaillait.

Et les dames dirent : « Désolée, vraiment désolée » et sur-le-champ abandonnèrent l'arbre de Jackson.

La fille du standard, Ethel Rosenquist, quitta ses fiches de téléphone pour rejoindre Oliver à l'ombre. Mais elle perdit le moral. Un coup d'œil sur Anita suffit à installer la terreur dans son regard.

— Ma sœur, dit Oliver, Anita Beebe.

Ethel comprit qu'il y avait plus que la rivalité d'un frère et d'une sœur entre son Oliver et cette Anita Beebe. Ils avaient la même peau satinée d'où suintaient l'arrogance et la satisfaction d'amants. A n'en pas douter, l'amour d'Oliver. Une créature aux cheveux noirs dans des vêtements ridicules. Qui d'autre aurait pu venir sur la pelouse présidentielle avec une telle artillerie sur la poitrine ? Ethel pleura dans une serviette rose. Elle ne parvenait pas à cacher sa jalousie et son mépris. Elle serra la main de Mme Roosevelt et rebroussa chemin le cœur lourd pour disparaître dans le bosquet près de l'aile Ouest.

Mme Roosevelt surveillait Zena, la tenant à l'écart des parvenus et des femmes bavardes de bureaucrates, mais l'ex-impératrice ne supportait ni les gens, ni le soleil, ni les magnolias. Elle avait le regard absorbé par les chenilles qui tombaient du magnolia de Jackson et arracha soudain le haut de sa robe. De nombreuses femmes furent choquées de voir les seins blancs et pâles d'une ex-impératrice. Les mégères d'Eleanor agitèrent leurs bras dans tous les sens et se mirent à hurler. Elles jugèrent qu'Oliver était le responsable de l'exhibitionnisme dégoûtant de Zena. Il aurait dû lui retenir les mains. Eleanor se montra beaucoup plus calme que ses harpies. Elle n'abandonna ni son sourire ni sa pitié tout en glissant quelques mots à l'oreille d'Oliver.

Il couvrit les seins de Zena de sa vareuse et raccompagna l'ex-impératrice à la maison. Des invités essayèrent de l'attraper par le coude pour lui demander ce qui n'allait pas. Ils virent une dame l'air hagard avec des manches de militaire. Oliver les écarta doucement de son chemin. Et sans jamais grincer des dents. Zena avait perdu le sens de l'orientation. Elle parlait en bredouillant de parties de chasse et de sa résidence d'hiver. Elle mentionnait des rues de Sofia et la ville fortifiée de Ruse — Oliver ne pouvait pas comprendre — et la honte des Bulgares qui combattaient aux côtés de Hitler. Avec Zena hébétée, en train de marmonner debout, Oliver ne se fia pas à l'escalier. Il prit l'ascenseur du Patron pour la mener au grenier.

Il la coucha, lui fit boire un demi-citron pressé dans de l'eau chaude et s'assit près d'elle. Elle parlait aux oreillers. Ce n'était pas encore l'heure de dormir pour une impératrice. Oliver était toujours en chemise. Il n'osait pas ôter sa vareuse des seins de Zena.

Sans le coiffeur pour escorte, la Première Dame fut obligée de quitter le magnolia de Jackson et de saluer les amiraux, les généraux sortis de la Salle des Cartes pour avaler des canapés. Anita se retrouva seule. Les mégères se précipitèrent derrière elle et commencèrent à déblatérer sur leurs invités. Une légion d'amis d'Eleanor n'aurait suffi à égayer la réception. Elles avaient donc invité quelques ennemis de la Maison-Blanche, un fasciste, un neutraliste, un sénateur sceptique quant à l'issue de la guerre. Ainsi pouvaient-elles avoir sous la dent des gens dont elles se moqueraient, un quota de marginaux.

Leurs croupes ondulèrent délicieusement à la vue d'un petit homme en uniforme de la Marine d'une puissance étrangère. Leur bête noire favorite était là. Le marquis de Estrella avait un bras atrophié et un minuscule gant noir sortait de sa manche à la place d'une main gauche. Anita n'était pas habituée aux hommes sans doigts. Ce gant qui rebiquait l'effraya.

— Cette canaille est le nazi le plus important des États-Unis, confièrent les mégères à Anita.

Le petit marquis portait des marques de brûlures à la gorge, tachée de petites éclaboussures pourpres, comme une écorce morte. Pour le marquis, l'uniforme était une chance, remarqua Anita. Un col militaire cachait la plus grande partie de ses blessures. C'était le plus bel habit qu'elle eût jamais vu. De la dentelle blanche ornait ses poches, ses manchettes, ses épaulettes et des broderies bleues, le bas de sa veste. Son épée pendait dans un fourreau d'or le long de sa jambe. A ses côtés se trouvait un autre homme, en civil, qui tournait le dos à Anita. Beaucoup plus grand que le marquis, il devait plier les genoux pour retenir l'attention de ce dernier et discuter avec lui. Anita se rendit bientôt compte de la blondeur de cet homme. C'était l'Espagnol, Orlando Frayard.

Les mégères d'Eleanor ne semblaient pas terriblement intéressées par Frayard. La plupart de leurs vitupérations s'adressaient au petit marquis. Anita ne comprenait pas pourquoi un Espagnol grand et blond ne réussissait pas à susciter des sentiments plus profonds chez elles. Orlando se retourna suffisamment pour reconnaître Anita. Il ne la salua que d'une simple torsion des lèvres qui aurait pu être sourire ou reproche, ou les deux à la fois. Il ne fit aucun effort pour s'approcher d'elle. On était à Washington où un homme pouvait vous déshabiller dans un hôtel, goûter à votre corps, et puis vous snober sur la pelouse sud.

Le ciel se fendit au-dessus de la tête d'Anita sans le moindre avertissement. Il ne s'assombrit pas. Un court éclair faillit frapper le magnolia. Le vent s'éleva sur la pelouse. La robe d'Anita, crêpe et tulle, trembla. Les invités, le soleil dans les yeux, coururent vers la Maison-Blanche. En l'espace d'un instant, le temps était devenu épouvantable. La pluie s'abattait d'un ciel plus qu'à moitié bleu. Les mégères hurlèrent contre le destin qui faisait chavirer une garden-party. Le Service secret était, lui, préparé à faire face aux orages, incendies, bombardements et autres sinistres. Des agents rameutèrent hommes et femmes pour les faire passer par le Portique sud pendant que d'autres se jetaient par terre les uns sur les autres devant l'entrée de la Salle des Cartes pour former de leurs corps un rideau boudiné. On menait des batailles dans cette salle, avec des épingles de couleur sur le mur. Des amiraux pouvaient passer toute une journée sur une seule épingle. Ils portaient des pistolets dans la Salle des Cartes. Et pas pour le spectacle. Les amiraux devaient défendre des cartes d'état-major contre les sénateurs fouineurs, les saboteurs, les étrangers et les invités d'Eleanor.

Anita hésitait à se joindre à la mêlée des invités pour entrer à la Maison-Blanche. La résidence lui semblait énorme avec ses fenêtres, ses portiques et ses colonnes capables d'engloutir une fille, et de l'humilier. Elle aurait aimé voir la chambre d'Oliver s'il avait bien voulu lui montrer. Mais elle n'aurait pas eu assez de cran pour faire l'amour avec lui au grenier. Mme Roosevelt vivait là. Des rois et des ministres s'asseyaient probablement dans les galeries. Le Président signait des lois et prenait ici ses dîners et ses déjeuners. Elle ne baiserait pas âme qui vive à la Maison-Blanche.

Anita resta sous le magnolia de Jackson. Il ne la protégeait pas de l'orage. Les branches claquaient dans le vent et secouaient leurs feuilles mouillées dans ses cheveux. Le tulle froid collait à sa culotte, la pinçait en lui laissant des marques sur le cul. Sa robe de cocktail était fichue. Le crêpe ballonnait sous ses aisselles. Elle voulait mourir.

Une force mystérieuse, assez puissante pour déraciner une fille, la saisit par le bras et l'entraîna loin de l'arbre. La pluie l'aurait étouffée si elle avait ouvert la bouche pour protester. Anita avait eu raison de croire Vivian. Les Roosevelt étaient vraiment des démons. Ils pouvaient transformer le temps ensoleillé en orage et ensorceler toute une pelouse. Elle entra dans la tourmente en clignant des yeux. Frayard, des cheveux blonds sur le visage, l'avait enlevée et la traînait sur la pelouse.

Elle était maintenant assise dans une énorme voiture, des couvertures sur les pieds, et entourée d'hommes. Elle sentait leur eau de Cologne, l'odeur de leurs chemises mouillées et de leurs barbes frêles. Quelque chose de froid, très froid caressa sa cheville. C'était le fourreau d'une longue épée. Elle comprit où elle se trouvait. Coincée entre Frayard et le petit marquis à la gorge tachetée.

Ils l'emmenèrent dans un immeuble de Dupont Circle. Pas un endroit louche. Il y avait un portier, un interphone et de vieilles dames dans le hall qui souriaient au marquis et regardaient l'orage en croquant des petits gâteaux. Puis Anita se retrouva dans un appartement, à un étage élevé. Elle n'avait pas le cœur à regarder le mobilier. Elle hurlerait et donnerait des coups de pied si le marquis essayait de la peloter avec son gant minuscule. Elle n'appartenait pas à Frayard. Vivian était le seul à pouvoir lui dire ce qu'elle devait faire.

Une bonne était arrivée, une énorme femme avec des frisettes sur la tête et un teint pas net, une métisse de Panama, ni noire ni blanche. Frayard l'appelait « mama Salomé ». La femme allait-elle l'attacher et lui écarter les jambes pour que le marquis puisse en prendre à son aise ? Mama Salomé la conduisit dans une autre pièce, retira la robe de cocktail et frotta Anita avec un gant de toilette.

Elle fut ramenée à Frayard et au marquis enveloppée dans du velours qui ne révélait rien au-dessus de ses tibias. Ils lui firent avaler un café qui avait la consistance d'une boue épaisse et noire. Puis elle engloutit le cognac et les petits gâteaux à l'eau-de-vie qui l'empoisonneraient et la rendraient plus docile, prête à faire les quatre volontés du marquis. Combien de temps encore aurait-elle à attendre qu'ils l'agrippent sous le velours ?

Mama Salomé revint avec sa robe de cocktail. Tout le crêpe avait été retapé. Anita entra dans un réduit pour changer de vêtements. Elle s'en échappa rapidement. Le marquis agita son verre de cognac en signe d'au revoir. Puis ils la firent vite sortir de l'appartement.

Le portier ne la dévisagea pas. Il bondit pour prendre son parapluie et l'accompagner à la voiture du marquis. Elle y entra avec Orlando Frayard. Il y avait aux fenêtres des stores qu'Anita n'avait pas remarqués tout à l'heure. Frayard les attacha et donna des instructions au chauffeur, assis de l'autre côté de la paroi de verre. Elle sentit des oreillers sous son cul. L'arrière de la voiture avait été transformé en chambre pendant qu'elle se trouvait en haut. Cela lui était égal. Le marquis l'avait sauvée de l'orage, lui avait donné à boire du café et avait fait repasser sa robe de cocktail. Elle se glissa dans les oreillers avec Frayard. Il prit garde au tulle. La pluie qui tambourinait sur le toit était agréable à Anita tant que ses jambes étaient au sec. Frayard se pelotonna contre elle comme un petit garçon. L'orage pouvait continuer. Anita était contente de se trouver avec Orlando à l'arrière de la voiture d'un noble.

## ONZE

Le vent souffla sur la capitale sept jours et sept nuits. Ce fut la pire tempête qu'ait connue la Maison-Blanche depuis 1839 lorsque le vieux toit s'était effondré et que les grilles du portique avaient atterri dans l'herbe. Les colonnades tinrent bon en 1944, mais toutes les fenêtres volèrent en éclats du côté est qui avait à soutenir l'attaque de plein fouet.

Le vent démantela les mitrailleuses et envoya les morceaux par-dessus les murs. Des blocs de métal tombaient comme des obus. Les amiraux dans la Salle des Cartes étaient convaincus que la guerre arrivait à Washington. Ils déplacèrent leurs épingles sur la grande carte. Les mitrailleurs se rassemblèrent dans la chambre d'Oliver et pleurèrent leur matériel perdu. Le vent les avait frappés par surprise. Ils auraient été arrachés du toit s'ils étaient restés là-haut avec les mitrailleuses. Oliver leur fit des grogs avec des citrons qu'il alla chercher à la cuisine et une bouteille d'alcool de pomme de terre. Mais il dut mettre un terme aux toasts avec les ex-mitrailleurs pour ne pas sombrer dans un sommeil qui risquait de provoquer d'autres ruines. Il était le souverain du grenier et, ivre, il n'aurait plus été à même de veiller aux fuites éventuelles et sonder les cloisons pour savoir combien de temps elles auraient encore une chance de tenir.

Le plafond vacilla dans la petite lingerie. Oliver, debout sur deux baquets, le maintenait avec un balai, mais il ne pouvait se dépenser qu'en un seul endroit. Sans lui, le grenier se serait écroulé. Il se servait de chaises pour étayer les murs. Il traçait des croix à la craie jaune là où le plancher s'affaissait. Il s'asseyait près de Zena. Il réconfortait les bonnes pendant les coups de vent les plus violents. Il empêchait les ex-mitrailleurs de grimper sur le toit. Des idées patriotiques leur étaient montées à la tête avec les grogs. Privés de leurs mitrailleuses, ils voulaient sauver le drapeau qui s'effilochait dans la tourmente. Ils entendaient le mât se tordre et trembler au-dessus du Portique sud. En se tenant par la main, ils allaient former une chaîne qui les mènerait d'abord sur la véranda de la terrasse, puis sur le toit. L'homme de tête attraperait le drapeau et le tirerait à l'intérieur de la maison. Ils étaient à mi-chemin de la véranda quand Oliver les interrompit. Il leur passa un savon vraiment féroce.

— Pas touche, dit-il, vous entendez ? Ce drapeau représente le Président. Il flottera, qu'il pleuve ou qu'il fasse beau.

Oliver se sentait responsable de toutes les parties de la maison. Il descendit au second où habitait Mme Roosevelt, voir ce qu'il pouvait faire pour elle. Il frappa à la porte de son petit salon. Aucune de ses mégères ne s'y trouvait. Elle était allongée sur son lit étroit dans une robe de chambre froissée. Sans crayons ni aiguilles à tricoter, ses doigts désœuvrés avaient l'air racornis et crevassés. Les touffes de cheveux gris sur son front ressemblaient à de la paille de fer. Ses yeux étaient enfoncés dans leurs orbites, vides, aqueux et bleus. Elle rêvait à ses fils au combat. L'aîné, James, était dans les Marines. John, son benjamin, servait dans la Marine avec Franklin Jr., et Elliot dans l'Armée de l'Air. La tempête l'avait remplie de terreurs vagues sur le sort de ses garçons. Elle ne supportait pas les changements de temps. Emprisonnée dans la résidence, elle succombait à une morbidité galopante. Elle était incapable de faire des exercices, de tricoter ou d'écrire son article quotidien. Elle ne voulait pas prendre de tartines beurrées avec les gens de son service. Mais elle souhaita la bienvenue à Oliver. On pouvait attendre la fin d'une tempête en sa compagnie.

— Madame, dit-il, voudriez-vous des biscuits et du lait ?

— Pas maintenant, mon petit Ollie... merci.

Le sourire d'Oliver l'encouragea à commencer son

article. Elle ne fit pas demander ses secrétaires. Elle avait un gentil marin pour aiguiser des crayons pendant que la pluie tombait. Elle dicterait au marin.

— On a appelé notre tempête « l'Ouragan de Franklin ». Ces gens pensent que mon mari prépare la nation aux élections de novembre. Laissez-moi vous dire qu'il n'est pas assez puissant pour ça. Personne ne sait exactement où se trouve le Président. Il voyage en secret, comme il se doit pour un président en temps de guerre. Mais vous avez ma parole de femme de président et de mère. Franklin est beaucoup trop occupé pour jouer avec le vent et la pluie. L'orage a surgi d'un des plus beaux ciels de Washington. Aucun météorologue ne l'avait prédit. Je vois les magnolias ployer et les lustres danser. Des plombiers, des menuisiers et quelques « marines » s'occupent de l'inondation dans notre sous-sol. Je ne peux pas dire pourquoi cette tempête est venue ni quand elle s'en ira. Mais je vous promets que ce n'est pas « un complot Roosevelt de plus » comme les ennemis de Franklin se plaisent déjà à l'annoncer à la radio et dans les journaux.

Oliver prit en note chacun des mots. Bien que son instruction ait été fort limitée, il ne faisait pas de fautes d'orthographe. Des amiraux à l'ancien bâtiment de la Guerre et de la Marine lui avaient appris l'art de la dictée. Il avait l'habitude de griffonner des notes pour eux après leur avoir coupé les cheveux.

Travailler à son article avait tiré Mme Roosevelt de son apathie. Elle donna à Oliver une série d'instructions pour ses mégères qui campaient dans le Salon Vert. Le marin descendit un étage pour les leur transmettre. En chemin il rencontra un vieillard sur le palier. Ce vieil homme rôdait dans la résidence, vêtu d'un ciré. Oliver se rappela la démarche du vieil homme, les genoux raides perchés au-dessus de lourdes chaussures élastiques. Seuls les agents du Service secret avaient le droit de porter des semelles en caoutchouc au milieu de la Seconde Guerre mondiale. C'était Kirkland Horn, chef du détachement spécial de la Maison-Blanche, qui n'aimait pas du tout Oliver. Kirkland le considérait comme un intrus, une plaie, un imbécile qui avait une étrange emprise sur le Président. La moustache rousse du vieillard n'était jamais devenue grise. En octobre, il aurait soixante-cinq ans. Il assurait la garde des Présidents depuis 1901, date à laquelle un premier détachement spécial du Service secret fut assigné à la Maison-Blanche.

— Beebe, vos lacets sont défaits, dit Kirkland.

Le vieil homme n'était pas du genre à dire bonjour. Il vous regardait en face, tortillait la pointe de sa moustache, et vous disait ce qu'il avait en tête. Oliver s'accroupit pour s'occuper de ses lacets.

— Merci, monsieur Horn.

Kirkland le toisa un instant comme s'il envisageait un geste quelconque, légèrement violent peut-être, un coup sur la tête du coiffeur qui l'enverrait par la fenêtre, sous la pluie, mais il poursuivit sa ronde. Oliver se releva. Avec une certitude. Kirkland ne s'intéressait pas aux inondations sous le Portique sud. Cette moustache rousse et cette promenade signifiaient le retour prochain de M. Roosevelt.

# Le Patron

## DOUZE

Le temps était roosceveltien.

Un arc-en-ciel apparut, arc parfait, avec des raies de couleur qui gardèrent leur éclat pendant une heure et demie. Puis l'arc se brisa en petits morceaux et son éclat fut absorbé par un ciel brun. Les couleurs se délavèrent sans disparaître pourtant. Si vous aviez été mitrailleur à côté d'Oliver, debout sur la terrasse, vous auriez été convaincu que la folie s'était emparée de vous. Les couleurs reprenaient maintenant leur éclat comme si un foutu arc-en-ciel pouvait se ressusciter lui-même. Scientifique, le coiffeur. Il fit remarquer qu'un second arc-en-ciel apparaissait à l'intérieur du premier. Mais son éclat disparut avant qu'Oliver n'ait pu trouver son télescope (un don de F.D.R.) et étudier ce nouveau don du ciel.

L'eau se retira du sous-sol sans l'aide des « marines » de la Maison-Blanche. Les fenêtres furent remises en état. Des peintres et divers réparateurs trimbalèrent des boîtes d'enduit dans toute la maison. Les morceaux de mitrailleuses éparpillés sur l'herbe furent ramassés. Les menuisiers, sur d'énormes échafaudages, contemplaient le toit. Le soleil brillait sur tout leur ouvrage. Le temps était roosceveltien.

Trois coups de sonnette sortirent Oliver d'un mauvais sommeil tourmenté de rêves. Ils provenaient du petit bureau de l'huissier au rez-de-chaussée. On ne pouvait se méprendre sur ces vibrations. Le Patron était à la maison. Kirkland avait dû le faire rentrer en catimini la nuit dernière. L'huissier-chef alertait tout le monde : M. Roosevelt avait quitté sa chambre pour gagner le Bureau ovale dans l'aile Ouest.

Oliver se sentait tout morose d'avoir dormi pendant le retour du Patron. Il avait besoin d'une alarme d'huissier pour lui dire où se trouvait le Président. Les filles de la lingerie avaient plus de renseignements que lui. Il les entendit papoter sur l'absence du chien de M. Franklin. Fala était en quarantaine. Le médecin général de la Marine avait déclaré que Fala devait être isolé pendant un mois afin de s'assurer qu'il n'avait pas attrapé de maladie sous les Tropiques.

Oliver ne s'attendait pas à ce qu'on l'appelle tôt dans la journée. Sur la liste de rendez-vous d'un Président, un coiffeur n'était pas prioritaire. Le Patron devait se préoccuper des chemins de fer, des bombes pour ses aviateurs, du beurre pour ses hommes en campagne. Mais Oliver croyait que M. Roosevelt lui parlerait au téléphone, lui raconterait une histoire sur l'océan Pacifique et lui dirait combien Fala lui manquait. Oliver attendit au grenier. Le Patron ne téléphona pas.

Au bout de trois jours, Oliver alla se promener. On le héla sur Constitution Avenue. L'épouvantail cria de la fenêtre de sa voiture : « Je vais au cinéma, allez viens. » Ils ne se rendirent à aucun des palaces du coin de F Street et de la 14e. L'épouvantail s'arrêta à Dupont Circle, devant une maison jaune, le Floridian. Le portier gara sa voiture. On dirait pas un cinéma, marmonna Oliver avec l'espoir de voir un film avec Alan Ladd. Il y avait des pots de fleurs dans l'entrée du Floridian. L'épouvantail lui fit prendre l'ascenseur pour monter dans un appartement miteux. Oliver était chagrin. Il n'y aurait guère d'Alan Ladd dans un endroit pareil.

Il s'asssit dans un salon en compagnie de quelques types : l'un d'entre eux était sous-officier, Daniel Matisse. Il travaillait au club du Soldat et du Marin sur Pennsylvania Avenue.

— Hé, c'est un film sur quoi ?

— Roosevelt, dit Daniel Matisse.

Matisse avait un paquet de Camel dans sa poche de sous-off. Il n'était pas avare de cigarettes. Oliver, chaque fois qu'il avait une Camel, la coupait en deux pour qu'elle dure l'après-midi. Une barre de chocolat fourré et une demi-Camel, il n'en demandait pas plus. Même le Président était à court de Camel. Matisse lui offrit une poignée de cigarettes.

— Tire dessus, dit Daniel, jette-les, fais-en des miettes pour les oiseaux de Lafayette Park. Ça m'est égal. Il y en a beaucoup d'autres, Ollie. Je tiens la concession au club du Marin. Je peux t'avoir toutes les Camel que tu veux.

Derrière Matisse, un homme grand et blond tripotait un projecteur de cinéma. C'était Orlando Frayard. Une grosse bonne noire arriva de l'office avec des sandwiches au concombre et des verres de vin rouge. Mama Salomé donna à manger à tous les cinéphiles du salon. Oliver dit « Non, merci » à mama. Il ne se fiait ni aux sandwiches ni au vin. Il mordilla une Camel jusqu'à ce que la pièce devienne obscure. Le projecteur s'ébranla et projeta des images sur le mur. D'abord le titre dans trois bulles géantes :

L'EMPEREUR

À

LA MAISON-BLANCHE

Un navire de guerre apparut par flashes, dans cette inflation de lumière. Puis des canons, une fille en pleurs, des mineurs bossus, un nègre pendu à un arbre, du maïs qui pourrissait dans un champ, et puis les Roosevelt. La Première Dame avec les mineurs, la Première Dame prenant son thé. Puis en pantalon d'équitation, sur son cheval à Rock Creek Park. Puis les garçons Roosevelt. Elliot dans un night-club avec son actrice de femme, Jimmy sur un parcours de golf, John et Franklin Jr à la piscine. Puis le Patron avec son chien. F.D.R. marchant avec des prothèses en métal et une canne. F.D.R. dans son fauteuil roulant. F.D.R. avec des poches noires sous les yeux. Soudain la voix d'un narrateur surgit dans le salon, se moque de tous les Roosevelt, appelle Mme R. un riche laideron qui a des « marmots », des marmots pourris, le Patron un châtelain estropié qui veut à tout prix diriger le monde, un vieillard corrompu qui a eu des crises cardiaques et des attaques d'apoplexie qu'il cache au peuple américain.

Et la lumière revint. Oliver était en fureur. Quelle sorte de film était-ce pour se moquer du chien d'un Président ? Et humilier un homme parce qu'il a des prothèses aux jambes ? On avait retouché le film. Le Patron avait des poches sous les yeux mais elles n'étaient pas noires. Et son cœur allait bien.

Parler d'estropiés ! Un petit type la peau barbouillée entre dans le salon avec un bras ballant et tout le monde s'incline devant lui comme s'il était le comte de Monte-Cristo. Il se présenta lui-même à Oliver dans un long roulement de noms. José je ne sais quoi, je ne sais quoi Maria, marquis de je ne sais quoi d'autre. Oliver était incapable de comprendre un titre correctement, même s'il vivait près de rois et faisait des courses pour les ducs de second ordre de Blair House. Ce marquis était le seigneur et maître du salon. Vous deviez discuter le film avec lui ou vous affaler dans votre fauteuil. Son sang, trop raffiné, ne lui permettait pas de crier. Il décochait des piques d'un doux mouvement de la langue. Il maudit les Roosevelt si posément qu'Oliver dut secouer la tête pour y comprendre quelque chose. Le petit type devait être un ancien combattant d'une autre guerre. Il n'y avait qu'un marin délabré pour porter un gant, au mois d'août, à Washington.

La discussion prit une mauvaise tournure. Matisse rapporta des nouvelles qu'il avait entendues à sa cantine.

— Les gens sont prêts à jurer que le Président est mort à Honolulu. Il a été enseveli en mer avec son chien. Son double est assis à la Maison-Blanche. La Marine a tout arrangé. Les amiraux ont trouvé un vieux boiteux qui ressemble à Roosevelt. Ils lui ont peint le nez et l'ont collé dans un fauteuil roulant. Les amiraux tiennent le pays. Ils dictent leurs ordres au compère qui les exécute. Plus de problèmes pour eux à moins qu'il n'oublie de sourire à la Roosevelt.

Le sang battait dans les yeux d'Oliver et son front se ridait et enflait comme une frange d'argile rouge. « Personne n'est mort, marmonna-t-il, et le chien est en quarantaine. » Il lança les Camel qu'il n'avait pas fumées à la tête de Daniel Matisse et sortit de la pièce avec fracas sans se soucier de Vivian, de l'homme blond, du marquis ou de mama Salomé. Arrivé dans la rue, il ne crânait plus. Pouvait-il affirmer que Fala était vivant ? Et où se trouvait F.D.R. ? Le Patron ne l'aurait pas négligé pendant trois jours entiers.

Il arriva à la Maison-Blanche dans un piteux état. Un gouvernement qui enlevait le sauvage Jonathan pouvait aussi planter le double du Patron dans l'aile Ouest. Ollie n'avait pas le cœur à lire des histoires sur Dick Powell et Veronica Lake. Il se glissa dans son lit à cinq heures de l'après-midi et resta allongé, les couvertures remontées jusque sous son nez. Il ne savait plus qui était Oliver. Un coiffeur au grenier, un garçon qui baise sa sœur et a jadis travaillé pour F.D.R. ? Six fois le téléphone sonna bruyamment sans parvenir à écarter les couvertures de son visage. Les dingues rappelèrent. « On n'est pas sourd », dit-il. Le standard avertissait Ollie que le président avait besoin de lui dans le Bureau ovale avec son attirail de coiffeur.

Drôle de moment pour couper les cheveux. Le Patron le faisait descendre en pleine réunion de cabinet. Oliver dut poser ses ciseaux et son peigne entre le secrétaire d'État et le secrétaire à la Guerre. Il n'y avait pas de place sur le bureau du Président pour le peigne à larges dents. Le bureau était couvert de figurines d'ours et de porcs, d'ânes — emblèmes du parti démocrate —, de boîtes d'allumettes, d'un baromètre de la Marine, d'une loupe, de fume-cigarettes sur un plateau, d'une horloge de navire, de catalogues de timbres, d'un paquet de Lucky Strike écrasé, d'une carafe d'eau, d'encriers, d'un amas de téléphones avec des boutons de toutes les couleurs, de crayons, de lampes et de cartes à jouer. Ce n'était pas des objets sans vie, la bimbeloterie d'un vieux Président. Le Patron, d'un simple petit mouvement du bras, faisait à tout moment naître le délire sur son bureau. Il avait l'habitude de caresser un porc à la fin d'une histoire, d'attraper sa loupe et de vous scruter s'il n'aimait pas une de vos réponses ou de jeter brusquement des cartes sur ses genoux pour commencer une patience. Les fume-cigarette ne se trouvaient pas là pour l'étalage ; ils portaient tous sur leur bout d'ivoire la marque des dents du Président. Impossible de tromper Oliver Beebe. Il ne lui aurait fallu qu'un instant pour savoir si l'homme assis là était le double du Président. Pas besoin de fureter autour de ses épaules pour constater l'état de son pantalon sous le bureau. C'était bien F.D.R. Et Ollie en souffrit. Après cinq semaines sans Oliver, le Patron n'arrêta pas une seule fois sa conversation pour dire bonjour.

Ollie entoura le cou du Patron avec sa serviette de coiffeur. Le Président était toujours enjoué pendant les coupes de cheveux. Il badinait avec Ollie, chantonnait, parlait de son déjeuner avec Linda Darnell. Ils étaient seuls alors, le Président dans son bureau ou dans la baignoire, à califourchon sur la planche spéciale qui lui permettait de se baigner sans glisser. Et Ollie pensait, c'est un dur le Président, et gentil avec ça, il n'y en a pas deux comme lui au monde. Le Président ne peut même pas se rendre à la Salle des Cartes sur ses propres jambes, mais Hitler et Mussolini piquent une crise quand on leur mentionne Roosevelt. Ollie ne tirait aucune suffisance de sa situation ni de ses ustensiles. Il était heureux de couper les cheveux du Patron, tout simplement.

Aujourd'hui ils tenaient une réunion de cabinet et Ollie devait éviter d'égratigner le secrétaire à la Guerre avec ses ciseaux. Le Président raconta une histoire pendant qu'on lui dégageait la nuque. C'était sur son enfance à Hyde Park. Oliver concentrait toute son attention sur de petits cheveux rebelles et ne put saisir tous les détails : une tempête de neige, une dame irlandaise surprise dans des toilettes, sa culotte sur les chevilles... Le secrétaire d'État gloussa. De petits plis apparurent sur le visage de hibou du secrétaire au Trésor. Le secrétaire au Commerce ricana derrière son poing rouge. L'éclat de rire qu'il provoquait dut contaminer le Président. Il rejeta sa tête en arrière, ses yeux se ratatinèrent et il hurla d'une façon absolument inimitable. Personne ne riait comme F.D.R. Les porcs, ours et fume-cigarette en tremblèrent si fort qu'ils faillirent atterrir sur le secrétaire à la Guerre.

La coupe de cheveux fut bientôt terminée. Ollie brossa le dos du Président. Dans la baignoire, penché au-dessus de la planche, Ollie aurait parfait son travail, mais on ne massait pas le cuir chevelu du Patron en face des membres du Cabinet. Le Président lui adressa enfin la parole, l'appela par son surnom pendant que Oliver posait la tondeuse.

— Petit, j'ai un cadeau pour toi.

Oliver ouvrit le paquet d'où sortit un sifflet de maître d'équipage. Le Patron était un fanatique de sa Marine et supposait tout naturellement qu'un marin apprécierait un objet provenant d'un navire de guerre. Oliver le remercia. Le cadeau était dangereux. S'il le montait dans sa chambre trois étages plus haut pour souffler dedans, il détruirait les oreilles de toutes les bonnes, tant le son était strident.

Cependant, même si le sifflet ne servait jamais à rien, le marin était content : le Président ne l'avait pas oublié. Oliver n'aurait pas dû écraser les Camel sur la figure de Matisse. Il aurait pu offrir quelque chose à F.D.R. qui aimait mordiller son fume-cigarette, une Camel entre les deux yeux.

## TREIZE

C'était un sifflet d'argent dans lequel on ne pouvait pas souffler à l'intérieur de la maison. Le Président était parti pour Hyde Park avec sa dame et une suite d'assistants et d'agents secrets. Il ne restait plus à Oliver qu'à se gratter. Il était réduit à l'état pur et simple de coiffeur qui ne méritait même pas qu'on lui dise au revoir. Eh bien avec son sifflet strident, il jouerait de petits airs, ferait sauter les fenêtres, les tympans et la porcelaine présidentielle. Son désir de violence ne dura pas. Il glissa le sifflet sous son pyjama et par le gros bout de son télescope, regarda au travers des petites fentes du mur. Les mitrailleurs, de retour sur le toit, parlaient politique. Ils assureraient la garde du Président mais ils ne voteraient pas pour lui. Dewey était leur homme.

Oliver sortit sur la terrasse pour leur crier : « Il n'y a que des cons pour voter pour le gouverneur Dewey. »

Les mitrailleurs rampèrent jusqu'au bord du toit et fixèrent Oliver, le visage en feu.

— Quatrième mandat, quatrième mandat, lui lancèrent-ils d'un ton moqueur, on a un empereur à la Maison-Blanche.

Oliver brandit le poing : « Pas d'empereurs. »

Les mitrailleurs ne sautèrent pas sur Ollie pour le plaquer au sol. De leur perchoir, ils se montrèrent gentils avec le marin et lui expliquèrent que le Patron ne s'était pas rendu à Hawaï pour passer des vacances à pêcher mais pour engueuler MacArthur et se conduire en commandant en chef, image de lui qu'aimaient les électeurs.

— Faux, dit Oliver. Vous n'avez pas remarqué comme il est bronzé. Il est allé à la pêche.

— On ne prend pas beaucoup de carrelets à bord d'un navire de guerre.

Les mitrailleurs tournèrent la tête et abandonnèrent Oliver à ses méditations. Le coiffeur restait perplexe. On avait trop parlé d'empereurs. Qu'est-ce qu'un quatrième mandat pouvait lui faire ? Il avait douze ans quand le Patron était arrivé à Washington en 1933. Pendant près de treize ans, Roosevelt avait été le seul Président de sa vie. Pour Ollie, l'Amérique n'aurait eu aucun sens sans F.D.R.

Et s'il utilisait le réconfort d'une sœur ? Mais il courut en vain à la pension. Nita n'y était pas. Son absence le mit en rage jusqu'à ce qu'il s'aperçoive combien il était devenu gâté. Il ne pouvait s'imaginer qu'Anita ne l'attendît pas dans son ancienne chambre. Pourtant il ne lui avait pas rendu visite depuis douze jours. Ce n'était pas entièrement de sa faute. La tempête l'avait maintenu au grenier et puis le Patron était rentré à la maison.

Oliver ne voulut pas traîner sur le perron de la pension. Il lui aurait fallu bavarder avec les pensionnaires. Il attendit donc Anita dans le parc de Mount Vernon Square. Il aurait dû lui téléphoner pendant l'orage, lui demander si elle avait assez de boîtes de soupe. Coupé du monde dans son grenier, avec un télescope et des magazines de cinéma, il avait eu trop de préoccupations pour s'intéresser à sa sœur. Que faisait-elle entre les visites d'Ollie ? Combien d'argent avait-elle ? Vivait-elle des libéralités d'un épouvantail ?

— Ollie.

Impossible d'échapper à ce fils de pute efflanqué. Vivian se dressait déjà derrière le banc d'Oliver avec toujours les mêmes oreilles grises inhumaines.

— Ollie, viens avec moi.

— Je vais rester assis un moment, dit Oliver, un film avec toi m'a suffi.

— Je ne parlais pas de films. On peut aller à une réunion du Liberty Club.

— Y a-t-il dans ce club un sous-off qui s'appelle Matisse et un petit type avec un bras désarticulé ?

— C'est possible.

— J'aime bien ce banc. Les oiseaux sont mignons là-haut. Tu peux assister à cette réunion tout seul.

— Continue. Va perdre ta cervelle à dormir à la Maison-Blanche, répondit Vivian en s'éloignant.

Oliver regarda le dos de l'épouvantail.

— Attends, dit-il, je viens.

Il ne supportait déjà plus ce parc. Les oiseaux faisaient une musique crispante à Mount Vernon Square. Le Patron avait entraîné son entourage à Hyde Park pour un long week-end. Un coiffeur n'aurait été qu'un excédent de bagage. Il ne restait à Oliver qu'à converser avec des mitrailleurs et l'ex-impératrice de Bulgarie, ou à se recroqueviller comme un crapaud dans sa chambre. Une réunion ne lui ferait pas de mal. Il expliquerait aux membres du Liberty Club la générosité du Patron. Aucun autre Président n'aurait abstrait son esprit des affaires du monde pour donner à son coiffeur un télescope, une poupée et un sifflet de maître d'équipage. « Empereur ? dirait Ollie, dictateur ? Ouais, sûr. Un dictateur qui tombe en panne de Camel. »

# Vivian

## QUATORZE

L'épouvantail, Thomas Vivian de Vries, avait grandi dans Beaufain Street, aux confins des quartiers privilégiés de Charleston. Les de Vries s'étaient établis comme loueurs de chevaux et négociants en fumier à Charleston avant la Révolution. Ils y avaient gagné de l'argent, une grande maison et un certain relent de crottin sur leurs vêtements du dimanche. Ils ne purent s'élever suffisamment sur leur fumier pour se mêler aux gens de meilleure condition. Ils se débarrassèrent des écuries, mais leur prospérité déclina. Leur logis dans Beaufain Street n'était plus entretenu. Il y avait des rats à la cave et des poux sur les murs. Pour subsister, ils durent vendre leurs meubles, leur literie et leurs soieries.

Ce pillage du capital familial durait depuis près de cent ans quand Vivian naquit. Son père enseignait la musique quand il pouvait. Vivian ne rencontra jamais un élève à la maison. Dans son enfance on l'appelait Thomas ou Bébé Tom. Son second nom, Vivian, était rarement employé. On le lui avait fourgué à sa naissance, pour commémorer une tante vieille fille ayant vécu jusqu'à cent cinq ans. Bébé Tom avait peu d'amis dans Beaufain Street, il s'alimentait de livres, dévorait Dickens, Swift et Edgar Poe avant de fêter ses dix ans. Les de Vries se phagocytèrent eux-mêmes en cédant la moitié de leur jardin et l'ancien logement des esclaves derrière la maison, pour éduquer Tom. Ils l'envoyèrent à La Citadelle, le collège militaire de Charleston, espérant qu'une casquette d'officier en ferait un gentleman. Mais Bébé Tom suivait l'esthétique de son héros,

Edgar Poe, qui s'était fait renvoyer de West Point. Tom signait tous les documents « Vivian de Vries ». A la caserne, il portait une boucle d'oreille comme un vieux pirate de Charleston. Il n'arrivait sur le terrain de manœuvres qu'à demi vêtu. Mais pas moyen de se faire renvoyer. En dépit de ses lacunes, le nom « de Vries » était là depuis deux cents ans. Cette ancienneté suffisait à maintenir Vivian à La Citadelle.

Il rencontra un jour un cadet gros et blond, Orlando Frayard, le fils d'un négociant espagnol qui vivait à Atlanta. Orlando se trouvait dans une situation aussi abominable que celle de Vivian. Ils méprisaient les exercices, les travaux de laboratoire et le salut obséquieux que les « bizuths » devaient aux cadets plus âgés. Ensemble, ils chiquaient et lampaient du petit vin de contrebande. Ils lisaient Baudelaire après le couvre-feu, et connaissaient l'histoire de Rimbaud par cœur. Après une cuite de cinq jours, ils vomirent dans la chapelle et outrepassèrent ainsi les limites jusque-là accordées à un nom de bonne famille : on les renvoya.

On mit Orlando au travail dans la maison d'importation de son père, et Vivian commença sa dérive. Il prit divers métiers pour se préparer à la vie austère d'un artiste-prêtre. Des rainures apparurent sur ses ongles. Sa bouche noircit légèrement. Le poète commençait à prendre de l'âge, ses trente ans sonnèrent en 1935. Son amour pour Baudelaire s'éteignit et il retourna à Charleston pour chercher une nouvelle vocation et quelques-unes de ses anciennes racines. La maison de Beaufrain Street avait été démolie, le jardin mis en pièces pour faire place à une école. Vivian avait voyagé trop longtemps. Sa mère était morte, son père s'était remarié, et son dernier cousin encore en vie se trouvait dans une clinique.

Vivian devint guide pour la société historique de Charleston. Il faisait visiter, à des cars remplis de touristes, les quartiers les plus pittoresques de la ville : la Forteresse, le Foyer des Confédérés dans Broad Street, l'Orphelinat de Charleston, Cabbage Row, les vérandas fermées de Bull Street, l'ancienne Bourse du Coton, le vieux Marché aux Esclaves, la maison de Gullah Jack (le conspirateur et rebelle noir redouté), la maison des pirates au coin de Church Street où Blackbeard et Stede Bonnet avaient leur quartier général, et l'ancienne Bourse de la Poudre.

Vêtu d'une veste rouge de guide officiel, il enjolivait les histoires de pirates et d'insurgés nègres et les catastrophes naturelles. Ainsi Stede Bonnet qui ravagea la côte de Caroline à bord de son bateau, le *Royal James*, était maintenant le sauveur de Charleston ; le tremblement de terre de 1886 prenait l'allure d'un glissement de terrain qui avait abattu certains toits de Charleston et renversé la digue ; et Gullah Jack, qui était à la tête de l'insurrection noire de 1822 et fut pendu dans la cour de la prison de Judith Street avec vingt et un de ses partisans, devenait le Cagliostro de Charleston, un Noir avec assez de fluide dans les doigts pour briser le mur d'une plantation et brûler la gorge d'un Blanc.

Ce n'était pas un quelconque romantisme qui poussait Vivian à trafiquer la triste histoire de Gullah Jack, à transformer les pirates en chevaliers, les tremblements de terre en avalanches. Il essayait d'enthousiasmer ses clients, les gens de l'intérieur des terres. Il savait qu'un port corrompu existait, à côté des rues pour livres d'images. Charleston avait encore ses pirates, et ils n'étaient pas aussi glorieux que Stede Bonnet : lui au moins ne s'attaquait qu'à des gentlemen en mer. Les pirates de 1936 avaient moins d'envergure. On pouvait perdre son portefeuille et son gilet dans maints cafés de Tradd Street. Vivian guidait ses clients dans les endroits les plus sûrs.

Il vivait à Charleston sans ambition, sans politique, sans Baudelaire. Il déjeunait dans une gamelle comme les touristes, indifférent à Roosevelt, à Mussolini, à la guerre civile espagnole. Il continuait à lire. Par hasard, à un étalage dans Savage Street, il découvrit certains livres et brochures d'un petit Juif à barbiche, Lev Davidovitch Bronstein. Ce Bronstein avait une arrogance qui séduisit Vivian. Le petit Juif aimait s'appeler Léon Trotsky sur les couvertures de ses livres. Ce n'était pas un philosophe en vase clos qui mâchait ses mots dans une chambre crasseuse. Il avait eu l'Armée rouge sous ses ordres. Il haranguait les soldats comme personne. Cette combinaison d'idéalisme et de férocité dans le discours contribua à la conversion de Vivian. Il se voyait déjà vivre dans la société que proposait Trotsky. Trotsky accueillait les poètes, même les malchanceux qui étaient obligés de manger des casse-croûte près de la digue de Charleston, de dire et redire des histoires de tremblements de terre et de rébellions nègres.

Le petit Juif demeurait à Coyoacàn, une banlieue de Mexico où, Vivian en avait entendu parler, il était entouré d'un camp en armes d'admirateurs qui tiraient sur les inconnus. Vivian écrivit à Trotsky une lettre enflammée, qu'il allait venir à Coyoacàn et servir aux pieds du maître. Il n'eut pas de réponse.

Il repartit à la dérive, dérive désormais animée par un idéal. Il mit sur pied un magazine avec l'argent qu'il avait économisé comme guide de Charleston. Sans contact avec d'autres écrivains ou rédacteurs, Vivian était le seul à fournir des contributions à *Contempo*. Magazine confus, imprimé là où Vivian se trouvait, sur n'importe quelle sorte de papier, mélange de politique et d'art tel, s'imaginait Vivian, que Trotsky l'approuverait, si seulement Lev Davidovitch était encore vivant (les staliniens étaient venus à Coyoacàn et l'avaient assassiné avec une hache).

Il fut plongeur dans tout le pays pour soutenir son magazine. Son enthousiasme avait presque entièrement disparu en 1943. Il avait du mal à se nourrir. Il portait toujours la même veste rouge qu'il avait endossée pour la société historique de Charleston. La doublure avait commencé à s'effilocher bien des années auparavant pour ne former maintenant qu'un rideau de rubans. Il frisait le désespoir à Milwaukee en 1944, sonnant aux portes pour essayer de vendre son magazine. Les gens derrière leurs fenêtres lui lançaient des regards furibonds quand il tirait leur sonnette. Il n'arrivait pas à entrer avec sa pile de *Contempo*. Au bout d'une semaine de travail infructueux, l'image de Trotsky s'effaça de son esprit. Plus aucune vision de politique ou d'art purs. Alors il jura de voler *et* de tuer le premier homme ou la première femme qui lui ouvrirait sa porte.

Ce fut Anita. Errant au bord du lac, il choisit sa porte. C'était une fille effrayante, si belle et si bête que Vivian oublia de la menacer et de l'attraper par la gorge. Il ne lui vola même pas sa culotte. Elle mit de côté ses *Contempo*, lui picota la langue, se déshabilla, Vivian sur le divan, coincé dans ses manches rouges de Charleston. La petite garce aimait se mettre nue en face d'un homme qui portait encore son chapeau et sa veste. Il était venu voler et faire pire, pas peloter une inconnue sur un divan.

Mais le ventre lisse d'Anita coupa bras et jambes à Vivian de Vries. Elle fit l'amour avec la frénésie absolue d'un enfant. Elle l'avait arraché au néant, l'avait serré entre ses cuisses, avait meuglé dans le rebord de son chapeau. Il pouvait encore la dévaliser, lui rompre le gosier, s'il voulait. Il décida de fuir. Allez savoir les propositions qu'elle allait faire maintenant ? Elle gazouilla sur son frère à la Maison-Blanche, Oliver Beebe, le seul coiffeur de Roosevelt. Vivian fronça les sourcils. Il dit qu'il allait à Washington. Au revoir. Son vieux copain, Orlando Frayard, était plus ou moins en rapport avec l'ambassadeur d'Espagne à Washington. Vivian pourrait lui soutirer de l'argent pendant un temps, vendre des *Contempo* chez l'ambassadeur s'il avait besoin d'argent de poche. La garce avait fait ses valises avant que Vivian n'ait passé la porte. L'étincelle dans son regard lui fit comprendre qu'il ne pourrait s'en débarrasser si rapidement. Quelle malchance d'être venu dans cette ville ! La garce avait l'intention de lui grimper sur le dos comme une petite guenon excitée et boire le sang de ses oreilles.

Il eut soudain une idée dans la voiture. Une fois arrivé à Washington, il la déposerait dans un hôtel bon marché et se cacherait chez Orlando. Mais Orlando ne voulait pas de lui. Frayard n'était plus le cadet gros et blond de 1924 qui se ralliait toujours aux incartades de Vivian. Il était maintenant grand, maigre, et mesquin. Dans la petite chancellerie derrière la résidence de l'ambassadeur, Frayard, vêtu d'un costume à cent dollars à fines rayures grises, semblait peu désireux de serrer la main de son vieux copain. Il entrecroisa ses doigts l'air irrité.

— Que puis-je faire pour toi, cousin Viv ? dit-il.

Vivian s'attendait à un enthousiasme plus grand, à des souvenirs de Baudelaire et de vin de contrebande et

Frayard ne lui offrait rien que dix doigts entrelacés sur un bureau de diplomate. Vivian devrait jouer au plus fin, ou sortir.

— Lando, je ne suis pas venu ici pour bavarder. J'ai des renseignements à vendre... des trucs que les nazis pourraient utiliser.

Il parla à Orlando de son « contact » à la Maison-Blanche.

— Le vieux M. Franklin a un coiffeur qui s'appelle Beebe. Je le tiens. Il peut entrer dans n'importe quelle pièce, épier les généraux, si tu vois ce que je veux dire.

Frayard écarta les poignets et étouffa un petit rire dans ses mains jointes.

— Si on t'a dit que nous tenions un comptoir pour l'Allemagne, cousin Viv, on t'a mal informé. Tu n'es pas au courant ? Hitler est bien parti pour perdre la guerre. Nous n'allons pas gêner M. Franklin Roosevelt avec les histoires que recueille son coiffeur. Nous devons être gentils à l'égard de ce vieil homme. Vivian, accompagne-moi.

Il décrocha rapidement son chapeau d'une patère sur le mur et quitta la chancellerie sans se soucier d'avertir quiconque. Il sifflotait, les mains dans les poches. Il portait des chaussures bordeaux. Sa chemise et sa cravate sentaient le grand magasin. Vivian n'avait en poche que quelques pièces de monnaie. Un pâté de maisons après la chancellerie, l'expression de Frayard se mit à changer. Il se moqua de Vivian en ricanant et lui passa un savon dans la rue.

— On n'est pas dans un pays de cafards, espèce de plouc de Charleston. On ne crache pas ses noyaux à l'intérieur d'une ambassade et on ne vient pas frapper à la porte comme un espion miteux. T'as rien dans la tête, tu sais combien ils sont, les employés de J. Edgar Hoover pour nous surveiller ? Le gars qui vient cirer nos chaussures par exemple est un fieffé agent double. Alors, tu m'entends, ne va pas crier à tue-tête des conneries sur les nazis. Personne ne valse avec l'Allemagne en 1944. Maintenant parle-moi du coiffeur et ne me raconte pas d'histoires.

Vivian dut avouer.

— Anita la piquée... Milwaukee... Oliver... Je ne l'ai pas encore rencontré.

Le ricanement disparut. Frayard devint agréable et Vivian put reconnaître le gros cadet sous le costume impeccable.

— Voilà qui est mieux, cousin Viv. On va le vendre à mon patron.

— L'ambassadeur ?

— Non, espèce d'idiot. L'Espagne n'échange pas d'ambassadeurs avec les États-Unis. Je travaille pour don Valentin, l'attaché naval. Il est gaga de Hitler, et peut se payer le luxe de gober ton histoire.

Frayard ne put fixer de rendez-vous avec don Valentin avant le surlendemain. Vivian redoutait de retourner voir Anita.

— Lando, est-ce que je peux loger chez toi ?

Frayard fourra un dollar dans le poing de Vivian.

— Voilà, tu pourras manger dans les cafétérias et dormir dans ta voiture.

Il vécut seul pendant deux jours, comme un loup en maraude dans le District de Columbia. Il vit des généraux dans les cafétérias, des hommes qui arrivaient en limousine pour casser leurs œufs durs sur une table. Il se lava les dents dans des bâtiments administratifs. Il refusa de dormir dans sa voiture. A D.C., le mois de juillet était tropical, et Vivian n'arrivait pas à créer le moindre courant d'air en ouvrant ses fenêtres. Il campa sur le Mall, derrière une baraque du gouvernement. Presque toute l'herbe des États-Unis avait été usurpée par l'administration. De petites maisons surgissaient partout pour donner de la place à une armée croissante d'agences, de secrétaires et d'employés. Vivian n'eut pas la paix. Des tanks roulaient sur le Mall à quatre heures du matin. Bon Dieu, s'attendaient-ils à ce que la Marine japonaise remonte le Potomac dans de longues pirogues ? Les tanks passaient, lents et lourds tout près des baraquements, dans un tintamarre incroyable, à en faire vibrer les joues.

Frayard ne le ramena pas à la chancellerie. Ils rendirent visite à l'attaché naval d'Espagne, don Valentin José Maria Mistral, marquis de Estrella, dans un immeuble. Le marquis avait une grosse cuisinière, mama Salomé. Elle fit pour eux trois une paella avec du poulet, des crevettes et du riz au safran, qui n'aurait pu être arrachée d'aucun carnet de rationnement. Vivian perdit ses manières de Charleston chez le diplomate. Pendant tout le repas il garda du safran sur le nez.

Quant à lui, don Valentin avait des taches pourpres sous les oreilles et un seul bras valide. Il mangeait, buvait et se mouchait avec le même poing crispé. Vivian dit fort peu de choses. Frayard parla pour lui dans un charabia d'espagnol et d'anglais. Vivian n'entendit pas le moindre mot sur Oliver Beebe ou lui-même. Mama Salomé lui versa du vin et remplit son assiette comme si elle donnait à manger au chien d'un voisin.

Vivian quitta l'appartement de don Valentin en ayant mal au ventre.

— Quand suis-je payé ? dit-il.

— Don Valentin t'a nourri, cousin. Ne sois pas impoli.

— Comment se fait-il qu'il n'ait pas voulu me regarder en mangeant ?

— Cousin, tu mâchais en compagnie d'un marquis. Il aime pas dévisager.

Vivian demeura mendiant, obligé de camper derrière une baraque du gouvernement. Il se mit une vieille chemise autour de la tête et survécut au crissement nocturne des tanks dans leur course fantôme sur le Mall. Oliver Beebe ne lui rapporterait pas d'argent. Il voulait sortir d'une ville où les généraux étaient plus nombreux que les employés, où les tanks passaient suffisamment près de vous pour vous déchausser les dents et où la paella était servie dans des immeubles par une grosse mama et un attaché naval nabot. Mais où aller ? Frayard le tenait en laisse avec son allocation de dollars lâchés un par un.

Plus de visites à don Valentin, plus de voyages à la chancellerie. Plus de paella. Rien que des rendez-vous avec Orlando dans un restaurant nègre. Puis, après une semaine de nuits sur l'herbe, tel un animal aux yeux exorbités, il cultiva son désespoir et pleurnicha au restaurant sur des tasses de thé au lait.

— Arrête, dit Orlando.

Il frappa le poignet de Vivian avec un petit paquet qui avait l'odeur familière et craquante du papier-monnaie.

Vivian se sentit revivre. Un paquet de billets de cinquante était là dans sa main.

— Tu t'arranges pour que ta piquée le fasse avec son frère, et nous tiendrons tous le haut du pavé.

— Lando, elle n'est pas piquée à ce point-là. Comment puis-je lui demander de déshabiller Oliver ? Elle ne le fera jamais.

— Demande-lui et tu verras bien ce qu'elle dira.

Il retourna à l'hôtel où il avait largué la fille, en s'imaginant qu'elle voudrait lui arracher les yeux, mais elle ne fit que roucouler. Il mentionna cet article qu'il avait l'intention d'écrire sur les Roosevelt, et comment il ne pouvait être écrit sans l'aide d'Oliver, et bon sang, elle offre presque de sauter sur son frère.

— Ollie m'aime, dit-elle.

Ils s'installèrent alors dans la pension d'Oliver. Mais Vivian n'y logea pas. Orlando lui donna une paire de jumelles et une clé du *Willard Hotel*. Tout ce qu'il devait faire, c'était des petits dessins de la Maison-Blanche pour don Valentin.

Et puis le coiffeur se montra à la pension. Aussi beau et bête que sa sœur. Bruns, avec de grands yeux, on aurait dit les répliques d'un même visage, l'un aux cheveux longs, l'autre aux cheveux courts. Vivian n'arrivait pas à comprendre ce que ce garçon faisait à la Maison-Blanche. Il n'avait pu se frotter à Roosevelt. Le beau crâne de bébé du coiffeur ne pigeait rien à la politique. Vivian annonça la nouvelle à Frayard.

— Lando, il est si bête... Qu'il puisse tenir des ciseaux sans se couper un doigt tient du miracle.

— T'en fais pas. Je veux que tu files ce gars-là. Qu'il ne fasse pas une balade sans toi. Dès l'instant où il met les pieds hors de la Maison-Blanche, tu ne le lâches pas.

Vivian grogna. La perspective de devenir l'ombre à plein temps du coiffeur, de poursuivre un écervelé, ne l'enchantait pas. Mais que pouvait faire d'autre un poète sans salaire ? Il serait mort de faim sans l'argent d'Orlando. Il suivit donc le garçon. Tandis que Vivian ne quittait pas Oliver Beebe d'une semelle, Orlando avait en tête la culotte d'Anita. Baiser c'est comme un tourbillon. Vivian ne s'approcha plus de la fille.

Tout ce qui lui restait maintenant, c'était Oliver Beebe. Et le Liberty Club de don Valentin. La société la plus stupide que Vivian ait jamais vue. Un marquis nazi amoureux des gens de couleur de Washington. Il allait dans tous les quartiers nègres, de Bloodfield à Goat Alley, avec des sacs d'oranges pour nourrir les négrillons et leurs grand-mères. Après tout... Vivian emmenait Oliver dans la plupart des tournées.

— Voilà le pays de Roosevelt, cousin Oliver. Y a pas assez de nourriture dans cette partie de la ville pour maintenir un rat en vie. Et je veux bien parier que la reine Eleanor jette aux écureuils de son jardin des sandwiches à la dinde.

Le garçon ouvrait de grands yeux moroses dans Goat Alley.

— La femme du Patron n'a pas de dinde à donner. Les cuisiniers sont toujours à court de tickets de rationnement.

— Tu parles !

Il parviendrait à détacher ce coiffeur du roi et de la reine. Vivian haïssait F.D.R. N'avait-il pas lu quelque part dans une brochure que le Département d'État de Roosevelt interdisait l'entrée des États-Unis à Trotsky ? Roosevelt devait être tenu responsable de la hache qui avait assassiné Trotsky. Le roi Franklin n'était pas obligé de laisser son fauteuil roulant brandir cette hache. Il a condamné Trotsky à mourir au Mexique. Et maintenant il embrasse Staline sur la moustache, l'appelle camarade, et ils vont se partager le monde. Peu importait à Vivian. Il saluerait un marquis nazi, irait chercher ses ordres chez Orlando, livrerait des sacs d'oranges, si cela contribuait à la perte du roi Roosevelt.

# Base-ball 1944

## QUINZE

Oliver n'avait pas d'ennuis avec les princes et rois qui dormaient à la Maison-Blanche. Aucun n'errait au-dessus de l'étage des Roosevelt. Mais le grenier n'était pas à l'abri des remous. Le Service secret avait le pouvoir d'interrompre les rêves d'un marin. Les agents de Horn le sortirent du lit au beau milieu d'une chaude nuit de septembre. Le pyjama d'Oliver était trempé. Dans son rêve, il poursuivait sa sœur dans les ruelles de Washington. Anita lui échappait sans cesse. Elle devenait chat ou dame nègre avant qu'Oliver ait pu attraper sa cheville. Cette perpétuelle course à éclipses d'Anita l'avait épuisé. Le Service secret ne voulut pas le laisser prendre une douche ni se peigner. Il dut s'habiller en face de ces agents.

Oliver s'inquiéta aussitôt de l'état du Patron.

— Qu'est-ce qui ne va pas ? Le Patron s'est blessé ?

Sans lui répondre, les agents le firent sortir du grenier au pas de charge. On ne s'arrêta pas à l'étage des Roosevelt. Ollie en conclut que le Patron était au lit, sain et sauf. Tous les correspondants de presse étaient rassemblés au pied de l'escalier. Ils se ruèrent sur lui. Leurs cris furent une claque sur la tête du marin qui n'était qu'à moitié réveillé.

— Ollie, Ollie, le Bœuf de Tuskegee va-t-il se rendre à vous ?

Ses épaules se rétractèrent dans son col de marin.

— Qui est le Bœuf de Tuskegee ?

Les agents le poussèrent entre les journalistes et l'amenèrent au portail Sud. De leurs guérites sur la pelouse, les

99

sentinelles agitèrent leurs mains : « Marin, dis à Otto qu'ici on l'aime. »

Pourquoi tant de monde l'encourageait-il ? Il n'avait pas la moindre idée de ce qu'il était censé faire. On le fourra dans une voiture du Service secret. Il s'assit entre les agents. Il avait peur. Une escorte de police arriva, quatre vieilles voitures. Oliver remarqua ici et là des fusils à lunettes tandis que la petite flotte filait vers Pennsylvania Avenue.

Les agents secrets ne pouvaient pas croire que le coiffeur du Président fût aussi stupide. Le Bœuf d'Alabama faisait fureur dans tout le District, un espoir de trente-neuf ans recruté par les « Sénateurs » de Washington, et qui tenait la batte comme personne. Mais ce soir il perdait la boule. Il avait pris possession d'un bar d'E Street, *l'Anacostia*, dans Pawnbroker's Lane. Il avait cassé fenêtres, miroirs, bancs et lustres dans un accès d'ivresse et retenait captifs les clients du bar. Personne ne pouvait entrer ou sortir. Le Bœuf de Tuskegee mesurait un mètre quatre-vingt-dix-huit. Son intention était d'étriper tout le monde à l'intérieur de *l'Anacostia* si la police le dérangeait quand il buvait. Les flics comptaient dans leurs rangs des tireurs d'élite. Ils auraient pu faire sauter la cervelle d'Otto Tutmiller. Mais ils adoraient le Bœuf. Tuer celui qui jouait à la première base de l'équipe de la ville ? Impensable.

Un homme en costume blanc apparut. Petit, les sourcils sombres, très bronzé, Edgar Hoover du F.B.I. Les commissaires de police s'effacèrent sur son passage. Il se tamponna les bajoues, traversa les barrages de la police à grandes enjambées et entra dans *l'Anacostia*. Les commissaires regardaient leurs montres. Hoover passa neuf minutes avec le Bœuf. Il revint sans la moindre marque sur le visage. Avec un sourire merveilleux.

— Messieurs, ne craignez rien. Otto jure qu'il ne songe pas à supprimer la moindre vie humaine. Mais vous feriez mieux de vous dépêcher. Il ne se rendra à personne si ce n'est au coiffeur du Président, Oliver Beebe.

Alors un chauffeur du F.B.I. ramena Edgar chez lui et on alla chercher Beebe à la Maison-Blanche.

Les commissaires lui aboyèrent leurs instructions. Tutmiller. Bière et vin. Regarde le Bœuf sans cligner des yeux. Oliver acquiesça. Il était déjà de l'autre côté des barrières avant d'avoir pu se bourrer le crâne de détails supplémentaires. *L'Anacostia* n'avait plus de porte. Otto l'avait arrachée de la façade. Le marin n'eut aucun mal à passer par un trou dans le mur, laissant derrière lui les commissaires. Tout ce qui était accroché dans *l'Anacostia* gisait maintenant sur le sol. Plus un tabouret ni une ampoule en place. Le comptoir était renversé au bout de la salle et le zinc arraché. Oliver trébuchait sur des hommes et des femmes allongés qui s'aplatissaient sur les gravats autant que possible pour ne fournir qu'une cible minimum au Bœuf quand il se remettrait à lancer des miroirs.

Otto se tenait debout près du comptoir cassé dans ses knickers de base-ball et en chaussures de ville. Il était arrivé de Griffith Park sans s'être complètement changé. Le Bœuf avait une puissance spectaculaire. Tandis qu'il sanglotait, son dos émettait des grondements. Oliver n'avait jamais vu un homme aussi massif pleurer.

Le Bœuf pleurait sur la mort du base-ball. Du jeu qu'il aimait, la guerre avait fait un travesti. Le Bœuf Tuskegee était resté professionnel de second rang toute sa vie : il pouvait renvoyer un direct hors des limites de n'importe quel terrain mais ne savait pas renvoyer des balles liftées. Sélectionné par les « Tigres » pendant trois jours en 1935, il s'était volontairement retiré du base-ball, alors vieillard de trente ans. Il ne tenait pas le coup devant Greenberg, pas le coup devant Gehrig, pas le coup devant Foxx, ni devant des types moins forts comme Zeke Bonura et le jeune Hal Trosky des « Indiens » qui avait réussi trente-cinq « home-runs » avant d'avoir vingt-deux ans. Otto retourna à ses charrues. Il cultiva la terre bleue près de Montgomery. Il suivit les carrières des nouvelles étoiles, Di Maggio, Williams, Johnny Mize. Le Bœuf n'était pas malheureux. Il avait porté la tenue de Detroit pendant trois jours.

Les « mogols », ces pépés dirigeants, le rappelèrent en 1944. Ils avaient besoin de joueurs « hauts en couleur » et ils se souvinrent du Bœuf de Tuskegee. Ils avaient peur que le nombre de spectateurs ne diminue si la guerre ne s'achevait pas en 1946. Leurs étoiles étaient dans l'Armée, la Marine et les Marines. Ils durent monter un club avec tous les ringards qu'ils purent trouver. Pourquoi pas le Bœuf de Tuskegee ? On ne voyait pas ses cheveux gris des tribunes. Le Bœuf dépassait largement le mètre quatre-vingts. Il ferait sensation avec une batte blonde dans les mains.

C'est ainsi qu'Otto arriva à Washington en juin. Il portait sa salopette de fermier, avait de la crasse sous les ongles et une bosse sur la nuque après neuf ans de labour. Le Bœuf s'attendait à une semaine de mise en train. On l'installa sur le terrain le lendemain. Il avait perdu sa souplesse. Otto souffrait d'une inflammation des articulations. Il ne donnait que de petits coups secs. Il n'arriva à la seconde base que deux fois lors de cette première partie. Les « Sénateurs » ne gagnèrent pas. Mais les supporters oublièrent d'y prêter attention. Ils n'avaient d'yeux que pour le Bœuf de Tuskegee. Désormais, on avait mieux que Di Maggio à Griffith Park. Un géant qui, avec son bras raide, était capable de renvoyer la balle suffisamment loin pour atteindre la seconde ou la troisième base. Peu importait que Washington fût en queue. Leur as, Dutch Leonard, avait trente-cinq ans. Johnny Niggeling, quarante. Leur meilleur « catcher », trente-huit. Mais les fans ne renieraient pas une équipe, fût-elle en huitième position, du moment qu'elle avait un ou deux Tutmiller.

Le Bœuf se sentait triste, il était bien loin de ses exploits de 1935. Pourquoi fallait-il qu'un fermier comme Otto fût la terreur de la Ligue américaine ? Le jeu était devenu un cirque. Les « mogols » achetaient des ratés. Les « Brownies » avaient déjà entraîné un « outfielder » manchot pour 1945, un type qui s'appelait Peter Gray. Otto, lui, serait le monstre de 1944.

Il se mit à rechercher les bars dans toutes les villes. Il cassa des miroirs à Cleveland et à Saint Louis avec son gant de premier « baseman ». Les dirigeants payaient toutes ses factures. Mais à l'*Anacostia* le Bœuf avait dépassé les limites. Il n'avait jamais pris d'otages auparavant. Cet après-midi-là, il avait atteint la troisième base trois fois, mis hors de course trois batteurs, réussi cinq « runs ». Les fans scandaient : « Bœuf, Bœuf, Bœuf ». Otto était en rage au vestiaire. Il ne voulait pas retirer ses knickers.

Il tituba d'un bar à un autre pour arriver finalement à l'*Anacostia* bien après l'heure du dîner. Sa colère se logea dans la bosse de son cou. Le Bœuf ne pouvait s'en débarrasser. Il se mit à arracher tout ce qu'il trouvait. Il ne laissa rien d'aplomb sauf une photo de Roosevelt sur le mur. Otto n'allait pas salir l'image du Président. Il avertit les clients qu'ils ne devaient pas s'en aller. Il n'était pas le genre de type à aimer boire tout seul.

Alors le costume blanc entre, attrape la paluche d'Otto et la lui serre.

— Hoover, du F.B.I.

Otto grimaça. Son épaule était raide comme la justice. Le petit homme près de lui ne le dérangeait pas. Il fallait en avoir, pour rendre visite au Bœuf de Tuskegee. L'*Anacostia* était dans le noir, seules de petites raies de lumière blafarde provenaient des réverbères d'E Street et Hoover dut froncer les sourcils pour reconnaître le portrait de F.D.R.

— Tutmiller, que se passerait-il si la police entrait ?

— Faudrait que je leur arrache la queue. J'aime pas les flics.

— Qu'aimez-vous ?

— Roosevelt, Eleanor, Beebe le marin.

Otto avait lu la rubrique de Mme Roosevelt concernant le bon marin. Et l'on voyait des photos de Beebe presque chaque jour dans le *Star*. Le visage triste de Beebe réconforterait le Bœuf. Le marin savait sûrement ce que c'était qu'arriver à la deuxième ou à la troisième base sans gloire. Otto chercha sous son épaule le petit homme. Hoover était parti. Otto se lamenta donc tout seul. Il promit au Seigneur de ne plus jamais porter de knickers. Il préférait mâcher la terre d'Alabama que d'appartenir à un cirque de base-ball. Il perçut les frissons d'un corps qui aspirait de l'air. Otto baissa les yeux. Il remarqua deux yeux dans le noir. Des yeux couleur moutarde. Et un béret de marin. Un autre petit homme se trouvait sous son aile, Oliver Beebe.

— Bonjour, dit Otto, enchanté.

Le Bœuf avait trop de crampes dans les épaules pour marcher sans aide. Il s'appuya sur le bon marin. Oliver dut supporter presque tout le poids d'Otto. Les flics les cueillirent près du seuil de la porte arrachée. Ils poussèrent Oliver sur le côté et tombèrent sur Otto avec leurs matraques. Le matraquage fut très doux. Ils voulaient étourdir le Bœuf, l'endormir.

— Nom de Dieu, dit Oliver, laissez-moi Otto. Il peut loger avec moi au grenier.

Oliver avait dû gêner le Service secret. Ils l'embarquèrent rapidement dans leur voiture et le ramenèrent au portail présidentiel comme un homme en résidence surveillée.

# Fala

## SEIZE

Ollie se mit à suivre les résultats des « Sénateurs ». Il s'asseyait dans sa chambre avec le *Washington Star* plié sur les genoux, mais n'arrivait pas à trouver le nom d'Otto sur la liste des batteurs. Il y avait Kuhel, Myatt, Sullivan, Torres, Powell, Spence, Case, Farrel, et Johnny Niggeling, mais pas le Bœuf de Tuskegee. Deux disparitions en une semaine : Otto et Anita. Le Service secret était incapable de lui dire quoi que ce soit sur le Bœuf. Les agents de Horn le regardaient, l'air narquois.

— Tutmiller ? Il a dû retourner à sa charrue.

Oliver s'asseyait dans Lafayette Park, de l'autre côté de la rue, en face de la Maison-Blanche. Du chocolat dans la bouche, rêvant aux résultats de base-ball et à Anita.

Vivian apparaissait soudain près du banc d'Oliver et ils partaient ensemble aux divers lieux de réunion du Liberty Club, tous les deux avec une tête d'enterrement. Ils semblaient éprouver un manque.

— Où est Anita ?

— J'en sais rien, Ollie. Elle est peut-être en train de cueillir des pâquerettes. C'est *ta* sœur, pas la mienne.

Et ils se perdaient dans le Liberty Club. De plus en plus, le coiffeur se prenait d'affection pour le vieux petit marquis toujours ganté. Il les emmenait dans les endroits les plus sordides, une gargote sur New Jersey Avenue où les Blancs pouvaient s'estimer heureux de ne pas boire de poison dans leur soupe ; des bordels et des claques nègres qui appartenaient à Odessa Brown, une dame qui avait l'œil encadré de cicatrices et exigeait de l'argent pour chacune de leurs intrusions sans pour autant leur offrir une de ses filles ; un gymnase sur N Street où de jeunes boxeurs noirs de treize et quatorze ans attendaient en shorts de satin pour se défoncer la caboche devant le client qui leur donnerait un demi-dollar.

Le petit marquis ne venait pas pour regarder la bouche ouverte. Partout où il pouvait, il essayait de faire des adeptes. Il était le premier à goûter la soupe, le premier à sourire à Odessa Brown quand elle triturait abominablement les cicatrices de son œil pour effrayer le Liberty Club et le faire fuir, le premier à déconseiller aux boxeurs de couleur le port de shorts en satin et leur façon de se blesser pour de l'argent. Généreux, irascible et raisonneur, il souriait pourtant lorsqu'il préconisait telle ou telle ligne de conduite. Il félicitait les garçons au comptoir de la gargote de Jersey, les conseillait et leur indiquait des remèdes pour les lèvres gercées et le rhume. Il donnait des cadeaux aux gars du gymnase : des shorts de boxe moins criards. Et il discutait dialectique avec Odessa Brown. Oliver n'avait jamais entendu une tenancière de bordel et un marquis se renvoyer ainsi la balle. Il l'appelait exploiteur cupide, chef d'entreprise assoiffé du sang de ses filles, et elle le traitait d'aristocrate rabougri, d'étranger fouineur. La dialectique s'achevait par un grand rire d'Odessa et l'on buvait une bouteille de calvados acheminée de France en contrebande spécialement pour elle.

Les filles du claque d'Odessa étaient folles d'Oliver Beebe. Elles n'avaient jamais vu de marin avec de si bonnes manières, de si belles mains et sans la moindre expression de paillardise. Elles étaient habituées à des gredins mariés au Michigan ou dans le Tennessee, pères de famille, des galants qui se glissaient entre vos reins et puis vomissaient sur le plus beau tapis de la mère Brown. Elles lui faisaient des avances, derrière le dos d'Odessa. Elles lui offrirent de monter gratis.

C'était de belles filles, de dix-huit, dix-neuf et vingt ans qui ne portaient pas de rouge aux lèvres ni de mascara, des filles aux hanches pleines, aux cuisses longues et aux ventres tout menus, mais le marin était amoureux de sa sœur et refusait. Les putains ne s'en offusquèrent pas. Elles s'imaginèrent qu'Oliver était fiancé et qu'il ne voulait pas coucher avec d'autres femmes.

Oliver aimait ces excursions dans les entrailles de D.C. Il n'en pouvait plus des monuments, des musées et des longues bandes de pelouses bien soignées qui collaient à sa fenêtre comme une tarte aplatie. Telle était la vue qu'avait Oliver du grenier. De quoi désespérer un marin à la recherche d'un visage humain parmi tous ces édifices. L'obélisque de Washington n'était qu'un stupide tas de pierres posé sur l'herbe. Le Liberty Club le conduisait dans une ville cachée entre les avenues du centre, un quartier de taudis et d'allées de terre, des quartiers nègres derrière les grands hôtels, des boxons à trois minutes de la Maison-Blanche. Il ne haussait plus les épaules lorsque le marquis disait que dans Washington, deux pays indépendants s'ignoraient et vivaient avec des énergies et des horloges différentes. Le pays de Franklin Delano Roosevelt et le pays d'Odessa Brown.

Tant que le marquis ne maudissait pas le Patron, Oliver était heureux. Et peu à peu, il se sentait appartenir au pays de la mère Brown. Coiffeur du Président, logé au grenier de la Maison-Blanche et membre du Liberty Club, il n'arrêtait pas de franchir la frontière. Il prenait le thé avec Mme Roosevelt et buvait du calva avec Odessa Brown, rencontrait tantôt des amiraux qui sortaient de la Salle des Cartes en pantalons blancs amidonnés, et tantôt de jeunes boxeurs en shorts de coton généreusement offerts par le marquis de je ne sais quoi et le Liberty Club.

Oliver s'enfonçait dans les ruelles comme un marin quitte la terre, et puis revenait chez lui dormir à la Maison-Blanche. Un matin, pendant son sommeil, arriva au portail nord-ouest un marine qui portait une caisse percée de minuscules ouvertures. On appela un huissier et un homme du Service secret qui signa les papiers du marine et ouvrit de grands yeux. Par les petits trous, on entrevoyait une boule de fourrure noire. Il apporta la caisse à la Maison-Blanche et tira le loquet. Un chien dodu, pas plus grand qu'une chaussure d'agent secret, tomba par terre. C'était le scottish-terrier de M. Roosevelt, Murray, le Hors-la-loi de Fala Hill. Incapable de courir très vite, Fala se dandinait au ras du sol. Il passa entre les jambes de l'homme du Service secret et se lança, ventre à terre, à l'assaut de l'escalier du Patron.

Ni les huissiers ni les bonnes n'interrompirent sa course. Il entra dans la chambre du Patron avec un aboiement qui se perdit dans les boiseries, trop doux pour effrayer les souris, mais parfait pour avertir un président que son chien avait fini sa quarantaine. Seulement le Patron n'était pas au lit. L'aboiement se fit gémissement pitoyable. Fala partit en chasse dans la salle de bains. La baignoire était sèche. Le chien était capable de raisonner aussi bien qu'un homme à deux pattes. Une baignoire sèche et un lit vide devaient nécessairement signifier que son maître ne se trouvait pas à la maison.

Le chien monta un étage de plus. Il ne trottait pas pour s'amuser ni pour ramasser de la poussière sur son ventre. Il cherchait Oliver. Le marin dormait derrière une porte fermée, et Fala dut gratter. Ce grattement acharné fit irruption dans le territoire vague des rêves d'Oliver. Sa tête émergea de l'oreiller. Il bâilla. « Bon dieu de merde. C'est Fala. » Oliver ouvrit la porte. Fala entra en zigzaguant, la queue battant contre les murs. Après F.D.R., c'était Oliver que le chien préférait. Il ne voulait pas être tenu en laisse par un agent ordinaire du Service secret. Ollie allait devoir l'accompagner à la roseraie, ou le promener sur Pennsylvania Avenue.

Il s'habilla devant le chien. Ils se rendirent à la cuisine. Ollie dut lui faire frire des tranches de bacon parce que Fala ne voulait pas manger de pain trempé dans du lait. Ils prirent leur café ensemble. Les bonnes les épiaient de la lingerie, heureuses pour Oliver toujours de meilleure humeur quand Fala était là. Un chien intelligent, avec qui l'on pouvait parler, un chien formé par F.D.R. et le personnel de la Maison-Blanche, capable de grogner, d'aboyer, de gronder, et de grincer des dents de façon terriblement convaincante, un chien qui n'émettait pas un son pour rien.

Ollie prit sa laisse dans le bureau de l'huissier. Il ne put éviter les journalistes dans le hall. Ils câlinèrent le Hors-la-loi en bêtifiant « Gentil, gentil », et poursuivirent le marin.

— Ollie, est-il exact que le chien est resté perdu pendant trente jours dans le Pacifique ? A-t-on envoyé une compagnie de « marines » pour le retrouver ? Comment Fala est-il revenu ? Dans l'avion du Président ? Cela va-t-il coûter une fortune aux contribuables de garder un chien à la Maison-Blanche ?

— Quarantaine, répondit Oliver dans son style ramassé comme à l'habitude, on n'a pas perdu Fala. La Marine l'a mis en cage. Un chien peut attraper des maladies à Honolulu, tout comme un homme. Ils ont été obligés de vérifier.

Oliver se fraya un passage parmi les reporters. Il ne s'attarda pas dans la roseraie. Traînant Fala en laisse, il sortit de la propriété présidentielle. Il remonta New York Avenue en direction de Mount Vernon Square. Seul, Ollie serait peut-être passé inaperçu, vu le nombre de marins qui se trouvaient dans la rue, mais le chien ne pouvait aller nulle part incognito. Il était aussi célèbre que Betty Grable ou Bob Hope. Des lettres d'amour lui arrivaient de tout le Monde libre. On n'avait qu'à griffonner « Fala » sur une enveloppe. Les postiers de Peoria, Moscou, Istanbul, connaissaient l'adresse. Il recevait plus de courrier de fans que Mme R. Les lettres adressées à Fala devaient être passées au crible comme toutes les autres choses qui arrivaient à la Maison-Blanche. Le Service secret ne pouvait se permettre de dédaigner un tel courrier de chien : une menace de mort contre le Président aurait pu s'y glisser.

Des secrétaires essayèrent de s'évanouir au passage d'Ollie et du chien. Le marin fut obligé d'écrire quelque chose sur leurs blocs-sténo. « Pour Marsha. Le Hors-la-loi et Oliver Beebe. » Il dut signer cinquante fois pour le chien avant d'atteindre la pension. Il ne s'attendait pas à trouver Anita. Il était venu sur un coup de tête, espérant que peut-être le Hors-la-loi lui porterait chance. Le chien n'allait pas le décevoir. Anita se trouvait là, arrivée dix minutes avant son frère, après avoir passé la nuit à Georgetown avec Orlando Frayard.

Anita se croisa les bras et glapit de plaisir alors que le chien entrait en frétillant dans la chambre.

— C'est le chien de Roosevelt ?

— C'est lui, dit Oliver, le Hors-la-loi.

L'émoi sur le visage d'Anita toucha Oliver jusqu'à la moelle des os. Sa sœur éprouvait du plaisir avec une férocité qui troubla le marin. Elle était capable d'entailler son visage d'un sourire, de se tordre les joues et d'y mettre des rides sombres et tremblantes. Le marin était amoureux.

— Nita, où t'es allée ?

Comment s'expliquer avec un frère qui ne songeait qu'à lui retirer sa culotte ? N'avait-elle pas grandi avec lui ? Elle ne resta pas muette devant la tristesse de sa voix.

— Je suis allée faire des courses, dit-elle.

— Qu'as-tu acheté ?

— Bon sang, tu vas me harceler parce que j'ai quitté ta chambre ? Faut-il que je reste assise ici tous les matins jusqu'à ce que tu puisses te faufiler hors de la Maison-Blanche ? Donne-moi ton foutu emploi du temps, ou alors ne te plains pas.

Les arguments d'Anita l'effrayèrent et il devint irascible.

— J't'ai attendue, Nita. Cinq jours. A Mount Vernon Park.

— Est-ce que je t'ai demandé d'attendre ? Je ne suis pas la navette de Washington. Tu viens ici quand ça te convient, avec le roquet du Président, et tu veux que je fasse des excuses ?

Fala fourra son nez dans les jambes d'Oliver, il n'était pas habitué à une fille gueularde. Le chien se sentait menacé par ses chaussures à talons hauts et pointus qui laissaient de profondes encoches dans le tapis là où elle mettait les pieds. Fala n'avait guère affaire avec les humains si ce n'est Ollie et le Patron, mais il sentit l'odeur d'un autre homme sur le corsage de coton d'Anita. Le marin s'arrêta de parler, et Fala regarda cette étrange coutume humaine qui consiste à se glisser au lit sans vêtements. Le mouvement de leurs corps intéressa le chien. Oliver étreignait doucement. Les creux de son dos s'accentuaient fort quand il se penchait vers Anita. Leurs bouches étaient collées. Ils avaient l'air d'avoir trop de langues. Les fesses d'Oliver se mirent à fléchir. Le chien ne voyait jamais de telles agitations à l'intérieur de la Maison-Blanche. La hanche d'Anita eut un sursaut. Puis tout mouvement ralentit. Leurs cous se raidirent et ils émirent tous deux un cri perçant qui retentit autour des oreillers et choqua les oreilles du chien. Fala se cacha sous le lit.

Ollie passa un long moment à le faire sortir. Il enfila son pantalon de marin et se traîna à genoux, en appelant le chien.

— Fala, on rentre à la Maison.

Le Hors-la-loi ne voulait pas bouger. Assis sur un tas de poussière, il méditait sur les manières excentriques des hommes et des femmes, sur leur besoin de se vêtir et de se dévêtir, de se coucher dans un lit leurs nez l'un contre l'autre, de s'embrasser avec leurs ventres, de crier, et puis de se décoller.

— Sale chien, dit Oliver. Tant pis pour toi, tu vas rester avec Anita. A bientôt.

Un Fala de toutes les couleurs apparut, se dandinant, avec des taches de poussière, de tabac et des poils gris d'Anita. Oliver, éternuant et l'air menaçant, dut passer un quart d'heure dans Mount Vernon Park à retirer ces saletés pour restituer l'éclat de la robe du Hors-la-loi.

## DIX-SEPT

Un agent du Service secret apporta le panier de Fala dans la chambre d'Oliver. En l'absence de F.D.R., le chien dormait toujours au grenier, sans qu'Ollie en fût gêné. Mais Fala faisait des rêves terribles. Il grondait dans la nuit et geignait sous les plis de sa couverture. « Fala, ça suffit ! » De telles remontrances ne réussissaient jamais à le calmer. Il s'arrêtait et puis recommençait et Oliver prenait son parti des bruits qui sortaient du panier. Comment châtier Fala pour ses grincements de dents au milieu d'un rêve ?

Fala ne fut pas le seul à ruiner son sommeil. Ollie reçut une visite à quatre heures du matin. Ethel Rosenquist. De son standard de l'aile Ouest, elle monta au pas de charge pour procéder à l'interrogatoire d'Oliver. Ethel n'avait pas pénétré dans la chambre d'Oliver depuis la garden-party, six semaines auparavant, quand elle l'avait découvert à côté d'Anita, et avait compris à son air épanoui que le fou avait une liaison avec sa sœur et n'épouserait personne d'autre. Elle faillit écraser le chien.

— C'est toi la nounou de Fala, ce soir ?

— Attention, marmonna Oliver sous sa couette ; un froid précoce régnait dans la demeure en ce mois de septembre. Dès le coucher du soleil, le vent qui hurlait au grenier provoquait les pires cauchemars de Fala. Ollie avertit la téléphoniste.

— Ne dis pas de mal de lui.

Ethel ne cherchait pas du tout à se réconcilier avec un

coiffeur et un chien. Elle aurait aimé couper Oliver Beebe en tranches minces.

— Ne monte pas sur tes grands chevaux, marin. Tu es bel et bien une nounou. Un coursier et un larbin à ciseaux. Et je ne vais pas me taire pour un chien qu'on a pourri. Il pisse sur les tapis et vole de la nourriture dans les assiettes de tout le monde.

— Ils vivent comme cela les chiens, dit Oliver.

— Et toi, monsieur Beebe ? Je travaille en bas. Tu ne pourrais pas décrocher le téléphone de temps en temps et dire bonjour à une amie ? Ou suis-je moins que ça pour toi ? Ne t'inquiète pas, si le petit chéri se réveille, j'irai l'embrasser pour qu'il se rendorme. Je sais caresser un chien. J'ai appris dans cette chambre. Où cours-tu tous les jours ? Ta sœur a-t-elle un bon matelas ? Tu es un monstre, Oliver Beebe.

Elle pleurait, le visage dans les mains. Les secousses disgracieuses de ses épaules démoralisèrent Oliver. Il repoussa la couette et s'avança vers Ethel. Il n'était pas complètement nu. Au lit, il gardait son caleçon.

— Ethel, je ne voulais pas...

Sanglotant encore, elle sortit de la chambre en courant. Oliver resta debout, déconcerté par la nature volage des femmes. Quand quelque chose l'ennuyait, il ne pleurait pas, ne hurlait pas et ne maudissait pas un chien innocent. Il songeait. Pour quoi Ethel s'intéressait-elle tant au matelas de Nita ? Ce n'était pas le stupre qui collait les Beebe ensemble. Leurs existences étaient réunies par une autre sorte de glu. Comment pouvaient-ils jouir de l'étrangeté de leurs corps ? Le nombril de sa sœur, avec toutes ses circonvolutions, sa profondeur et son musc âcre et doux, lui était plus familier que le sien. Quand il couchait avec Anita, c'était comme s'il dévalait un tas de charbon et sombrait dans une belle somnolence. C'était un peu comme mourir, s'imaginait Oliver. Sans sa sœur, il ne connaissait pas le repos.

Fala se réveilla brusquement à huit heures. Il n'essaya pas de sauter sur le lit d'Oliver. Il sortit du panier en hâte, et geignit le nez contre la porte. Oliver comprit. Ce chien était capable de sentir la présence du Président plus rapidement qu'aucun homme. Oliver ouvrit la porte, et le Hors-la-loi de Fala Hill traversa le grenier à toute vitesse avec d'amples battements de queue.

Oliver n'était pas jaloux. Fala l'abandonnait toujours quand le Président se trouvait là. Un agent du Service secret viendrait dans une heure chercher le panier. Oliver s'assit près du téléphone. Le Patron voudrait peut-être qu'on lui coupe les cheveux pendant le petit déjeuner. L'odeur du bacon commençait à filtrer à travers les lames du parquet, mais le téléphone ne sonna pas. Le coiffeur était bon pour une semaine encore de solitude.

Il ne sortit pas avec le Liberty Club. Il resta dans son grenier à manger des barres de chocolat fourré et à écraser des cigarettes avec le gros bout de son télescope. Les bonnes arrivèrent à l'heure du déjeuner pour faire sa chambre.

— M. Franklin parle ce soir, dirent-elles. Du *Statler Hotel*. Le gouverneur Dewey a raconté des choses sur le chien et M. Franklin est en fureur. Va y avoir un paquet de Républicains qui vont en prendre pour leur compte, dans c't hôtel.

Les bonnes partirent après lui avoir mis des draps lavande, don de Mme Chiang Kai-Shek qui avait dormi à la Maison-Blanche en 1943. Mme Chiang ne pouvait supporter le linge ordinaire. Elle avait apporté sa provision de draps de son palais, « Le Nid d'Aigle », à Ch'Ung-Ch'ing. Elle ne faisait pas confiance aux lingeries américaines. Elle n'utilisait les draps qu'une fois, les roulait en boule et en faisait don à l'intendance de la Maison-Blanche.

Oliver passa l'après-midi dans un lit lavande impeccable en attendant le discours du Patron sur les ondes. Les bonnes en savaient toujours plus que le coiffeur sur les faits et gestes du Président. Ollie tripota sa radio après sept heures, jusqu'à ce que F.D.R. parle. Les bonnes ne s'étaient pas trompées. Le Patron crachait le feu.

« Les leaders républicains ne se sont pas contentés de s'attaquer à moi personnellement, ou à ma femme, ou à mes fils, ils s'en prennent maintenant à mon petit chien, Fala. Contrairement aux membres de ma famille, Fala en est offensé. Quand il a appris que les littérateurs républicains avaient concocté une histoire selon laquelle je l'avais abandonné sur une île aléoutienne et avais envoyé un destroyer le rechercher — le coût s'élevant pour le contribuable à deux, à trois, voire à vingt millions de dollars — son âme écossaise s'est mise en fureur. Depuis, ce n'est plus le même. »

Oliver poussa des hourras dès la fin du discours. Décidément, M. Roosevelt ne se laissait pas ranger dans les oubliettes. Le Patron savait défendre un chien. Même s'il n'avait pas de temps pour Ollie, il restait quand même le plus grand Président du monde.

# M. Dewey

## DIX-HUIT

Il y eut du mécontentement derrière les grilles de la Maison-Blanche, en septembre et en octobre. Les Républicains traquaient la proie. Ils alternaient le rythme de leurs attaques, usant de grondements hargneux ou de chuchotements. Un jour c'était Franklin Ier qui avait introduit la monarchie aux États-Unis et édifié la ville de Washington pour servir sa propre image, folle de pouvoir, et le lendemain c'était « un vieillard fatigué », une épave pitoyable de Président, contrôlé par des amiraux et une foule d'employés.

Le train Dewey s'arrêtait à Natchez, ou à Topeka, et le candidat apparaissait coiffé de son chapeau mou gris et parlait d'un ton monocorde, lugubre, sur les risques d'avoir des rois en Amérique, de puissants châtelains qui quittent leurs maisons de campagne pour aller tout diriger d'une petite maison située au bord du Potomac, avec leurs femmes, leurs fils, leurs marins et leurs chiens. C'était Thomas Edmund Dewey, l'adversaire numéro un du crime à New York, le gouverneur et procureur qui avait pénétré dans les repères de la pègre et en était sorti vivant, l'homme qui avait cassé le Crime Organisé sans tirer une seule fois.

Et M. Dewey était bien capable de mettre un terme aux douze années de séjour de Roosevelt à la Maison-Blanche. Dewey retirerait des fenêtres les rideaux royaux et laisserait rentrer une bonne bouffée d'air frais républicain. Le petit gouverneur promit de redonner à Washington l'atmosphère normale de bien-être d'une ville du Sud. La capitale avait été prise par des fauteurs de guerre, tyrannisant les ouvriers, et transformée en hippopotame crasseux, Roosevelt, U.S.A., mi-country-club, mi-asile d'aliénés, un havre pour amiraux fantasques seulement bons à tricoter avec Mme Roosevelt.

Puis c'était le tour des chuchoteurs, sénateurs et capitaines aux convictions républicaines qui laissaient entendre que F.D.R. déclinait.

— Un roi au bord de la mort, disaient-ils, il faut pousser le vieux d'une pièce à l'autre. Il ne peut passer la journée sans ses gouttes. L'administration Roosevelt est dirigée par un chien. Le Président ne pourrait pas rester éveillé suffisamment longtemps pour signer des lois si Fala s'arrêtait d'aboyer et de lécher ses chaussures.

Roosevelt ne voulait pas répondre aux Républicains. Il restait vissé dans sa résidence comme un marin en retraite, se cachait dans sa chambre à Hyde Park, ou se sauvait à Shangri-La, son refuge du Maryland sur la montagne Catoctin. La Marine gérait pour lui Shangri-La dont la situation exacte était gardée secrète pour frustrer les espions et les agents de la Cinquième colonne. Cet endroit devint une obsession pour les reporters du hall. Ils entendaient Fala sillonner le second étage mais pas le moindre indice de la présence de l'homme. Le Grand Chef avait dû se retirer du monde et ils n'arrivaient pas à en imaginer la raison. Était-ce une bronchite ? Ou bien l'attaque de Dewey lui avait-elle dérangé l'estomac ? La clé de tout cela était Shangri-La. S'ils pouvaient découvrir la montagne de Roosevelt, les mystères se dissiperaient d'eux-mêmes.

F.D.R. traversait en fait un accès dépressif. Personne ne pouvait le faire sortir de son pyjama. Le secrétaire à la Guerre devait se servir du lit de Roosevelt comme table de conférence. Le Patron ne voulait pas descendre à la Salle des Cartes. Le plus souvent, on le trouvait armé d'une pince et d'une loupe. Il se penchait sur sa collection de timbres, étalait une centaine de cartes sur sa couverture pour une patience géante, enfonçait des Lucky Strike dans son fume-cigarette sans avouer sa faim de Camel. Il voyait rarement ses petits-enfants. Il n'avait de temps que pour Fala et Oliver.

Après des mois dans l'ombre, Oliver fut rappelé du grenier. Il n'apporta pas son attirail de coiffeur. Le Président n'était pas spécialement désireux de laisser Ollie farfouiller derrière ses oreilles. Il avait besoin d'un marin qui ne regardât pas fixement le pyjama d'un Président et ne posât pas de questions sur la campagne électorale. Le garçon avait un regard sans détours. Le Président était encore plus chauve qu'en juin. Le pince-nez qu'il s'accrochait pour faire des patiences, avait entaillé son nez. Son cou était décharné. Il ne voulait pas toucher la nourriture qui arrivait sur sa table roulante. Ollie se douta que la fatigue du Président avait quelque chose à voir avec des cigarettes.

— Patron, je reviens tout de suite.

Oliver s'éclipsa par le sous-sol et se rendit à la cantine des soldats et des marins sur Pennsylvania Avenue. Il demanda Daniel Matisse.

— J'ai besoin d'une Camel, dit Oliver.

Matisse le regarda de travers.

— Reviens me voir demain.

— Impossible, c'est pour le Patron. Il ne veut pas manger s'il n'a pas sa Camel.

Matisse disparut dans le dédale de pièces à l'arrière de sa cantine et revint avec une longue boîte dans du papier brun.

— Combien ?

Le coiffeur n'avait qu'un dollar en poche.

— C'est la maison qui paie. Le Président est un marin, pas vrai ? Il a droit à ses clopes.

Oliver n'avait pas vu une cartouche de Camel depuis 1942. Il avait entendu parler de gens qui faisaient du marché noir et qui se retiraient aux Barbades avec leurs millions après quelques mois d'un commerce de Camel.

Un tel cadeau avait de quoi stupéfier un Président.

— Petit, où as-tu déniché ça ?

Oliver ne devait pas trahir le Liberty Club.

— Je les ai eues par un marin.

Le Patron était aux anges. Il allait pouvoir fumer et se montrer bon père, offrir des Camel aux maîtres d'hôtel, aux amiraux et aux valets, en envoyer deux paquets de l'autre côté du palier à sa femme. Quand le secrétaire au

Commerce se réjouit en voyant les cigarettes, le Président cligna de l'œil et dit :

— Le petit a sa propre source. Et il en a fait du chemin au Département de la Marine pour aller me les chercher.

En effet, l'appétit du Patron s'améliora. Maintenant il acceptait de tout, sauf manger des épinards et des abats. Il s'était querellé avec l'intendante que Mme Roosevelt avait amenée à la Maison-Blanche, une intendante qui s'occupait des menus et se moquait des restrictions de temps de guerre. Elle savait fort bien utiliser les carnets de rationnement. En 1943, après avoir dépassé le nombre de tickets qui lui étaient alloués, elle avait fait des économies sur le dos du Patron en lui donnant des abats. Pendant trente jours d'affilée. Il fut obligé de lui griffonner une note. « Ma chère madame Quentin, je ne veux plus voir d'abats dans mon assiette jusqu'en 1946. Merci. Votre humble serviteur, Franklin D. Roosevelt. » Il ne pouvait se débarrasser de l'intendante. Mme Roosevelt dirigeait ce côté-là de la maison, et elle admirait Mme Q.

— Franklin chéri, Quentin est la meilleure intendante que nous ayons jamais eue.

Au diable Quentin ! Le Président avait ses Camel. Mais il ne voulait pas faire campagne. Deux semaines auparavant, il était allé au *Statler Hotel*, s'appuyant sur le bras de Kirkland Horn, pour prononcer son discours sur Fala. Kirkland l'avait amené jusqu'à l'estrade et ramené à la maison. Furieux de la façon injuste dont on traitait son chien, le Président était rentré dans le lard des Républicains pendant une demi-heure. Il pouvait faire rire tout un pays. Il avait transformé l'élection en procès : Dewey contre Fala. Mais depuis, rien.

Les assistants apportaient leurs rapports dans sa chambre. Le Président faisait des patiences. Ils lui parlèrent un jour du Comité Hollywood-for-Dewey qui commençait à empoisonner les Démocrates avec l'aide de Ginger Rogers, Cecil B. De Mille, Adolphe Menjou, Leo Carillo, et Rosalind Russell. Le Patron n'en fut pas troublé. Du dessous de son oreiller, il sortit une feuille qui révélait l'ampleur de ses forces et de ses faiblesses à Hollywood. Les assistants restèrent bouche bée tandis que le

Patron cochait chaque nom du Comité d'Hollywood pour Sauver le New Deal : Orson Welles, Lana Turner, Harpo Marx, Olivia de Havilland, Rita Hayworth, Katharine Hepburn, Walter Huston, Melvyn Douglas, Fanny Brice, et Baby Snooks.

« F.D., vous ne pouvez gagner l'élection en restant assis au lit. C'est clair. »

Les assistants n'aimaient guère jouer les nounous de Roosevelt. D'autant plus qu'ils comprenaient la cause de son état dépressif. Le Patron devait aller au Québec rencontrer Churchill et il ne voulait pas user ses forces contre Tom Dewey. Il n'en pouvait plus des campagnes électorales. Il avait été président plus longtemps que quiconque, que Wilson, Jefferson, son cousin Theodore, douze ans les fesses sur un fauteuil roulant, incapable de marcher sans prothèses de métal et un harnais autour de la taille qui lui creusait le haut du bassin et le meurtrissait à chacun de ses mouvements. Il pensait avoir le droit d'esquiver M. Dewey et de faire campagne de la Maison-Blanche, seulement les Républicains étaient en train de criailler contre lui comme une bande d'oies vicieuses. Le Patron allait devoir sortir du lit.

Sa poitrine de marin fit brusquement saillie sur le haut de son pyjama quand il se mit à beugler : « Les enfants, où est mon chapeau ? »

Les assistants étaient mortifiés. Personne en 1941 n'envisageant un quatrième mandat, on avait fait don du vieux feutre gris, son chapeau porte-bonheur, à la March of Dimes d'Hollywood pour sa vente aux enchères annuelle. Jack Benny l'avait emporté sur Edward G. Robinson. Les assistants envoyèrent un télégramme à Benny, l'implorant de rendre le vieux feutre. Benny accepta. Le chapeau arriva quatre jours plus tard. Les agents du Service secret le sortirent du sac de courrier, le passèrent aux rayons X, et le transmirent au Président.

Le Patron était prêt. On décida que Brooklyn serait le lieu de son premier discours. Il ne se cacherait pas dans un quelconque auditorium où des reporters hostiles pourraient dire qu'il babillait pour les boiseries, homme malade derrière des portes closes. Le Patron était trop avisé pour ça. Il ferait campagne à Ebbets Field.

121

Ollie retourna au grenier, s'attendant à retomber dans sa routine habituelle en l'absence du Patron : manger ses bâtons et ses barres de chocolat, promener le chien. Il était presque minuit quand un agent du Service secret apparut dans la chambre d'Oliver.

— Habille-toi. Tu pars avec le Patron.

C'était fin octobre et Ollie portait encore son uniforme d'été. Ne pouvait-on pas prévenir les gens une demi-heure à l'avance dans cet endroit pourri ? Jamais il n'avait accompagné le Patron lors de ses déplacements. Une brosse à dents, des ciseaux, une barre de chocolat fourré ? L'agent secret dut lui rappeler d'emporter son caban.

— Il fait froid à Brooklyn, idiot.

Une limousine l'attendait au portail est. Ollie s'y rendit à grandes enjambées, le caban traînant sur les talons. C'était une grosse Packard grise, la voiture pare-balles du Patron. Oliver entra. Il dut s'asseoir à côté de Kirkland Horn. Le Président était engoncé dans sa cape de la Marine, avec une couverture sur les genoux. Il fixa Oliver entre les revers de sa cape.

— Pourquoi cet air sombre, petit ? Papa t'a-t-il forcé à sortir du lit ?

Le marin grommela quelques mots inaudibles. Horn lui donna un coup dans les côtes pour lui signaler qu'il devait répéter.

— Les barres de chocolat, dit Oliver, je ne savais pas combien en apporter.

Le Président rit dans les brandebourgs de son col.

— Il y aura de la nourriture dans le train, petit. Tu ne seras pas obligé de grignoter.

Oliver s'adossa aux coussins. La Packard était précédée d'un camion de l'Armée avec une douzaine de tireurs de Fort Meyer, et suivie de deux voitures du Service secret. Le cortège descendit paisiblement la 15ᵉ Rue jusqu'à une rampe d'accès, sous le Bureau de la gravure et des presses, qui conduisait à une voie secondaire où se trouvait le train du Président. Il n'y avait que six pas de sa Packard à son wagon privé, le *Ferdinand Magellan*. Le Patron n'allait pas s'asseoir dans son fauteuil roulant pour un trajet si court. Il boitilla sur ses prothèses ; Kirkland lui soutint le coude. Puis deux agents le portèrent dans le wagon.

Les commodités du train présidentiel laissèrent Oliver pantois. On n'abandonna pas la Packard. Elle fut conduite dans un fourgon spécial à peu près au milieu du train. Où Oliver était-il censé demeurer ? Dans le wagon-lit destiné aux chauffeurs, coiffeurs, agents secrets, et cuisiniers ? Avec son petit doigt, Horn lui fit signe de venir. On lui donna, pour lui tout seul, une chambre minuscule dans le *Ferdinand Magellan*.

Oliver mit du temps à s'habituer. Il y avait des écoutilles de secours sur le toit comme dans un sous-marin, pour éviter au Patron de se noyer si jamais le train tombait d'un pont. Les vitres de chaque compartiment étaient plus épaisses qu'un nez et les meubles rivés au plancher. Un cuisinier philippin sortit de l'arrière-cuisine, avec un jus d'orange pour Oliver. Il but trop vite, en avalant tous les pépins.

Il devait y avoir un interphone caché dans la couchette. Une voix, venue des profondeurs du lit, le siffla.

— Le Patron vous demande, monsieur Beebe.

Impossible de se tromper, c'était un appel bourru de Kirkland Horn. Oliver sortit dans le couloir. Le train se balançait maintenant. Les lumières s'allumaient et s'éteignaient dans une couleur poussiéreuse. Une moustache rousse menaçante le regardait, de l'arrière du *Ferdinand Magellan*. Il prit cette moustache comme repère en rasant les parois vert grisâtre du wagon et arriva près de Kirkland Horn qui, d'une bourrade, le fit entrer dans la chambre de F.D.R. Oliver Beebe franchit une autre porte. Le Patron, assis dans une grande baignoire, sur une sorte de « selle » en bois, fumait une Camel. Les cendres tombaient, tournoyaient avec les petits filets d'eau autour de la bonde et sombraient entre les jambes filiformes de F.D.R.

Oliver comprit aux récentes et nombreuses marques de dents sur le fume-cigarette que le Président souffrait.

— Patron, votre lumbago vous gêne à nouveau ?

— Pas aujourd'hui, répondit Horn et Oliver en fut agacé. Il ne comprenait pas pourquoi une moustache rousse devait parler à la place de F.D.R.

— Le cou de M. Roosevelt lui fait atrocement mal. C'est à cause du harnais qu'il doit porter.

Le Patron esquissa un sourire mais on pouvait voir la tension sur son visage.

— Poppa a des crampes.

Oliver entra dans l'eau derrière la selle et frotta la nuque du Patron pour en éliminer la raideur. Puis Horn le raccompagna à sa couchette. Pas moyen d'être à l'aise à côté de ce vieillard. Kirkland se teint les moustaches, lui avaient dit les bonnes. Ce ne sont que de petits poils de rien sous la teinture.

— J'habillerai M. Roosevelt demain matin. Vous pouvez rester au lit.

La couchette n'était guère pourvue de couvertures et Oliver dut s'enrouler dans son caban pour empêcher ses chevilles de geler. Anita lui manquait. Mais la joie d'un premier voyage avec le Président allégeait son cœur et il se sentait prêt à s'assoupir. Les terres traversées par le train passaient en longues vagues noires comme un océan. Oliver aurait pu être en mer. Le *Magellan* donnait de la bande comme un bon destroyer.

Le cuisinier philippin était en train de le tirer de la couchette quand Ollie ouvrit les yeux.

— Mettez votre pantalon, monsieur Oliver. Tard, tard.

Oliver se brossa les dents dans du café. Il y avait dix minutes que le Président était descendu du train. Avoir laissé Oliver en rade, c'était un coup de Horn.

— A bientôt, Tom, dit Ollie reconnaissant à l'égard du cuisinier, et il sauta du *Ferdinand Magellan* qui se trouvait à Brooklyn, dans une base d'approvisionnement de l'Armée. Le sol était boueux. Une sale pluie tombait et résonnait sur son caban comme une rafale de plombs. De la Packard, Horn grogna « entre ».

Oliver s'assit dans son caban mouillé. Il ne voulait pas regarder Horn. Deux colonels d'une station météo proche étaient coincés à l'arrière de la voiture et essayaient de familiariser le Président avec les caractéristiques d'une tempête. Ils semblaient particulièrement érudits en matière de temps. Le Patron était hors de danger, disaient-ils. La tempête qui mordait la côte atlantique s'atténuerait à Brooklyn. Mais elle ne disparaîtrait pas avant le lendemain. Par contre, l'air froid inquiétait les colonels. Le Patron attraperait peut-être une pneumonie dans une voiture humide. Ils le pressèrent de ne pas parler à Ebbets Field.

Le Patron avait toujours fabriqué son propre temps. Après avoir quitté ses couvertures de laine à la Maison-Blanche, il n'allait pas laisser une tempête entrer dans sa campagne électorale. Il avait sa cape, sa petite couverture sur ses genoux, son vieux feutre, et les corps chauds de Beebe et de Horn pour éloigner le froid. Les deux colonels saluèrent leur commandant en chef et sortirent de la Packard.

— Kirkland, dit le Patron, j'aimerais avoir un peu de ciel.

Horn fit un signe à l'agent qui conduisait la voiture et le toit commença à reculer. Le front d'Oliver se rida sous les craquements de tant de fer, de cuir et de verre. Mais les rides disparurent au premier coup de vent. La voiture était découverte. On aurait pu approcher le Président et lui toucher l'épaule si Kirkland n'avait placé les plus forts de ses hommes sur les marchepieds.

Aucune pluie ne pouvait décourager la population de Brooklyn. Ils se pressaient, dix rangées sur les trottoirs, pour attendre F.D.R. Les uns avec des parapluies ou des journaux sur la tête, d'autres les lèvres tremblantes dans le vent. Pas le moindre petit cri favorable à M. Dewey. Il avait beau être gouverneur de l'État, ancien procureur, l'adversaire numéro un du crime, celui que Dutch Schultz avait menacé de mort, peut-être possédait-il la stature d'un futur Président, ou peut-être pas, mais ce n'était qu'un homme à chapeau mou, une moustache sous le nez, et rien à voir avec un Roosevelt. Dewey avait-il Eleanor, ou Fala ou un marin pour l'accompagner en voiture ? On savait que le Président était polio, mais personne ne l'avait jamais vu dans un fauteuil roulant. C'était un infirme, mais un infirme qui pouvait nager. Ils allaient au R.K.O.* comme tout le monde, regardaient les actualités Movietone. On y voyait F.D.R. dans la piscine de Warm Springs jouant au water-polo avec les agents du Service secret, dansant sur l'eau avec une de ces paires d'épaules, de vrais ailerons de

* R.K.O., Radio-Keith-Orpheum : chaîne de cinéma (N.d.T.).

baleine. De quelle polio était atteint un homme qui pouvait lancer si fort une balle en caoutchouc et se balader dans la piscine comme moi, comme vous, et votre oncle Moïse ? Un infirme magique, vulnérable, imparfait, moins que vous et plus, un Président aux pieds tordus qui se laissait aller derrière son bureau, en chemise et nœud papillon, de drôles de lunettes sur le nez, et pouvait se transformer en phoque si vous enleviez le nœud papillon et lui donniez un bassin. Un gentleman sirène, maladroit sur terre, puissant dans la mer, Franklin Delano Roosevelt. Non, ils ne seraient pas restés debout sous la pluie pour un Tom Dewey.

Le Patron pénétra dans Ebbets Field, sa Packard cahota jusqu'à une longue estrade de bois. Puis Kirkland se mit à genoux, en jurant contre Oliver : « Pousse-toi de là », et vissa les prothèses du Patron. M. Roosevelt fit une grimace et, rejetant son feutre et sa cape, se glissa au bord de la voiture, se redressa, une main appuyée sur le dos de Kirkland, et s'avança jusqu'au pupitre d'orateur que les menuisiers de la Marine avaient fabriqué pour lui. Démarche lente et boitillante sur des jambes raides. Oliver avait peur. Le Patron pouvait faire un faux pas et mourir avant d'arriver à ce lutrin de la Marine. C'était un homme sur un cheval de bois, chevauchant ses propres jambes inutiles. Le Patron n'avait pas besoin du soleil pour fabriquer son « temps rooseveltien ». Il savait comment occuper une tempête. Il atteignit ce pupitre, poussé par le vent.

Il dit « Mes amis », faisant front aux rafales. Mais Oliver n'entendait pas. Il voyait les parapluies tournoyer dans les tribunes, hypnotisé, pauvre marin chouchouté depuis près de six mois à la Maison-Blanche. Le Président était revenu dans sa voiture avant qu'Ollie n'ait émergé de sa stupeur. La Packard descendit la rampe en bringuebalant. Kirkland, sous les genoux du Patron, dévissait les prothèses, essuyait ses jambes. Dans ce stade de base-ball, des hurlements avaient accueilli les exploits des « Dodgers », Dixie Walker et Frenchie Bordagaray avaient réussi des dizaines de « home runs » mais lui, F.D.R., avait été capable de marcher sur une paire de vieux bâtons.

On l'emmenait jusqu'à la station de Gardes-Côtes, à

deux pas au coin d'Ebbets Field. Les hommes de Horn le mirent sur une table et lui décollèrent son harnais, ses prothèses et ses vêtements. Ils lui donnèrent du whisky dans un verre de lait et vingt mains se mirent à sécher son corps. Les agents se montrèrent soudain timides dans leur travail. Ils éprouvaient une sensation étrange à poser les mains sur le Président, à l'emmailloter avec des serviettes. On pouvait voir la marque des agrafes sur ses mollets, là où les prothèses s'étaient enfoncées trop profondément dans la peau. Un grognement s'éleva de toutes ces mains agitées.

— Où diable se trouve Oliver ?

Ce n'était pas la voix du Président. Le Service secret recherchait cette petite peste.

Un agent le trouva assis dans la voiture encore découverte. Le marin n'avait même pas eu l'idée d'échapper à la tempête. Ollie avait rêvé tout seul, essayant d'imaginer s'il existait une seule personne dans Brooklyn qui n'aimait pas le Patron. Les Républicains ne ramasseraient pas une voix autour d'Ebbets Field.

Le Service secret amena Ollie au Président. Le coiffeur n'eut pas à détourner les yeux. Il savait ce qu'était un Président nu.

— Patron, comment vous sentez-vous ?

— Parfaitement bien, répondit le Président, mais il ne pouvait pas sourire. Son corps était étendu sous les mains des hommes du Service secret comme un objet de plomb. Il n'avait pas même la force de se glisser une Camel dans la bouche.

## DIX-NEUF

L'aventure ne se termina pas avec la friction d'Ebbets Field, Oliver penché sur une table, prodiguant de la chaleur à des membres exsangues. Désormais, il ne quittait pas Roosevelt d'une semelle. Le Patron ne voulait pas faire campagne sans lui. Mais les obligations d'Oliver n'étaient pas faciles à définir. Parfois coiffeur, parfois valet, parfois masseur, il circulait au milieu du détachement du Service secret avec le carnet de rendez-vous du Président dans sa poche, et aussi une poignée de pièces de monnaie. Roosevelt ne portait jamais d'argent sur lui. Oliver de temps en temps donnait des pourboires à un vendeur de hot-dogs à Chicago, à un garçon de restaurant à Duluth.

Le Président avait une passion pour les stades de base-ball. Il se montra chez les « Red Sox », les « White Sox » et les « Phils ». Et le jour de Navy Day, il se rendit à Shibe Park accompagné d'Oliver et il pourfendit les nazis, les Japs et les Républicains de Dewey. A Fenway Park, il parla de mettre les Allemands au régime, à la bouillie et aux pommes de terre, pendant vingt ans. « Bouillie pour le petit déjeuner, bouillie pour le déjeuner, des pommes de terre à l'eau avant d'aller se coucher. » Les Démocrates à Fenway Park adorèrent le discours « pomme de terre » du Patron. Sans F.D.R., ils n'auraient jamais eu l'idée d'offrir une seule pomme de terre au peuple allemand. Ils idolâtraient la cape, le chapeau, le sourire Roosevelt et ce garçon coi derrière le fauteuil du Président. Aucun amiral n'aurait pu les émouvoir autant qu'Oliver Beebe. Ils appréciaient la présence d'un simple marin aux côtés du commandant en chef.

Oliver se serait volontiers passé de toute cette adulation sur le parcours. On se lasse de serrer les mains, de donner son autographe à un millier de carnets. Quoi écrire ? « Dieu vous bénisse. Oliver Beebe. » Son identité importait peu. Les Démocrates préféraient un Oliver inconnu. Comment les Républicains pouvaient-ils l'attaquer ? C'était le mystérieux matelot qui voyageait avec F.D.R. Sa présence stimulait le Patron. Les Républicains commençaient à faire grise mine. Ils s'attendaient à ce qu'un Roosevelt estropié coule en éternuant ses derniers jours à la Maison-Blanche, et le Patron faisait davantage preuve d'énergie que leur propre candidat. Avec l'air d'un guerrier dans sa cape, avec des idées folles de régimes pour les Allemands, avec Oliver Beebe près de lui.

A Washington, la vie se gâta pour Oliver. Il ne pouvait se reposer, lire un magazine de cinéma, ou aller voir Anita. Mount Vernon Park se trouvait à des années-lumière de Pennsylvania Avenue en octobre 1944. Ollie ne parvenait plus à franchir cette distance ni en réalité, ni en rêve, ni même avec son télescope. La Maison-Blanche l'obligeait à rôder autour de Fala et du Salon Bleu, la Première Dame, la roseraie, le Service secret et les Démocrates de la Colline. Il montait au Capitole avec, en poche, des messages pour les sénateurs et les représentants favoris de M. Roosevelt. Le speaker de l'Assemblée accueillait Oliver fort aimablement. Le garçon devait siroter du bourbon dans ses bureaux et garantir à son entourage que le Patron aimait tout le monde à la Chambre.

— Oliver, comment va-t-il ces jours-ci ?

— Il est en forme, monsieur. En pleine forme.

Il fallait faire attention aux invitations à dîner car les représentants aimaient poser des questions indiscrètes.

— Désolé, avait-il l'habitude de dire en racontant sa petite histoire toute faite. Je mange toujours avec le Service secret.

Puis Oliver retournait à la maison en courant pour avaler ses barres de chocolat et une boîte de betteraves rouges, bien au chaud dans son grenier. Mais un jeudi soir, Kirkland Horn lui grommela : « Beebe, venez avec moi. » Ils étaient seuls, sans une horde d'agents secrets. Horn l'emmena dans un restaurant de fruits de mer, *Harvey's*, sur Connecticut Avenue. Il fallait faire la queue à la porte et des sourires au maître d'hôtel, car le jeudi était la grande soirée chez *Harvey*. Le Vice-Président ou un groupe d'ambassadeurs arrivait parfois à l'improviste.

Un tableau sur le mur représentait William Howard Taft cassant un homard avec ses dents. Le restaurant n'avait pas accroché ce tableau par un quelconque snobisme. Point besoin de Président sur ses murs pour attirer la clientèle. L'image servait seulement à se rappeler la date : 1944, comme d'autres restaurants recherchés du District, *Harvey's* serait à court de homard vers huit heures.

Kirkland s'assit en compagnie d'Oliver quelques minutes avant huit heures. Il se précipita pour commander le homard d'Ollie. Les serveurs de couleur transpiraient dans leurs habits noirs. Ils n'avaient plus de homard depuis sept heures moins le quart. Plus d'alose, ni de bar, ni de perche. Ils offraient seulement des huîtres et de petits crabes de Tangier, un ou deux légumes et autant de soupe de poisson qu'on voulait. *Harvey's* avait plus de chance avec ses desserts. Les chefs disposaient d'assez de noix pacanes pour répondre à toute demande de tartes. Oliver en prit deux énormes morceaux mais Horn toucha à peine le contenu de son assiette. Il donna un coup de pied à Oliver sous la table.

— Vous voyez ce type, pommadé derrière les oreilles ?

Oliver mangeait sa soupe à la cuiller.

— Vous le connaissez, monsieur Beebe ?

Les coups de pied de Horn se faisaient féroces. Ollie laissa sa soupe pour regarder, assis à une table discrète, un homme qui rangeait ses petits pois sur la lame de son couteau. On aurait dit que ses sourcils avaient été peignés. Il avait la raie au milieu, les gencives les plus roses de Washington et de parfaites lunules, mais le nez tordu dont la base aplatie barrait son visage bronzé. Il devait aimer l'eau de toilette. L'odeur entêtante de lilas atteignait la table d'Oliver. L'homme était blotti dans son coin, à l'écart de la bousculade, seul à table. Les serveurs montraient pour lui toutes sortes d'égards, écartaient les clients loin de lui, s'assuraient que personne ne le dérangeait. Il posa son couteau et demanda à nouveau des petits pois. Il paraissait beaucoup plus combatif avec des petits pois dans la bouche.

— Comment se fait-il que les serveurs se mettent en quatre pour ses petits pois ? Qui est-ce ?

— Le grand G-man *, J. Edgar Hoover.

Oliver avait entendu le Patron bavarder avec Hoover au téléphone. « Oui, Edgar, Non, Edgar », disait le Patron sans rétrécir son sourire. F.D.R. semblait aimer le G-man.

Un serveur se pencha près de Kirkland Horn comme s'il voulait lui dévorer le cou. Mais l'intention n'était en rien délictueuse. Il arrivait de la table de Hoover avec un message. Il fallait murmurer chez *Harvey*, autrement tout le monde libre apprenait d'un coup l'ensemble de vos occupations.

— Monsieur, M. Hoover voudrait vous dire bonjour et serrer la main du marin du Président.

Ollie et le vieux Horn traversèrent donc le restaurant pour s'asseoir à la table de J. Edgar Hoover. La puanteur du lilas faillit faire tomber le marin à la renverse. La chevelure épaisse était lissée sur la tête bosselée du G-man. En dépit des lourdes bajoues et du nez aplati, il avait un sourire agréable.

— Kirkland, pourquoi évites-tu toujours de me présenter tes amis ?

— Telle n'était pas mon intention, dit Horn, nous ne voulions pas gâcher ton dîner. Edgar. Oliver Beebe.

Le G-man avait la poignée de main sèche. Et ses bagues vous laissaient des marques. Ollie n'avait jamais vu autant d'argent et d'or sur des doigts.

— Oliver, M. Roosevelt serait incapable de gagner cette élection sans vous. C'est ce qu'on dit. Vous lui portez chance.

— Le Patron n'a pas besoin que je lui porte chance, dit Oliver qui éprouvait de la réticence à introduire la campagne chez *Harvey*, la maison du homard. Il est Président. Il va gagner. On n'aurait pas de pays sans le Patron.

---

* Agent spécial du F.B.I. (N.d.T.).

Hoover se moqua gentiment du marin.

— Nous devrions dire ça au camp de Dewey. Il faut les préparer à la défaite. Oliver, passe à mon bureau quand tu en auras l'occasion. Je te montrerai le F.B.I.

— Il est trop occupé en ce moment, dit Horn. Edgar, tes huîtres refroidissent. Au revoir.

Il paya l'addition et quitta le restaurant, un cure-dent dans la bouche.

— Ce G-man, monsieur Horn, qu'est-ce qu'il vous a fait ? demanda Ollie.

— Rien. Mais il baise le Service secret chaque fois qu'il le peut.

Le dîner chez *Harvey* n'avait fait qu'embrouiller Oliver Beebe. Il s'en tiendrait aux barres et aux bâtons de chocolat, un repas de marin. Il n'arrivait pas à comprendre les arcanes du gouvernement. Les généraux se battaient avec les amiraux. On pouvait les entendre jurer derrière la porte de la Salle des Cartes. Pourquoi l'Armée et la Marine ne pouvaient-elles pas s'entendre ? Les Républicains parcouraient les travées du Congrès avec une seule envie, mordre les Démocrates. Le Service secret se querellait avec le F.B.I. Seul le Patron pouvait administrer un tel ensemble de fous.

Ollie fut invité à Hyde Park la veille de l'élection. C'était la première fois que le Président l'emmenait chez lui dans son domaine du Dutchess County. Il neigeait. Oliver avait oublié ses snow-boots. Horn eut pitié du garçon. Il téléphona à Washington, D.C. Les snow-boots arrivèrent dans le courrier du Président le matin de l'élection. Le Président descendit voter au village de Hyde Park. La machine à voter se coinça. Un assesseur dut ramper sous le rideau pour entrer dans l'isoloir avec F.D.R. Il secoua légèrement les leviers et la machine se remit à fonctionner.

Le Patron donna à Fala des petits morceaux de tartines grillées tout l'après-midi. Il rejoignit plus tard, dans la bibliothèque, une armée de Démocrates qui pointait les résultats pendant que Mme Roosevelt faisait des œufs brouillés pour tout le monde. Ce ne fut pas une longue veillée. Le Patron enleva New York vers neuf heures et demie. La Pennsylvanie lui fut acquise et le New Jersey ensuite.

A onze heures, sans aide, il sortit dans son fauteuil sur le perron et prononça son discours de nuit d'élection aux citoyens de Hyde Park. Oliver se demandait pourquoi le Président perdait son temps avec de tels gens. Hyde Park votait toujours républicain, lui avait dit Horn. Puis le Patron se coucha.

On avait donné à Oliver, près de l'énorme chambre de F.D.R., un réduit, sans cheminée, qui avait été la chambre de Mme Roosevelt. Maintenant elle dormait dans sa propre petite maison à Val-Kill, à quelques kilomètres de là. Oliver ne se trouvait pas malheureux dans sa chambre. Avec ses snow-boots. Et le Patron avait gagné. Il n'aurait plus à penser à Dewey.

Il entendit des pas dans la roseraie. Un agent du Service secret devait être en train de faire une ronde sur la pelouse. Où était M. Horn ? Oliver remonta les draps sur son menton. Fala s'était échappé de la chambre du Président. Il ne s'intéressait pas aux marins. Il était venu renifler les snow-boots d'Oliver. « Qu'il renifle donc », marmonna Ollie et il s'assoupit avant que sa sœur ou quiconque ne se glisse sous son crâne.

# Kirkland Horn

## VINGT

C'était le vieillard de la Maison-Blanche, la nurse de sept commandants en chef, qui fourrait son nez dans les cuisines, les salles de bains, les chambres, les salles à manger officielles, les salons et placards à balais, depuis 1901. Les bonnes, derrière son dos, l'appelaient « Moïse ». Sa moustache leur rappelait les poils d'une racine ensanglantée. Qui sait s'il n'était pas le diable. Personne ne se mêlait des affaires de Kirkland Horn.

Il avait deux ans de plus que le Président. Elles se souvenaient cependant de lui portant dans l'escalier M. Roosevelt sur ses épaules. Kirkland, ce vieil homme essoufflé, les yeux fermés, les paupières plissées, était encore capable de repérer le moindre morceau de métal faisant anormalement saillie dans une boiserie.

— M. Kirkland, y commence à craquer, disaient-elles, c'est comme les lustres.

Les agents sous ses ordres étaient d'accord avec le diagnostic des bonnes. Pas de pire corvée que travailler pour le « Horn ». C'était un bourreau de travail. Il pouvait presser une ombre jusqu'au sang, et vous faire renifler des poubelles pour y dépister un incendie éventuel. Et pourtant l'affectation au district 16, la Maison-Blanche, était le plus grand des honneurs. Pas moyen d'en approcher à moins d'avoir accompli des exploits surhumains sur le terrain. On vous mettait sur le « fichier des dingues » au Nebraska, en Arkansas, ou en Illinois, et vous deviez pister les fous qui avaient écrit une lettre de menaces aux Roosevelt, à Fala ou à ce malheureux Oliver Beebe, parce que quiconque voulait faire du mal au marin ou au chien déciderait peut-être un jour de tuer aussi le Président. Alors vous vendiez votre âme pour le Service secret. Vous ingurgitiez des sandwiches sous la pluie, la moutarde dégoulinait sur votre cravate... Lorsque vous aviez fourré la moitié des cinglés du Nebraska dans votre porte-documents, alors seulement vous étiez affecté au district 16. La Maison-Blanche et Kirkland Horn.

Le commandant Colbert, le jeune chef du Service secret, aurait aimé se débarrasser de Kirkland ou le pousser dans un des bureaux d'enquêtes sur le terrain. Le vieil homme y aurait eu une sénilité respectable sans pouvoir sévir. Horn était une gêne pour le Service secret, la relique d'un temps plus simple et fruste où le seul pouvoir de dissuasion d'une moustache rousse suffisait à protéger un commandant en chef.

Les bonnes juraient qu'il pouvait ensorceler une maison. Des fenêtres s'ouvraient sans qu'une main les ait poussées. Des débris apparaissaient sous les balcons. Du moisi vert bourgeonnait sur certains murs. Elles empruntèrent la poupée hawaïenne que le Patron avait donnée à Oliver et parcoururent la résidence en lui tenant les jambes écartées, pointées en l'air. Elles espéraient éloigner ainsi les sorts que le Service secret jetterait aux bonnes sans défense. Ollie ne les empêcha pas d'utiliser l'Hawaïenne mais il ne croyait guère aux pouvoirs de la magie. Les bonnes se laissaient facilement mystifier. Voilà tout. Lui était capable de faire la lumière sur chaque exemple de sorcellerie à la Maison-Blanche. Le vent ne pouvait-il pas ouvrir quelques fenêtres mal fermées ? C'étaient des éclats de coquilles d'huîtres mêlés à l'enduit des murs extérieurs qui provoquaient ces débris étranges sous les balcons. Et le moisi vert provenait d'une plomberie déficiente, non de la soif maléfique et intarissable d'un vieillard.

Horn était fatigué, sacrément fatigué de faire la police dans la demeure. Il aurait aimé s'accroupir sur la digue du Potomac avec une canne à pêche et sortir de l'eau des boîtes de conserve. 1944 était une mauvaise année pour le poisson. La Marine avait étouffé le Potomac avec les allées et venues des destroyers. Le pétrole craché par les canonnières qui y bourlinguaient laissait une pellicule sombre sur l'eau et rendait le rivage tout gris. Seuls les crapauds et les araignées de mer prospéraient dans la rivière. Peu importait à Horn. Il préférait pêcher des crapauds que d'envoyer des rapports à son petit morveux de supérieur, le commandant Colbert. On vous mettait maintenant des gamins pour vous diriger. Colbert, frais émoulu d'une école de guerre, avait trente et un ans. Et des visions de Service secret s'empiffrant de F.B.I. Il continuait à chatouiller J. Edgar Hoover. Mais le G- man savait comment calmer les petits garçons. Edgar allait à la Maison-Blanche, avalait un « horse's neck » (ginger ale et zeste d'orange) avec F.D.R., minaudait avec Fala et le commandant Colbert, faisait immédiatement retraite dans un coin poussiéreux du Département du Trésor.

Pour Kirkland Horn, la Maison-Blanche était une bicoque en mauvais état. La plus grande souricière des États-Unis. Il n'y avait pas trente centimètres de plafond, pas un balcon, pas un mur qui ne fût un foyer d'incendie éventuel. Un responsable de défense passive idiot avait fouillé le sous-sol au début de la guerre et creusé un abri sous la piscine du Patron. Superbe trou de merde. Pas besoin d'une bombe pour mettre la Maison-Blanche par terre. Un éléphant assis sur la pelouse, près du portique Sud, aurait provoqué une secousse assez forte pour casser l'abri en deux. F.D.R. se serait noyé dans sa propre piscine.

Horn conféra avec des ingénieurs de l'Armée. On creusa un second abri sous la nouvelle aile Est. On installa des rideaux pour le « black out » dans toutes les pièces. On distribua des masques à gaz et des pelles. Le secrétaire au Trésor, en tant que haut responsable du Service secret, se nomma lui-même garde anti-raids auprès du Président. Il décida de rendre la résidence invisible en la peignant en noir. Horn dut décourager de telles lubies sans l'offenser.

— Monsieur le secrétaire, le Patron ne voudrait pas habiter une maison noire.

Il en avait assez de piloter ces individus du Département du Trésor. D'année en année, passer sous le manteau du Président lui avait donné une bosse dans le dos. D'ailleurs, il pissait le sang. Une douleur dans un rein l'obligeait à se retenir de hurler. Il parlait à ce rein, marmonnait dans l'escalier pour camoufler ses essoufflements. Sujet à des syncopes depuis six mois, il s'était encore trouvé mal hier dans le Salon Vert en trébuchant sur une table Duncan Phyfe pendant sa ronde nocturne et s'était entaillé le front. Il avait gardé cette information pour lui.

Kirkland n'allait pas se mettre à porter une chemise d'hôpital alors que le Président était toujours en fonction. Kirkland adorait cet homme. Il n'aurait pas passé treize ans avec un autre Président. Il trouvait la pompe et les solennités de la vie d'un Président d'un ennui mortel : les sénateurs et les hommes d'appareil du parti qui grouillaient dans le hall, n'attendant qu'un petit signe de tête de F.D.R. ; la presse qui vous grignotait l'oreille.

— Kirkland, raconte-nous un peu. Le plus idiot à la Maison-Blanche, c'était Cal Coolidge ?

Et Horn marmonnait un bruit qui descendait jusqu'au rein. « Le Président Coolidge était plus malin que vous ne pensez. » Sa grimace effrayait tous les reporters sans exception. On apprenait à ne pas avoir d'histoires avec cette moustache rousse.

Puis il y avait les rois, les têtes royales réfugiées d'Europe qui dormaient une nuit dans la résidence présidentielle, prenaient le thé et des gâteaux avec Mme Roosevelt, des sandwiches avec le Patron. Horn devait inspecter leurs bagages et leurs chambres. Un faux roi pouvait se trouver parmi eux, un saboteur envoyé par Berlin avec assez d'explosif dans sa trousse de toilette pour trouer le toit et envoyer M. et Mme Roosevelt, Fala, Oliver Beebe, Harry Hopkins et Kirkland Horn sous terre. Il les surprenait sur le siège du W.-C. ou au lit avec leurs royales épouses. Le Service secret ne frappait pas à la porte. Pas un seul roi ne pouvait dire comment Horn entrait dans la chambre. Il sortait sa tête de derrière un rideau de « black out ».

— Désolé, Votre Altesse, ça ne va pas durer longtemps. Vérification des lieux, vous comprenez.

Un sale boulot, pire qu'un élancement dans le rein, que d'espionner les rois et les bonnes et les hôtes d'Eleanor et tous les petits coiffeurs que F.D.R. balançait au grenier. Kirkland aurait volontiers laissé tomber un tel honneur pour une canne à pêche et cinquante centimètres de digue, de la boue sur ses chaussures, des canonnières tournoyant dans leur propre pétrole, mais il ne pouvait abandonner F.D.R. Inutile de fourrer son nez dans des rapports de médecins et de coincer le bras du Patron dans un appareil à prendre la tension. F.D.R. était un homme mort. Les gouttes qu'il inhalait pour ses sinusites n'étaient qu'un subterfuge. Il arrivait à l'infirmerie du rez-de-chaussée tout seul dans son fauteuil roulant, offrait ses narines au docteur de la Maison-Blanche en disant « des épinards » (quand une chose le dégoûtait, il l'appelait toujours « des épinards ») parce que les gouttes retombaient sur son menton. C'était un spectacle monté pour les journalistes dans le hall. Le Patron hait ses gouttes, murmuraient-ils, rejetant du même coup les rumeurs républicaines sur sa santé. Ne l'avez-vous pas entendu beugler ? Et Roosevelt disparaissait dans son ascenseur, un président au travail qui prenait ses gouttes comme on prend une ration d'huile de foie de morue.

Mais Kirkland Horn voyait les mains tremblantes qui ne pouvaient tenir que les bols anormalement grands, la signature devenue illisible, le teint bleu-gris sous les yeux, l'homme obligé de regarder de très près pour lire mot à mot, incapable d'enfoncer du premier coup une Camel dans son fume-cigarette, cet homme qui, soudain, piquait du nez en parcourant son courrier, qui bredouillait au milieu d'une phrase et dont l'énergie était consumée avant le déjeuner. Il était possible de cacher son état aux amiraux, pas aux bonnes. Sans donner dans le macabre, elles parlaient de sa mort, « M. Franklin, il est assis dans le noir ».

Le Patron ne se serait pas ouvert à un coiffeur simplet en 1942. C'était un Hollandais puissant, colérique, dans un fauteuil roulant, capable de jongler avec les Démocrates, les Républicains, Eleanor, Staline, Churchill et Mme Chiang Kai-Shek, jouer au water-polo avec Kirkland dans la piscine du sous-sol. Il signait alors avec plus de fermeté. Impossible de ne pas remarquer la « boucle Roosevelt ». Il entrait dans la Salle des Cartes deux fois par jour, en évitant que les roues de son fauteuil ne touchent les talons des officiers, et examinait avec une formidable attention les épingles rouges et vertes sur le mur. Inutile de faire un cours au Patron. Il connaissait la position de la moindre épingle. Mais depuis deux ans, il déclinait. Sa mémoire lui faisait défaut. Il sortait de la Salle des Cartes dans son fauteuil, les yeux vides. Son étonnante concentration se relâchait. Il sombrait dans une rêverie léthargique après un travail intensif. Seuls Oliver et Fala étaient capables de faire revenir son sourire.

Kirkland comprenait. F.D.R. ne s'intéressait pas à l'attirail d'Oliver. Les bonnes auraient pu lui coller un pot sur la tête et couper autour de ses oreilles. Le Patron avait besoin d'un marin dans la maison, un garçon qui ne se mêlerait pas aux intrigues du gouvernement en soutenant telle ou telle faction et n'utiliserait pas le fait d'être proche d'Eleanor et de F.D.R. pour devenir chambellan de la Maison-Blanche — dispensant des faveurs, blessant un groupe, aidant l'autre — non, rien qu'un marin fidèle à un homme et à son chien. Le Patron avait trouvé Oliver Beebe.

Kirkland n'apprécia jamais le garçon. C'étaient les nigauds qui semaient la zizanie. Beebe arriva en uniforme de marin, serrant contre lui sa tondeuse et son chocolat, et le Service secret ne sut où donner de la tête : personne n'avait enquêté sur lui. Le Patron, sans souffler mot, les mit en présence d'Oliver. Oliver Beebe, matelot de première classe, passé directement du portail au grenier. Ils entrèrent par effraction dans sa chambre près de H Street, tortillèrent leurs bras dans les placards et les tiroirs, tâtèrent les bosses de son matelas à la recherche de quelque contrebande. Le coiffeur était un agneau. Pas même une capote anglaise dans la pension. Rien que des magazines de cinéma. Le Service des renseignements de la Marine remit à Kirkland Horn une copie du dossier d'Oliver qui lui révéla au moins une chose : la Marine se mettait à recruter des idiots. Pas de souci en matière d'anarchisme. Oliver Beebe était incapable de retenir la moindre idée. Il avait une sœur à Milwaukee. Une équipe d'agents de la ville s'abattit sur son quartier et découvrit que, sans être mariée, elle avait un petit garçon et qu'elle vivait avec un insoumis du nom de Phil. Ils auraient pu passer l'information au

F.B.I., mais n'en firent rien. Edgar pouvait faire sa propre enquête. Horn ne s'intéressait qu'à Oliver Beebe.

L'enquête s'arrêta. Le Service secret ne pouvait se consacrer uniquement à un marin minable. En juillet, Horn accompagna F.D.R. et Fala dans le Pacifique. On autorisa Beebe à pourrir à la Maison-Blanche. Cependant, au mois d'août, le climat tourna à l'aigre. Le magnolia d'Andrew Jackson se mit à laisser tomber d'infâmes morceaux d'écorces. La pelouse sud puait comme un égout. Quelques hommes du F.B.I. montraient des sourires affectés dans les cafétérias de gouvernement. Kirkland dut gratter sous les plaisanteries habituelles. Les histoires sur les crottes de Fala dans la Salle des Cartes semblaient justifiées. C'était une année d'élections. Les gens de Dewey faisaient flèche de tout bois contre le Patron. Mais pourquoi était-il si souvent question d'Oliver Beebe dans les cafétérias ? Beebe et Eleanor. Beebe et le chien. Beebe sur Massachusetts Avenue. Beebe dans le parc de Mount Vernon Square. Le F.B.I. était obsédé par le marin du Patron.

Les hommes de Horn retournèrent à la pension.

— Monsieur, le petit jeune homme couche avec sa sœur.

Horn n'apprécia guère leur rictus.

— Est-ce encore une nouvelle inédite de cafétéria ?

— Non, monsieur. Nous avions nos jumelles au parc, monsieur, et nous les avons regardés faire.

Kirkland aurait peut-être souri avec ses hommes si ce marin n'avait pas habité le grenier du Patron. Il n'était pas l'inquisiteur de Washington D.C. Beebe pouvait baiser à en perdre le souffle à condition de ne pas faire de mal au Patron. Les hommes du district 16 savaient qu'Ethel, la fille du standard, aimait bien monter dans la chambre d'Oliver. Horn ne pouvait empêcher le monde de copuler, à l'intérieur de la demeure et en dehors. Mais l'inceste, c'était y aller un peu fort. Les Républicains avaient des yeux et des oreilles. Il se les imaginait déjà poussant des hurlements, haro sur le marin frelaté du grenier de Franklin. Il ne pouvait croire cependant que l'aventure d'Oliver préoccuperait Edgar Hoover. Le F.B.I. connaissait des histoires de coucheries plus croustillantes à colporter. Kirkland allait devoir poursuivre son investigation.

Il ne notifia rien au bureau de Washington, ni à cet enfant prodige, le commandant Colbert, qui s'excitait trop facilement. Après avoir retrouvé une ordonnance du District de Columbia déclarant que frères et sœurs ne pouvaient se lécher, Colbert aurait passé les menottes à Oliver Beebe. Kirkland choisit quelques hommes de la Maison-Blanche et les envoya sillonner la ville. Ceux-ci rapportèrent des informations décousues dont Kirkland fit un tout : une conscience politique avait germé sous le crâne du coiffeur depuis juin. Il était membre du Liberty Club, un groupuscule aux franges du fascisme, dirigé par un attaché naval de l'Espagne à Washington, le marquis de Estrella, un charlatan avec de mystérieuses blessures de guerre, amoureux de Hitler. Personne n'avait pris la peine de supprimer le Liberty Club. Il n'aurait pas fait de mal à une mouche. Fasciste chouchou de D.C., le marquis se rendait aux réceptions, embrassait les manches des matrones de Washington et parlait du déclin de la virilité et de la démocratie en Occident. Ce n'était pas l'immunité diplomatique qui le maintenait en poste à la chancellerie. Les camps d'internement de l'Oregon et de l'Indiana pouvaient contenir un nombre remarquable d'attachés navals. Mais le marquis possédait un charme exotique ; une grâce innocente lui permettant de ne pas souffrir des excès de sa pensée. Le Liberty Club bourdonnait dans la capitale sans effrayer personne.

Mais Kirkland Horn ne se laissa pas endormir. Il n'avait pas le droit de franchir le seuil de la chancellerie, ses agents pénétrèrent donc dans l'appartement du marquis à Dupont Circle. Ils évitèrent la chambre de la bonne métisse qui faisait un somme, et allèrent photographier le journal du marquis, ses livrets de banque, la moitié des gribouillages que contenait son bureau. Kirkland se plongea dans le fouillis des pages. Son opinion sur le marquis ne changea pas. Ce journal était le délire d'un fou tranquille. Il rêvait d'un nouveau monde démocratique, dirigé par Adolf Hitler, où les Noirs, les métis et les Blancs pourraient vivre dans une harmonie sensationnelle. Ce nouveau monde dépendait d'Oliver Beebe. Hitler ne pouvait arriver aux États-Unis avant que Roosevelt ne fût détruit. Beebe était l'ange indispensable. Le marquis jurait à son journal qu'Oliver lui chantait les plus récentes positions des Alliés, telles qu'elles étaient affichées dans la Salle des Cartes. Forcément dingue ! Le coiffeur ne pouvait approcher de la Salle des Cartes sans y laisser les dents. Le marine de garde avait peu de respect pour les marins sans autorisation, même s'ils dépendaient de F.D.R.

Kirkland se moqua du journal, mais il était énervé. Quarante ans à s'occuper des présidents dans une seule maison en avaient fait un reclus, lui avaient appris à ne se fier à rien, ni à l'intuition, ni aux faits, ni à la parole d'un président. Il réunit les amiraux de F.D.R. Une précaution, dit-il. Contre l'espionnage. Sans plus de détails. Les menuisiers de la Maison-Blanche construisirent une seconde Salle des Cartes derrière la première. Horn bourra celle-ci d'agents secrets, vêtus d'uniformes d'amiraux, et mit des cartes factices d'une précision déroutante : des copies périmées de la vraie guerre, des fronts de bataille datant d'un mois, préparés par les amiraux eux-mêmes. F.D.R. ne posa jamais de questions sur cette doublure de la Salle des Cartes. Kirkland était le responsable de la sécurité à la Maison-Blanche, il fallait se plier à ses exigences. Le Patron, dans son fauteuil roulant, traversait l'ancienne Salle des Cartes sans lever les yeux sur l'alignement bidon des épingles. Les amiraux grognèrent devant une telle extravagance. Kirkland jouait encore à l'attrape-espion... mais ils ne comprirent rien aux agissements des hommes du Service secret qui entraient et sortaient, le cou serré dans leurs uniformes de la Marine. Dans le hall, se baladaient assez d'amiraux pour peupler la moitié des armadas du monde.

Kirkland pouvait ordonner qu'une pièce soit construite, mais pour autant, ne savait que faire d'Oliver. L'enfermer à clé au grenier ne servait à rien. Le Patron réclamerait son Ollie à grands cris. « Où est le petit ? » Horn avait certes une solution rapide. L'assassiner. L'attirer dans une barque, lui attacher des poids de plomb aux pieds, et le noyer dans le Grand Bassin. Rien de moins n'était envisageable pour les débarrasser de sa présence.

Le marin avait introduit l'épouvante à la Maison-

Blanche, « l'épouvante Franklin ». Il avait compromis le Patron, l'avait rendu vulnérable à des attaques de partout. Franklin Roosevelt, sans le savoir, était couvert sous sa couverture de multiples blessures, des blessures capables de lui donner la gangrène, de devenir d'un noir horrible et de produire une puanteur assez forte pour lui retirer sa présidence. L'origine des blessures ? Oliver Beebe.

Octobre fut un mois délicat. Impossible d'éliminer Beebe pendant une campagne électorale, ni de le jeter dans un cachot de la Marine pour avoir rejoint le club d'un marquis fou. Un beau coup en perspective pour les gens de Dewey, s'ils pouvaient publier les passages du journal intime qui parlait d'Oliver. Les sénateurs se presseraient aux grilles pour voir l'espion qui travaillait pour F.D.R. Pas besoin d'élections. Dewey pourrait apporter ses bagages à la Maison-Blanche et se déclarer commandant en chef.

Le marin devrait rester jusqu'en novembre. Après le vote, Kirkland lui trouverait une planque. Il le renverrait à la Marine avec son attirail de coiffeur et dirait au Patron : « Oliver a craqué. Il est resté trop longtemps avec ses ciseaux pour seule compagnie. Il n'a pas su se faire à cette vie de grenier. La mer va le guérir, Monsieur le Président. Du service sur un destroyer, c'est ce que les amiraux recommandent. »

Mais Kirkland avait des doutes et ils le tenaillaient. Était-il le seul à avoir des renseignements sur les relations d'Oliver et du marquis ? Kirkland et ses hommes étaient des petits garçons dans la guerre des espions qui fleurissait à Washington. On pouvait cueillir des contre-espions sur tous les magnolias de la capitale. Edgar Hoover avait dû entrer en possession de ce journal bien avant le district 16. Pourquoi Edgar n'est-il pas allé directement voir le Patron pour lui dire qu'Oliver s'engageait un peu trop avec le Liberty Club ? A moins qu'il n'y eût un lien entre Ollie et le F.B.I. ?

Il prit son thé matinal à la Maison-Blanche et se rendit à pied au Département de la Justice. Personne ne l'accueillit dans les bureaux du F.B.I., bien que Bill, le chauffeur noir d'Edgar, se fût effectivement rendu compte que Kirkland existait.

— Je ne vois pas votre nom dans le carnet de M. Hoover.

— Je n'ai pas pris rendez-vous.

— Dommage, monsieur Horn. Le directeur ne voudra pas vous voir si vous n'êtes pas sur son carnet.

— Qu'il s'occupe de tous ses rendez-vous, Bill. J'attendrai.

Horn ne put soutirer une tasse de café du F.B.I. Les secrétaires évitaient le vieil homme. Il dut passer son temps en compagnie du masque mortuaire de John Dillinger qui ricanait dans sa cage de verre, et des photographies d'Edgar sur le mur, Edgar dans ses petites démonstrations de gloire. Avec Shirley Temple sur les genoux, avec Gable, avec Dorothy Lamour, ou fronçant les sourcils devant Gene Turney.

L'antichambre se remplit et se vida deux fois avant que le chauffeur d'Edgar ne fasse un sourire à Kirkland Horn.

— Le directeur a une minute pour vous. Je vous conduis.

Kirkland lui emboîta le pas et entra dans le bureau en traînant les pieds sur ses semelles en caoutchouc. Tel un sanctuaire, le F.B.I. avait tout un paquet de rites et de tabous qui rappelaient à Horn une maternelle. On murmurait et on se déplaçait sur la pointe des pieds à l'intérieur du F.B.I. Hoover était petit et, près de lui, il convenait de faire oublier sa taille. Bill annonça : « M. Horn de la Maison-Blanche » et laissa Kirkland seul avec le F.B.I.

Edgar ne voulait pas se plier au climat, quel qu'il fût. Il s'en tenait à ses saisons préférées et revêtait les couleurs pâles qu'il aimait, en février tout comme en juillet. On était en octobre maintenant, et il portait un costume de lin blanc et une pochette. Il ne se leva pas pour Kirkland Horn.

— Edgar, qu'arrive-t-il à Oliver Beebe ? Est-il mêlé à ta petite guerre contre le commandant Colbert ? Qui l'a fourgué au Liberty Club ? C'est toi, Edgar ?

— Il n'arrivera rien au marin.

— Tu peux pendre Beebe à la fenêtre, ça ne me gênerait pas. Mais dis à tes hommes que je ne veux pas que la merde du Liberty Club atterrisse sur mon toit. Si le Président prend des coups, ce n'est plus Colbert que tu combattras. Je vais descendre à la Justice avec un canon et tout faire sauter.

Le directeur rit.

— Je vais t'aider avec ton canon. Un bombardement nous ferait peut-être du bien, Kirk.

— Edgar, le Président a de l'affection pour ce garçon. Il s'appuie sur lui.

— Je te l'ai dit. Il n'arrivera rien au marin.

— Edgar, c'est de F.D.R. dont il est question. Le Président peut piquer une colère du diable si tu lui marches sur les pieds.

De la foutaise tout ça. Cette petite pute en costume blanc, le Congrès lui léchait la main. Edgar montait au Capitole et chantait les exploits de ses hommes. Il n'avait pas à faire de sourires ni à demander de l'argent. Edgar disposait de trois Pierce-Arrow au F.B.I., aucun souci à se faire pour celles qui restaient, le châssis cassé, au garage. Lui, Kirkland, devait pleurer tant et plus pour obtenir une nouvelle voiture blindée pour le Président. Sa vieille bagnole actuelle avait naguère appartenu à Al Capone. Le président des États-Unis se déplaçait dans la voiture d'un gangster.

Kirkland ne fit pas un signe d'au revoir au chauffeur Bill. Il sortit du F.B.I. Il ne pensait pas qu'Edgar servît d'éclaireur au parti républicain. Si le F.B.I. avait envoyé des rapports au gouverneur Dewey, tous les journaux d'Amérique réclameraient à cor et à cri la tête d'Oliver. Edgar aimait couver ses dossiers. Attendait-il de mettre le commandant Colbert dans l'embarras ? Guettait-il une victoire possible de Dewey ?

On entendait Dewey, Dewey, partout ; les gens portaient ses badges et cancanaient sur le roi gâteux et sa femme aux dents de cheval mais Roosevelt sortit de son lit en octobre pour faire campagne, avec le marin à ses côtés, et Dewey quitta en silence la scène électorale avec son chapeau, son manteau, et sa peau de Républicain, rien de plus.

Trop tard pour Kirkland. Il ne pouvait plus forcer Oliver Beebe à disparaître. A quoi bon aller le chercher au grenier si les amiraux ne voulaient le reprendre et le cacher dans quelque fichu bateau. Ils se mettaient à avoir la frousse d'un marin qui se trouvait aux côtés du Président tous les matins et tous les après-midi.

Kirkland, seul, dut s'occuper de Beebe. Dès l'instant où Oliver descendait du grenier, un agent secret avait l'ordre de le prendre en charge, même si Ollie allait raser le Président. Kirkland pouvait le faire filer ainsi, sans arrêt, mais quoi de plus ? F.D.R. était gaga du garçon. Impossible de lui arracher Oliver. Le Patron n'aurait pas quitté son lit, pas cessé de mâcher des tartines grillées avec Fala et se serait enfermé à clé pour laisser dehors les amiraux, le pays, la guerre et la Première Dame.

Kirkland avait une autre peste sur les bras : le commandant Colbert. Une meute de chiens sauvages l'avait rendu fou furieux. Il y avait des chiens dans les ruelles, tout le monde le savait. De temps en temps, ils déferlaient dans les avenues à la recherche de nourriture. Ils étaient allés, la semaine précédente, fouiller près de la Maison-Blanche, avaient pénétré dans Lafayette Park, retourné quelques poubelles, et pissé sur le portail présidentiel. Cet imbécile de Colbert considérait la souillure comme une violation de propriété gouvernementale et une menace pour la vie du Président. Il voulait anéantir les chiens. Mais Kirkland n'allait pas lui prêter le détachement de la Maison-Blanche pour se précipiter dans les ruelles et assassiner une meute de chiens crevant de faim. Il refusa de donner un seul de ses hommes au commandant Colbert.

En cette mi-novembre, l'obscurité régnait dans la demeure et Kirkland faisait sa ronde. Mme Roosevelt était au Mayflower avec un groupe de femmes journalistes. Oliver, au grenier. Le Patron dormait. Kirkland se trouvait à l'étage officiel, à l'extérieur de l'*East Room* avec sa torche. Aucun souvenir ne le sollicitait. Il ne pensait pas aux quadrilles, aux orchestres de la Marine, aux danses d'il y avait dix, vingt, trente ans. Il ne sentait rien, si ce n'est du moisi dans les murs. Il ne tenta point d'extorquer l'histoire des coins de la pièce. Les fantômes ne signifiaient rien pour lui. Grover Cleveland ne lui apparut jamais. Kirkland n'avait affaire qu'à un président à la fois.

Autre histoire que celle des bonnes. Elles entendaient à nouveau les craquements. « Le diable est dans c'te vieille maison. » Puis il y eut un écroulement sous la salle de couture, un écroulement qui fit siffler les murs et chassa les souris en émoi vers un autre district. Les bonnes supplièrent Oliver. Il dut renoncer à son magazine de cinéma et à un article spécial sur Dane Clark. Il enfila son pantalon et sa vareuse et descendit à l'étage des Roosevelt. Il n'y avait pas de bruit. Il n'allait pas déranger la grande-duchesse qui occupait la chambre de Lincoln cette nuit-là. Par contre, il jeta un œil sur le Patron. Fala était dans son panier en train de manger une poupée en caoutchouc. Les yeux de F.D.R. étaient fermés. Oliver descendit un étage encore.

Il n'eut pas à fureter bien loin. Kirkland Horn était étendu dans l'*East Room*, près du grand piano. Oliver courut en haut chercher son oreiller. Il le mit sous la tête de Kirkland. Le vieil homme avait les lèvres sèches et les sourcils glacés. Ses oreilles se mirent à remuer et Oliver comprit que le vieux émergeait d'un drôle de sommeil. Le mouvement des oreilles s'arrêta. Oliver ne bougea pas. Il ne posa pas de questions stupides, sur les raisons qu'avait Kirkland de séjourner par terre.

— Voulez-vous un verre d'eau, monsieur Horn ?

Le vieil homme mit un moment à répondre.

— Ça va bien, dit-il d'une voix fluette. Merci, monsieur Beebe.

Il se leva sans l'aide d'Oliver, se frotta les genoux, et s'éloigna du piano.

# La mèche d'Oliver

## VINGT ET UN

La fièvre s'empara du District à la mi-décembre. Les rues se vidèrent des employées du gouvernement. Rien à voir avec la guerre. Sinatra était en ville. Il donnait trois représentations par jour au *Bryant*, ce qui suffisait pour rendre infernale une ville du monde libre. On avait besoin de tous les flics disponibles et d'un contingent de marines pour contrôler les foules en furie à l'intérieur et à l'extérieur du *Bryant*. Mais Frankie ne chanterait pas sans la femme du Président : il voulait Eleanor à sa première matinée.

Quelle emmerdeuse ! Il fallait protéger « Vagabond » (le nom de code d'Eleanor) sans lui marcher sur les pieds. Elle ne voulait pas d'escorte dans les lieux publics. Kirkland Horn planta donc des agents féminins sur le balcon.

« Vagabond » arriva au bras d'Oliver Beebe. Le marin n'avait pas d'opinion sur Sinatra. Mais il n'allait pas refuser d'accompagner la Première Dame. Il fallut une demi-douzaine de policiers pour les amener à leurs places. Oliver se retrouva le seul mâle sur sa rangée. Les bruits que les femmes étaient capables de faire, il n'en croyait pas ses oreilles. Elles grattaient, se tortillaient, faisaient claquer leurs porte-jarretelles, mâchaient du chewing-gum en attendant Sinatra.

Tout ce qu'elles voyaient, c'était un orchestre dans la fosse, et un chœur de trois chanteurs sur scène. Ces hommes se faisaient appeler « les Cavaliers de Sinatra ». Elles ne voulaient pas écouter leurs voix susurrantes. Les Cavaliers se tenaient par les hanches et pliaient les genoux à chaque note syncopée. Le claquement des porte-jarretelles couvrait les hautes notes et les basses.

Puis une décharge, comme électrique, parcourut tout l'auditorium et fit taire les filles. Sinatra était en scène. Qu'a-t-il de si extraordinaire ? pensa Oliver. Un type tout maigre, vêtu de bleu foncé. Les pommettes saillantes, les épaules rehaussées, et la mèche relevée. Il y avait plus de creux sur son visage que sur celui de l'épouvantail d'Anita. Comment se nourrissait-il, ce Frank Sinatra ?

Les filles se remirent de ce premier choc : Frankie en scène. Elles commencèrent à murmurer et à gémir, « Frankie, Frankie Boy ». Oliver était gêné pour la Première Dame. Mais Eleanor lui sourit.

Des bruits s'élevèrent de la fosse. L'orchestre entamait une chanson pour Sinatra et les Cavaliers. Les filles ne surent quoi faire lorsque Frankie ouvrit la bouche. Devaient-elles pousser des cris, se mordre les doigts, s'évanouir sous leurs fauteuils ? Elles rateraient une des syllabes de Frankie. Il chanta « Mairzy Doats », « Praise the Lord and Pass the Ammunition », et « Mr. In-Between ». Mais les filles mouraient d'envie d'entendre des chansons d'amour. Frankie dut fredonner langoureusement. Oliver percevait les tressaillements autour de lui pendant « One For My Baby ». Ce gringalet avait une voix capable de déchaîner la folie dans un théâtre. Il chanta « You'll Never Know (How Much I Love You) » sans quitter des yeux Mme Roosevelt. Il faisait sa sérénade à la Première Dame d'Amérique. Mais les paroles étaient du poison pour Oliver Beebe. Sinatra avait un roucoulement meurtrier. Aucune autre représentation de quatre sous, l'après-midi, n'aurait pu faire vibrer plus fort Ollie et les filles. Ce gringalet avait une façon de vous prendre aux tripes. Il vous détachait l'esprit de la guerre, de votre fiancé dans les « marines », de la pénurie de beurre, des vedettes de cinéma. Vous laissiez la voix de Frankie vous entraîner de ses caresses, dans le sommeil.

C'était un supplice pour Oliver que d'être assis à côté de Mme Roosevelt et d'entendre « You'll Never Know ». Le fredonnement langoureux lui faisait penser à Anita. Sinatra avait-il une chanson sur des frères et des sœurs sans pyjamas ? Ollie commençait à se dire qu'il n'aurait jamais dû venir au *Bryant*.

Il y eut un chahut à tout casser à la fin du spectacle. Les filles refusèrent de laisser Sinatra sortir de scène. « Frankie, ne t'en va pas. » Il dut leur chanter « The White Cliffs of Dover » et puis s'enfermer à clé dans sa loge avec les Cavaliers derrière lui. Les filles ne voulaient pas d'un quelconque chœur masculin. Elles essayèrent de prendre la loge d'assaut, mais les marines les continrent à l'écart. A jurer que vous visitiez un champ de bataille. Dans leur frénésie pour approcher de Sinatra, elles avaient arraché des bouts de cuir des fauteuils.

Sinatra ne voulait pas quitter le théâtre sans avoir serré la main de Mme Roosevelt. Les gardes durent se précipiter en haut pour arracher Eleanor et son marin du balcon. Les filles ne cessaient de reluquer Oliver Beebe. A vrai dire, ce n'était pas lui qui les intéressait, mais la mèche relevée sous son béret de marin. Elle leur rappelait Frank.

Oliver et Mme Roosevelt furent conduits dans la loge. Beebe pouvait maintenant dévisager de près le gringalet. Maigre, maigre... avec des bretelles accrochées à sa chemise, et un nœud papillon sur la gorge. Le « crooner » n'avait plus de cigarettes. Oliver lui sacrifia ses deux dernières Camel. Les yeux de Frankie étaient bleu-gris comme ceux d'Eleanor. Ils parlèrent de ses petits-enfants, de la radio, de F.D.R. et de la guerre. Frankie comprit que Mme Roosevelt aimait son nœud papillon. Son mari, le Président, lui aussi, aimait beaucoup les nœuds papillon. D'un geste, Frankie détacha le sien et lui donna en souvenir de son après-midi au *Bryant*. Ce genre de choses intimidait la Première Dame. Elle remercia le « crooner » d'un baiser sur la joue. Puis les gardes du corps les escortèrent pour sortir de la loge.

Oliver ne convoitait pas le nœud papillon. Il avait d'autres souvenirs. Il quitta le *Bryant* avec l'écho de chansons d'amour qui lui rongeaient les tripes. Il faisait frisquet sur Pennsylvania Avenue et Oliver n'avait rien de chaud sous son caban. Les marins devaient porter l'uniforme bleu réglementaire en décembre, avec double épaisseur de laine. Mais Oliver avait son propre sens de l'accoutrement. Il détestait la sensation de la laine sur sa peau.

Roosevelt ne faisait aucune objection à cet uniforme blanc en plein hiver. Il aimait plaisanter sur cette phobie de la laine. « Le petit est aussi difficile que le chien. Se gratter, gratter, gratter, c'est tout ce qu'ils savent faire. »

Se préparant à résister au froid, Oliver laissa ses cheveux pousser. Il les relevait sur son crâne pour former au-dessus du front une grosse mèche comme une touffe sombre. Ce qui rendait son béret instable quand il descendait l'escalier. Cette mèche était contraire au règlement de la Marine. Le cuir chevelu d'un matelot devait ressembler à un oignon hérissé de poils. Ollie n'était pas un « crooner » à la gomme. Impossible de combattre les Japs ainsi coiffé. Mais les amiraux à la Maison-Blanche répugnaient à lui lancer le règlement à la figure. Ce coiffeur avait maintenant l'oreille du Président. Pour la première fois dans l'histoire navale, des amiraux et des vice-amiraux devaient faire des courbettes devant un matelot de première classe. Ils avaient le réflexe d'entamer un vague salut quand Oliver, dans un état nébuleux, passait près d'eux. Sinatra avait gâché le mois de décembre du marin. Aucune résidence (même avec ses amiraux et ses rois invités) ne pouvait le réconforter. Il se sentait seul à cause d'Anita.

— Oliver ?

Plongé dans ses pensées, il ne les entendait pas, ne remarquait pas les saluts. Ce n'était pas toujours amusant de loger chez un Président. On ne pouvait pas inviter sa sœur.

Les amiraux devaient se contorsionner pour le laisser passer.

— Ollie, comment va le Patron ?

— Il est en pyjama, dit Oliver.

— S'est-il réveillé en toussant ?

— Je ne m'en souviens pas. Mais des poils de Fala lui sont rentrés dans le nez, et le Patron a dû éternuer.

— Oliver, pour l'amour du ciel, est-il tout à fait éveillé ce matin ? Voudra-t-il nous parler ?

— Attendez jusqu'à demain.

Vêtus de laine, avec une panoplie imposante d'insignes,

d'ancres, d'aigles et d'étoiles d'argent, ils se mettaient à l'heure sur la mèche d'Oliver, parce qu'ils ne pouvaient comprendre les humeurs du Patron sans suivre la ligne de flottaison du béret. La fausse Salle des Cartes, érigée par Kirkland Horn, fonctionnait avec telle perfection qu'elle mystifiait les employés de la Maison-Blanche. Les « amiraux » de Horn jacassaient de façon étonnante près de leurs cartes périmées. Ils entraient et sortaient avec des porte-documents, déplaçaient des épingles de couleur sur le mur comme personne. Les authentiques amiraux, avec de vraies étoiles passaient leur temps à s'engueuler. Ils se chamaillaient avec les généraux, ils se chamaillaient avec leurs propres aides de camp. Et seul Poppa Roosevelt pouvait faire taire les querelles. Mais Poppa se trouvait en haut, malade. Il avait un rhume de cerveau. Aujourd'hui, les amiraux ne le verraient pas...

Oliver Beebe n'était pas simplement courtier d'amiraux. Les sénateurs et les ronds de cuir de l'aile Est se reposaient sur lui. S'il sentait que votre cause était bonne, Ollie pouvait vous faire entrer en contrebande dans la chambre. Vous trouviez le Patron en pyjama et dans une horrible robe de chambre grise, assis en compagnie de Fala et du secrétaire à la Guerre. F.D.R. s'était suffisamment remis de son rhume de cerveau pour prendre une Camel après le petit déjeuner. Il mordillait son fume-cigarette en disant « Entrez ». Même en le voyant ainsi, dans son peignoir, n'importe qui comprenait immédiatement qu'il était le commandant en chef. Il discourait sur le sombre destin des Allemands.

— Ils vont devoir vivre sans canons et sans planeurs pendant cinquante ans. Je ne veux pas qu'un seul homme ou qu'un seul enfant porte là-bas l'uniforme. Qu'ils cultivent des laitues avec leurs femmes dans les champs.

Puis il souriait, ajustait son pince-nez, et disait :

— Ollie, apporte une chaise pour le sénateur.

Oliver devait aussi supporter les journalistes. Le principal théâtre de la guerre allait-il être le lit d'acajou de Roosevelt ? Descendrait-il avant Noël ? Sans Président pour les éclairer, ils s'accrochaient à la coiffure d'Oliver. « Cette mèche est la girouette de F.D.R. Regardez donc comme elle plonge et remue. Attention si elle tombe sur l'œil droit d'Ollie, cela signifie que le Patron est fou furieux contre le monde entier. »

Un des maîtres d'hôtel noirs, un bel homme au visage en colère et sans âge, ne détachait pas ses yeux de la mèche du marin.

— Comment t'appelles-tu ?

— Moi, monsieur ? Sam.

— Depuis combien de temps es-tu ici, Sam ?

— Un mois, monsieur.

— C'est bizarre. Je ne t'avais encore jamais vu.

— Je sautille ici et là, monsieur Oliver. Je me dépense sans arrêt à l'office pour Mme Roosevelt et ses amis.

Quelque chose dans la voix du maître d'hôtel troublait Oliver Beebe. Elle était mécanique, lointaine, comme si un larynx artificiel avait été installé dans sa gorge, mécanique merveilleuse capable d'émettre des bribes d'un anglais parfait sous les mâchoires du maître d'hôtel.

— Pourquoi m'appelles-tu « monsieur Oliver » ?

— Tout le monde vous connaît, monsieur. Vous êtes le grand homme à l'office. Les cuisiniers disent que le Patron est perdu sans monsieur Oliver. Le buisson que vous avez sur la tête lui porte bonheur.

— Tu es sûr que tu t'appelles Sam ?

Pour échapper aux reporters, aux amiraux et à la signification de sa propre mèche, Oliver monta sur le toit. Il aimait se mêler aux mitrailleurs et ne rien dire. Une mèche les laissait indifférents. Ils devaient se préoccuper d'engelures et de munitions gelées. Oliver enviait leur vie tranquille. Les mitrailleurs restaient toujours silencieux. Parler contre le vent leur aurait bleui les lèvres. Soudain, une sonnerie rauque, inhumaine, ébranla le sol de la retraite d'Oliver.

Il aurait pu faire comme si de rien n'était. Et s'il s'agissait de F.D.R. qui essayait de l'appeler ? Il ne voulait pas jouer le difficile à joindre, avec le Patron. Il descendit donc dans sa chambre. Au standard de la Maison-Blanche, Ethel Rosenquist lui dit d'un ton mélancolique :

— Oliver, je te passe ton correspondant.

Au bout du fil, un homme demanda à Oliver s'il voulait dîner avec J. Edgar Hoover chez *Harvey*.

— Ça dépend, dit Oliver.

— Je vous demande pardon. Dépend de quoi ?

— De l'heure, dit Oliver, le Patron se couche à neuf heures et je dois le border.

— Alors à neuf heures, monsieur Beebe. Nous enverrons une voiture vous chercher.

Ethel Rosenquist, sur la ligne, écoutait. Elle raconta qu'il avait rendez-vous avec le F.B.I. Les bonnes étouffèrent de petits rires en le voyant vers six heures.

— Paniqué, monsieur Ollie ? Le F.B.I. dévore de jeunes marins comme vous.

Oliver était heureux d'échapper à la résidence pour une heure. La mèche bouleversait sa vie. Il arriva au portail nord à neuf heures dix. Une limousine le conduisit chez *Harvey*. Les serveurs mirent entre eux aux enchères le droit d'accrocher son caban au vestiaire. Il fallut quatre de ces types pour l'asseoir à la table de M. Hoover.

Ce soir, le G-man commandait le menu.

— Une perche pour moi, Joseph, et un homard pour le marin.

— M. Hoover, on ne sert pas de homard chez *Harvey* après huit heures, parce que nos sous-marins ne cessent de rentrer dans les casiers à homards au large de l'île de Tangier.

— Ollie, dit le G-man, j'ai demandé au chef de t'en garder un de neuf livres.

Leur festin troubla Oliver car il n'arrivait pas à le concilier avec le fait qu'en 1944, on vivait avec un carnet de tickets de rationnement. Le Patron mangeait des abats pendant un mois, et Oliver avait plus de quatre kilos de chair et de pinces dans son assiette. La carapace du homard recouvrait tout le plat, et la queue pendait au-dessus de ses genoux. Le chef sortit de la cuisine pour retirer les arêtes du poisson de M. Hoover.

Oliver resta silencieux pendant presque tout le repas. On entendait seulement le craquement du homard qu'il cassait. Puis il ouvrit la bouche pour parler.

— Sam, mon cul ! Je sais qui est ce maître d'hôtel. C'est le sauvage de Tangier.

Et Oliver retomba dans son silence. Le G-man le raccompagna à la Maison-Blanche.

— Merci, monsieur Hoover. Au revoir.

Il descendit au sous-sol. Les maîtres d'hôtel étaient debout, le col ouvert, en train d'astiquer les théières de Mme Roosevelt.

— Où est Sam ?

— Il est sorti, monsieur Ollie.

— Demandez-lui comment il s'est échappé de l'école des sourds-muets.

— Oui, monsieur.

— Un habit de maître d'hôtel ne peut pas transformer quelqu'un. C'est Jonathan, le sauvage.

— Qui est-ce, monsieur Ollie ?

Il n'y avait guère moyen d'obtenir satisfaction des maîtres d'hôtel. Oliver monta au grenier.

## VINGT-DEUX

Cette touffe de cheveux sur la tête d'Oliver n'était pas une baguette de sourcier. Elle ne pouvait l'aider à dénicher Sam. Il coinçait les bonnes dans les coins, les forçait à parler, troquait des bâtons de chocolat contre des informations. Les bonnes retiraient le papier et les avalaient par petits bouts. Mais leurs renseignements n'avançaient à rien.

— Sam, disaient-elles, vous voulez dire le type de couleur qui porte une queue-de-pie pour M'dame Eleanor ? C'te vermine ? Il entre en cachette dans la lingerie et renifle les caleçons des blancs. Vous avez rien à faire avec ce Sam. M. Kirkland pense le foutre dehors.

Ollie n'arrivait pas à trouver le maître d'hôtel où que ce soit dans la maison. Le sauvage l'évitait. Oliver n'était pas bouché. Il devait exister un pacte secret entre les filles de Mme Roosevelt pour cacher l'identité de Sam. Quels étaient les mobiles de la Première Dame ? Pensait-elle qu'Oliver moucharderait à F.D.R. qu'un nègre dingue faisait des courbettes et servait des cocktails dans le Salon Bleu ? Le marin n'était-il pas devenu l'ami de Jonathan, ne lui avait-il pas appris les principes fondamentaux de la vie civilisée ? Il ne restait à Ollie qu'à ruminer, songeur. Le Président se remit de son rhume de cerveau et Oliver dut le sortir de son pyjama et le porter dans sa baignoire, le raser, l'habiller et le pousser dans son fauteuil jusqu'au Bureau ovale tandis que Fala grignotait le bas du pantalon du marin.

— Patron, dites à Fala de manger le pantalon de quelqu'un d'autre. Je porte des vêtements qui sont la propriété de l'État.

F.D.R. rejetait la tête en arrière, plissait les paupières et hurlait de rire.

— Tu n'aimes pas ça ? La Marine t'achètera un pantalon neuf, Petit.

Ce vieux rire familier faisait accourir les reporters derrière le fauteuil roulant. Un Président qui hurlait de rire, ne pouvait pas être malade. Hé les gars, murmuraient-ils, on dirait qu'on a un Président aujourd'hui. Le Patron est sorti de son lit.

Ils s'entassaient autour des coudes d'Oliver.

— Monsieur le Président, comment vous sentez-vous ?

— En forme. En pleine forme.

Incroyable le nombre de diplomates étrangers, de chargés d'affaires, de gentlemen-farmers, d'acteurs de cinéma et de rois déchus qui devaient voir le Patron. Le marin chronométrait chaque visite, sans exception. Il entrait en trombe dans le Bureau ovale au bout de vingt minutes et peu importait que F.D.R. fût en plein milieu d'un récit. Oliver avait le pouvoir de l'interrompre.

— Patron, terminé pour le roi Paul. Vous avez encore dix clients dehors.

Alors F.D.R. jouait les victimes. Prisonnier d'un marin sans pitié. Que faire ? Il transmettait ses salutations à l'épouse du roi et laissait Oliver se débarrasser de sa majesté le roi Paul. Les chargés d'affaires se rendirent bientôt compte que leurs propres intérêts dépendaient d'Oliver. Ils lui faisaient la cour dans le hall aussi souvent que possible.

— Monsieur Beebe, que diriez-vous d'un déjeuner mercredi ?

— Merci, je déjeune toujours avec le Patron.

— Dîner jeudi, alors ?

— Impossible, disait Oliver, je n'accepte pas de dîners sans les conseils de M. J. Edgar Hoover.

Les chargés d'affaires faisaient un petit signe de tête et se sauvaient. Oliver ne mentait pas. Une limousine venait le chercher presque tous les deux jours après qu'il eut endormi le Patron. Ils ne dînaient pas toujours chez

*Harvey*. Le G-man aimait les escargots *Aux Trois Mousque-taires*. Et si les propriétaires l'en priaient assez souvent, il se pouvait qu'Edgar goûte au bar à *l'Occidental*. Ils se rendaient parfois à la cuisine, Oliver regardait les chefs farcir des chapons, étonné de voir jusqu'où se glissait une main dans le cul d'un coq.

Le dîner terminé, le G-man l'emmenait au « sky bar » sur le Toit du *Washington Hotel*. Ce n'était pas un club nocturne bruyant pour sénateurs et gens aimant se montrer, mais l'endroit où les plus respectables habitants originaires du District pouvaient se retrouver sous un dais de toile rayée, avec du citron vert et du sucre dans leur whisky et plonger leur regard à l'extérieur, dans la brume grise de l'hiver. Seuls les « aborigènes » les plus tranquilles venaient sur le Toit du Washington. Le G-man n'était pas dérangé par des chasseurs d'autographes, des soldats en goguette, de viles femmes non accompagnées et des femmes abandonnées. Deux fauteuils l'attendaient à l'extrémité sud du salon. Le G-man n'avait pas à serrer de mains ni à répéter pour la nième fois comment « Lepke » Buchalter s'était rendu à lui. Il s'asseyait avec le marin du Président, et tous deux buvaient une potion au citron vert qu'aurait adorée Shirley Temple. Le G-man ne recevait pas là sa cour. Il aurait grogné si l'on avait voulu traiter affaires avec lui sur le Toit du Washington. Il aimait regarder la Maison-Blanche sans lumières de l'autre côté de la rue et se plaindre de la qualité du citron vert à Oliver Beebe.

Oliver n'écoutait pas. Les moteurs d'avion grinçaient au-dessus de sa tête comme des dents métalliques dégoûtantes. Les projecteurs de la Colline du Capitole lançaient sur la ville de grands rayons jaunes qui transperçaient les bâtiments administratifs, se tortillaient comme des vers couleur moutarde et retombaient du ciel. Mais les dais, les toits et les vers-miracle n'atteignaient jamais Oliver. Il avait l'esprit empoisonné par un homme et une femme, à quelques fauteuils de là. Les ampoules tamisées au mur éclairaient peu le couple, pourtant Oliver percevait la plénitude de leurs bouches, leurx yeux et leurs gorges. C'était sa sœur et le blond collaborateur de don Valentín, Orlando Frayard. Ils ne s'embrassaient pas et n'émettaient pas de grognements sur leurs fauteuils. Anita et Frayard étaient parfaitement calmes. Pas besoin qu'ils se collent l'un à l'autre sur le Toit du Washington pour qu'Ollie comprenne pourquoi Anita ne le voyait plus. Incapable de rester assise tranquille avec un homme pendant très longtemps, Anita avait un nouvel amant, le blond Orlando.

Une horrible nausée saisit les entrailles d'Oliver. Il se leva péniblement de son fauteuil, le visage crayeux. Il aurait dégobillé sur une demi-douzaine d'« aborigènes » s'il ne s'était vissé le poing dans la bouche. Il se faufila jusqu'aux toilettes, s'enferma dans un box, se mit à genoux par terre et vomit dans la cuvette. Le marin n'aurait pas dû abandonner son régime de chocolat fourré. Son estomac ne pouvait garder le homard, ni le chapon, ni les crevettes de chez *Harvey*.

Oliver tira la chaîne, ouvrit la serrure du box, se lava le visage avec du savon à la lavande de temps de guerre, rajusta la cravate autour de son cou et se rinça la bouche dans le lavabo. Pourquoi pleurer maintenant ? Il était incapable de se l'expliquer. Quel autre marin logeait à la Maison-Blanche et prenait son repas du soir avec le FBI ? Heureux garçon ! Et il pleurait devant la glace dans un lieu public. Plus à l'aise sur une canonnière, il aurait dû rester en mer. Sur la terre ferme, on le faisait ramper. Il était là à se rouler par terre dans les toilettes du *Washington Hotel,* sa vareuse blanche attirant les traces de chaussures, les fourmis et une poussière de deux jours. Il voyait les courbes de la tuyauterie sous le lavabo, les amarres des cuvettes des W.-C. Nita et Orlando Frayard... Il n'était pas jaloux de Vivian, l'épouvantail aux yeux enfoncés, aux paroles amères et tordues sortant de l'entaille au bas de son visage... Peu lui importait que sa sœur baise un cadavre. Mais Frayard était beaucoup trop mignon. Nita ne voudrait plus coucher avec Ollie.

J. Edgar Hoover le trouva aux toilettes, ramassé en boule, les genoux contre le menton, son uniforme maculé, avec le sourire d'un chat fou.

— Ollie, qu'est-ce qui t'arrive ?

— Rien, grand-papa.

Le G-man comprit que le garçon était affolé.

— Tu as dû avaler trop de citron vert. Tu vas te remettre. Compte jusqu'à dix et tu ne seras plus étourdi.

Il mit sa propre veste blanche sur les épaules d'Oliver, l'aida à se mettre debout et le sortit des toilettes. Mais il était incapable de remettre la mèche à sa place. Elle pendait sur l'œil gauche d'Oliver comme un lambeau pitoyable.

# Jonathan Roosevelt

## VINGT-TROIS

Les ténèbres accablèrent Oliver, pâle comme la mort, les lèvres crispées en un rictus abominable. Son regard terrifiait Fala et faisait fuir les bonnes à toute vitesse de sa chambre. « M. Kirkland est pas le seul démon dans la maison. » Tant de mélancolie engendra des bourrelets sur le front du marin. Les boursouflures étaient signes de fièvre cérébrale selon les bonnes nègres. « Attention, disaient-elles, Oliver est en train de bouillir. » Une veine apparut sous la mèche avec des ramifications violettes et rouges qui semblaient animer l'intérieur des bosses. Les bonnes l'appelèrent « la marque de foudre d'Oliver ». Quand la fièvre empirait, quand les bosses ressortaient, quand la foudre barrait le front, les bonnes s'agrippaient les seins et fuyaient au fin fond du grenier. « Pauvre M. Ollie. Le diable l'a repris. »

Ce n'était pas la méchanceté qui barrait son front. Sa tête enflait de chagrin. Il ne descendait plus au sous-sol interroger les maîtres d'hôtel, las de poser des questions sur le sauvage de Tangier. Jonathan pouvait se cacher loin d'Oliver pour le reste de sa vie naturelle. Le marin ne s'en préoccupait plus. Il ne pensait qu'à sa sœur. Sa mèche retombait maintenant jusqu'au milieu de son front.

Il trouva un nœud papillon, un col de chemise et un caleçon de maître d'hôtel sur les marches. Ce n'était pas la première fois qu'Oliver butait contre un nœud papillon et des sous-vêtements. Le sauvage se déshabillait habituellement sur les paliers. Les bonnes ramassaient les divers vêtements bien avant que M. Roosevelt ne fût réveillé. Elles effaçaient toutes les traces laissées par Jonathan, les taches d'urine sur les tapis, d'humidité sur le mur qu'il avait mordu, de ketchup dans le coin où il s'était installé pour manger, de sorte que le sauvage demeurait invisible pour tout le monde ou presque à la maison. Maître d'hôtel pas ordinaire, il laissait tomber son froc sans prévenir et servait des cocktails avec des tranches de concombres. Oliver ne voulait pas en entendre parler. Il n'allait pas recommencer l'éducation de Jonathan. Que les bonnes se chargent des sous-vêtements du sauvage !

Chaque nuit, on entendait un peu criailler. Pas assez fort pour déranger le sommeil d'un Président. Les bonnes marmonnaient des histoires de démons, mais ce n'était que pour masquer autre chose. Elles connaissaient les cris perçants de Jonathan. Le sauvage semblait incapable de se reposer dans le noir.

Oliver avait toujours des magazines de cinéma au cas où un bruit aigu le réveillerait à cinq heures du matin. Ou des souvenirs d'Anita. Il mit son pyjama, dit bonne nuit aux mitrailleurs sur le toit et se glissa au lit. Sa penderie se mit à émettre des grondements. Il ne se précipita pas en bas chercher le Service secret.

— Jonathan, nom de Dieu, sors de là.

La penderie s'ouvrit et un sauvage en tomba. Il n'avait rien sous sa jaquette de maître d'hôtel que des tétons, de larges rotules, et une paire de couilles coincées dans les cuisses. Et des ongles d'orteils aussi redoutables que des dents de requins. De quoi arracher le visage d'Oliver. Mais le marin n'avait pas l'habitude de capituler devant des orteils de maître d'hôtel.

— Si tu dis que tu t'appelles Sam, je vais te donner comme cible d'entraînement aux mitrailleurs. Qui es-tu ?

— Jonathan Roosevelt, l'autre enfant de Franklin.

— Ne fais pas le malin, qui es-tu ?

— Jonathan. John tout court.

Ce ronronnement métallique de la gorge du sauvage énervait toujours Oliver.

— Qui t'a appris à parler comme ça ?

— Comme quoi, M. Ollie ?

— Comme un foutu phonographe. Est-ce qu'ils ne t'ont

pas mis dans cette école pour muets nègres quelque part au Maryland ?

— Oui, M. Ollie.

— Alors pourquoi es-tu un maître d'hôtel parlant maintenant ?

— C'est de la faute de la Marine qui a envoyé trois de ses médecins à l'école. Ils ont regardé dans ma gorge et ont dit que j'étais né avec une petite peau collée contre mon larynx. C'est elle qui m'a empêché de parler jusqu'à présent. Là, comme un nœud qui étranglait mes paroles. Ils n'ont pas eu le cœur de me laisser à l'école. Ils m'ont fait entrer en cachette dans leur hôpital et m'ont coupé cette petite peau.

— C'est tout ce que les hommes de la Marine t'ont fait ?

— Non, monsieur Ollie. Ils m'ont mis un amplificateur dans la gorge.

— Qu'est-ce que c'est ? Oliver se représentait le sauvage comme un machin fabriqué par la Marine, mi-homme, mi-métal avec une voix à la Frankenstein.

— C'est une aiguille d'aluminium, monsieur Ollie, une languette d'à peine un centimètre de haut qui me fait un écho.

— Une aiguille ne peut penser le mot juste. Je te l'ai déjà demandé. Qui t'a appris à parler ?

— Une technicienne de la voix. Ils m'ont enfermé à clé dans une pièce avec elle. Ils ne voulaient pas me laisser manger tant que je n'écouterais pas ses disques. Je devais prononcer « papa » et « maman » avec ses doigts dans ma bouche. Elle m'a donné mon vocabulaire.

— C'était une blanche ?

— Oui, monsieur Ollie.

— Elle a fait la fofolle avec toi ?

— Comment ça ?

— A-t-elle mis ses doigts ailleurs que dans ta bouche ?

— Non, monsieur Ollie.

Oliver regarda le sauvage en fronçant les sourcils. Il n'avait jamais entendu une histoire aussi ridicule.

— Comment es-tu arrivé de l'hôpital jusqu'ici ? Et ne raconte pas de blagues.

— Ils n'ont pas pu me renvoyer à l'école, monsieur

Ollie, quand j'ai su parler. J'aurais pu perturber les enfants qui m'auraient entendu réciter Shakespeare, je l'ai appris par disques. Et je ne valais rien pour la Marine parce qu'on ne pouvait faire de moi un garçon de mess. J'articulais trop bien pour ça, ont dit les docteurs. Ils ont ensuite pris contact avec Mme Roosevelt et ont menacé de me rembarquer sur l'île de Tangier. La pauvre Mme Franklin n'a pas eu le choix. C'est ainsi que je suis devenu maître d'hôtel, monsieur Ollie, je vous jure.

— Pourquoi toutes ces cachotteries ? Et qui t'a appelé Sam ?

— C'était au moment des élections, monsieur Ollie et les secrétaires de Mme Roosevelt avaient peur que les Républicains battent M. Franklin à plate couture s'ils découvraient qu'un sauvage comme moi préparait des cocktails à la Maison-Blanche. Ils ont gardé le secret sur Jonathan et m'ont appelé Sam.

— C'est très bien pour d'autres gens, mais tu n'étais pas obligé de te défiler pour Oliver Beebe.

— Elles m'ont dit de le faire, monsieur Ollie. « Samuel, tu ferais mieux d'éviter ce marin. »

— Pourquoi ?

— Parce que vous êtes le singe de M. Franklin, son primate personnel. Vous épouvantez les secrétaires.

Oliver devint perplexe.

— Elles sont cinglées ces dames. Je coupe les cheveux. Je retire les chaussettes du Patron. Je masse son dos.

— Elles disent que personne ne peut approcher de M. Franklin sans vous. Tous ses rendez-vous sont contrôlés. « Arrangez ça avec Ollie », c'est la formule du mois.

— Le Patron aime bavarder et si je ne foutais pas à la porte ces rois à la manque, ils resteraient pendus à son bureau à lui poser des questions sur une princesse perdue quelque part en Hongrie quand M. Roosevelt doit avoir l'œil sur le monde entier.

Le sauvage dressa soudain l'oreille. Il se précipita dans la penderie et s'y enferma.

— Monsieur Ollie, s'il vous plaît, grogna-t-il à travers la porte, ne laissez pas ce démon me mettre la main dessus.

166

On entendait des pas dans le couloir. Kirkland entra dans la chambre d'Oliver.

— Avez-vous vu le nouveau maître d'hôtel, monsieur Beebe?

— Je ne reçois pas de maîtres d'hôtel, monsieur Horn.

— Tant mieux. Seulement, il a laissé tomber des morceaux de son uniforme ici et là dans l'escalier. Et ils mènent au grenier.

— Pourquoi ne jetez-vous pas un coup d'œil sous mon lit?

— Pas ce soir... Transmettez mes amitiés à Edgar.

— Certainement.

Le sauvage ne voulait pas sortir de la penderie.

— Jonathan, je te l'ai déjà dit, il est descendu.

— Merci, monsieur Ollie, mais je vais rester assis où je suis.

Le marin éteignit la lumière. Il offrit un oreiller à Jonathan, mais le sauvage préférait dormir sans rien. Le cri aigu de Jonathan le réveilla deux fois. Oliver ne se leva pas. Le sauvage était en sécurité dans la penderie d'Oliver. Pousser des cris perçants, Jonathan ne pouvait s'en empêcher.

## VINGT-QUATRE

Entrer dans un placard ou en sortir, telle était la vie pour Jonathan Roosevelt, le sauvage qui se dépouillait de ses sous-vêtements. Deux fois par jour, il se rendait au sous-sol, endossait une chemise blanche amidonnée, un habit noir, et montait des petits fours à des diplomates, des musiciens, des acteurs, des professeurs et autres invités de M. et Mme Roosevelt. Et recommençaient les montées et les descentes d'escalier avec des amuse-gueules et des languettes de poisson puant. Les cuisiniers, les bonnes et les plus anciens maîtres d'hôtel s'accrochaient constamment à son habit.

— Tes basques sont sales, Sam. Laisse-moi leur passer un coup d'ammoniac. Et ne tire pas sur ton nœud papillon.

Il avait vingt pères et mères pour le surveiller, des domestiques bienveillants en uniforme, pour lui éviter des ennuis. S'il laissait tomber une carotte dans votre vermouth, un gentil maître d'hôtel sortait des boiseries et d'un geste prompt, faisait disparaître le verre et vous procurait une autre boisson.

Les maîtres d'hôtel étaient de mèche avec la femme de M. Franklin. La Première Dame voulait trouver une place pour Jonathan Roosevelt, un foyer où le sauvage pourrait pratiquer son vocabulaire, bavarder avec d'autres humains et rester en vie. Mais le vieux Horn avait l'œil sur les maîtres d'hôtel capricieux. Quel réel contrôle pouvait-il exercer sur ce Samuel ? Le garçon avait été recommandé par des chirurgiens de la Marine et engagé par Mme Roo-

sevelt. Eleanor était sa couverture. Mais si jamais le maître
d'hôtel devenait un tant soit peu dangereux pour le
Patron, Kirkland devrait lui arracher les bras et l'attacher
aux cordes du monte-plat. A cette seule condition, Mme
Roosevelt pourrait le garder à la maison.

Jonathan passait le plus clair de son temps à esquiver
Kirkland Horn et le détachement 16. Les hommes de Horn
lui volaient des amuse-gueules sur son plateau et le suivaient jusqu'aux W.-C.

— Comment ça va, Sammy ? En forme ?

Le sauvage survivait à leurs sarcasmes, mais cette moustache rousse le faisait transpirer alors que l'hiver avait déjà
commencé. Les bonnes, ses gardes au grenier, lui avaient
parlé de la courbure maléfique de la moustache de M. Kirkland. « C'est le démon qui lui mord la lèvre. »

Ainsi Jonathan dormait dans les placards et pissait tran-
quillement sur les tapis. Oliver Beebe, l'école pour nègres
sourds-muets, et la technicienne vocale de la Marine lui
avaient appris à compter, à lire les jours et les mois de
l'année. Le sauvage n'avait ni passé ni avenir avant d'être
découvert par les ostréiculteurs de Tangier au mois de juillet. Il ignorait qui l'avait déposé sur l'île. Il se réveillait, le
soleil en plein visage, rampait sur le ventre, éperonnait des
poissons dans les bas-fonds avec ses orteils pointus. Les
sauvages ont-ils une maman et un papa ? Jonathan ne pouvait se le rappeler. Savoir ce qu'était avril ou janvier, Noël,
Pâques et la Fête des Mères ne lui aurait été d'aucune utilité. Il était capable d'ouvrir des courges d'un coup, d'éco-
per des fourmis de l'intérieur d'un arbre avec sa langue,
d'écraser des baies toxiques. Mais il était tombé aux mains
d'ostréiculteurs ivres. Ils avaient trébuché sur Jonathan
dans l'herbe, lui avaient ricané au nez, l'avaient appelé
« Jap, Jap », l'avaient pendu par les pieds, lui avaient fessé
le derrière, l'avaient sorti de sa vie intemporelle uniquement remplie de rêves et projeté dans l'Histoire avec un
grand H : Mme Roosevelt, le maire de Tangier, le Maryland, le District de Columbia, Shakespeare et Oliver Beebe.

Jonathan ne désirait pas retrouver son état antérieur.
Sauvage crasseux à Tangier, muet amateur de boue. Ni
heureux ni malheureux, rien qu'un idiot. Il avait eu mal

aux oreilles, froid, avait souffert de la chaleur, de la colique. Un renard enragé lui avait entamé un talon. Un énorme oiseau à long bec lui avait presque aspiré un œil. Des abeilles l'avaient chassé d'une montagne parce qu'il s'était introduit dans la mauvaise ruche.

Il n'eut guère plus de chance loin de Tangier. Il avait une bienfaitrice en la personne de Mme Roosevelt. Gentille pour lui, la Première Dame. Elle lui prêtait un surnom, une maison et un habit de maître d'hôtel. Il allait dans son petit salon boire un verre de lait avec elle. Pas cérémonieuse avec le sauvage, elle riait de ses moustaches crémeuses et lui achetait des brosses à dents. Elle ne lui tendait pas de pièges, ne l'amenait pas par ruses à découvrir les points faibles de sa nature. Elle demandait seulement comment il allait. Il répondait « Fort bien, madame » parce qu'il ne voulait pas l'encombrer du désarroi d'un sauvage. Pourtant la Maison-Blanche n'était pas le foyer qui convenait à Jonathan Roosevelt. Il y vivait dans la terreur. Pas seulement à cause de M. Kirkland et de son détachement, mais à cause de tant d'autres créatures auxquelles il fallait se frotter. Le sauvage devait faire la distinction entre les amiraux, les secrétaires, les rois, les ambassadeurs, les maîtres d'hôtel comme lui, le Service secret, et un chien. Il n'arrivait pas à comprendre quels rôles ils jouaient tous. Chacun d'eux avec une danse, une tenue, une odeur particulière, de quoi rendre dingue le sauvage. Il hurlait la nuit, criait en dormant et l'amplificateur lui écorchait la gorge tandis qu'il rêvait aux façons de dire bonjour à un amiral, à un chef cuisinier ou à Murray, le Hors-la-Loi de Fala Hill.

Les humains emplissaient Jonathan d'une terreur immense. Leur compagnie tordait son nez et lui donnait des pellicules. Et lorsqu'ils approchaient sans prévenir, l'envie de bondir saisissait Jonathan. Il perdit son travail pour cette raison. Un soir, juste avant Noël, alors qu'il laissait tomber ses chaussures, ses chaussettes, son nœud papillon et son caleçon dans l'escalier, un homme du Service secret le suivit à pas de loup et lui cria « Oua » dans l'oreille. Jonathan pivota contre la rampe et son genou se leva brusquement. Rien de plus que le réflexe d'un maître d'hôtel pris au piège sans chaussures. Mais l'agent s'était plié en deux de rire à l'idée de voir un sauvage effrayé. Les orteils de Jonathan lui percèrent le visage. On entendit la joue se déchirer. Un filet de sang jaillit du sourcil de l'agent jusqu'au creux de son oreille. Il se serra la tête dans les mains, regarda Jonathan Roosevelt et descendit en zigzaguant vers l'infirmerie.

Les bonnes amenèrent le sauvage dans la chambre d'Oliver.

— Seigneur Jésus, Sam s'est perdu. Nous aurions dû lui couper les ongles des orteils. Il a écorché un des bébés de M. Kirkland avec son satané pied.

— Ça ne m'intéresse pas, répondit Oliver en regardant Jonathan grelotter sans vêtements.

— Ils vont l'arrêter, monsieur Ollie, si vous ne l'aidez pas. Mme Roosevelt ne peut plus le protéger maintenant.

Il était tard, il gelait au grenier et la jalousie à l'égard d'Orlando Frayard engourdissait Oliver.

— Qu'est-ce que je peux faire ?, marmonna-t-il sous sa couverture.

— Faites-le sortir de cette maison.

Elles jetèrent tous les vêtements civils d'Oliver sur le dos du sauvage. Et un chapeau qui lui serrait le crâne. On aurait dit un enfant géant dans le pantalon et la chemise du marin. Les vêtements ne fermaient pas. Les manchettes d'Oliver lui arrivaient au coude. Mais il était suffisamment emmitouflé pour une nuit d'hiver. Oliver le conduisit au sous-sol puis à l'entrée sud, tandis que les maîtres d'hôtel jetaient des coups d'œil dans les couloirs pour s'assurer que Kirkland et ses hommes ne s'y trouvaient pas. Les soldats sur la pelouse ne se méfiaient pas d'Oliver Beebe.

— C'est moi et le marchand d'œufs, dit-il aux sentinelles du portail.

Une heure bizarre pour un marchands d'œufs, mais Oliver n'en avait cure. Le singe de M. Franklin pouvait dire tout ce qui lui passait par la tête. Les sentinelles le saluèrent et il poussa Jonathan hors du domaine présidentiel jusqu'aux allées nègres autour de New York Avenue.

Ils atterrirent dans Crawfish Alley. Oliver ne connaissait

qu'une seule personne capable de loger un sauvage, c'était la dame du bordel, Odessa Brown.

— Ne me dites pas qui c'est, monsieur Ollie. Je vais le prendre. Il est mignon. Il pourra balayer pour mes filles.

Les hommes de Horn parcoururent la maison de haut en bas à la recherche du maître d'hôtel qui avait blessé un des leurs. Ils firent irruption dans le grenier, mirent à nu le lit d'Oliver alors qu'il était encore sous ses draps et ses couvertures. Ils les arrachèrent, ne lui laissant que son matelas pisseux. Il n'allait pas ôter son pyjama pour faire plaisir à Kirkland Horn. Ils ouvrirent la penderie d'Oliver et donnèrent des coups dans tous ses vêtements pour voir si Jonathan n'y était pas tapi. Ils piétinèrent ses magazines de cinéma, mirent en morceaux son télescope et en firent sauter le verre. Où diable est Sam ?

Alors le téléphone d'Oliver sonna. D'un geste impatient, un homme du Service secret empoigna le récepteur.

— Allo, oui ? Qui est au bout du fil ?

Son visage vira au gris cendre, horrible. Il tendit le téléphone à Ollie.

— Oui, Patron, je suis en bas dans un instant... non, Patron. C'est le Service secret. Ils m'aident à décorer ma chambre.

Les agents prirent leur chapeau, s'éclipsèrent. Et Oliver alla baigner F.D.R. Le Président, assis sur sa planche était en conversation avec le secrétaire à la Guerre, pendant qu'Oliver épongeait ses épaules de grand nageur qui allaient s'avachir. Un épais rideau de chair s'était développé sur les omoplates du Patron depuis l'arrivée d'Oliver à la Maison-Blanche. F.D.R. s'arrêtait pour souffler au milieu d'une phrase. Mais il ne prêtait pas attention à ses essoufflements asthmatiques.

— Petit, donne une cigarette à Poppa.

Oliver avait caché les Camel derrière le siège des W.-C.

— Interdit de fumer dans la baignoire, Patron.

Le Président mâchait bruyamment le bout de son fume-cigarette d'ivoire et fit un clin d'œil au secrétaire à la Guerre.

— Henry, as-tu déjà vu un enfant aussi têtu. Je vais le donner à l'Armée s'il n'y prend garde.

Oliver eut pitié du secrétaire à la Guerre, un vieil homme au col amidonné qui devait s'asseoir sur le bord d'une baignoire et tremper dans la vapeur du bain présidentiel. Oliver ne comprenait pas grand-chose à ces conférences de salle de bains. Ils grommelaient sur « Winnie » et « Oncle Joe ». Winnie accepterait-il ceci, accepterait-il cela ? Que diraient les « popofs » ? Le marin sombra dans un état de stupeur tout en frottant le dos du Président. La douleur infligée par l'absence d'Anita avait élargi son rictus de fou. Oliver semblait hors-circuit, à croire que ses tripes appartenaient à quelqu'un d'autre.

Il s'assit chez *Harvey* cette nuit-là en compagnie d'« Oncle Edgar » dont les poches étaient bourrées de cadeaux de Noël. Délier les nœuds de chaque petit paquet offert par ses hommes du F.B.I. absorbait le G-man. Les serveurs venaient de temps en temps enlever les emballages et les ficelles. Edgar tripotait des stylos et crayons assortis, des cravates à ses initiales, tissées dans la soie, des pantoufles cousues main, des ceintures Hickok, des figurines en os ainsi que des boutons de manchettes et des mouchoirs à profusion. Il ne s'attendrissait pas longtemps sur ces objets. Il tendit à Oliver un coffret avec un stylo et un crayon en détruisant la carte qui l'accompagnait. Le marin fut gêné. La pensée d'Anita lui avait sorti Noël de l'esprit.

Le G-man regarda Oliver fixement. Il faisait semblant de gratter la nappe avec son pouce.

— Oliver, le stylo a une plume en or. Elle ne cassera pas.

— Joyeux Noël, dit Oliver.

Mais il n'avait pas de cadeau pour M. Hoover. Les jours de fête n'étaient pas son fort. Les Noëls de Weehawken n'avaient été qu'un père ivre et un sapin rabougri, sans réjouissances ni échanges de babioles, Anita dans une pièce du fond avec un soupirant de fraîche date, Oliver avec un verre de punch éventé à la main.

Les serveurs commencèrent à se rassembler près d'« Oncle Edgar » comme une troupe de pingouins savants sachant sourire et piaffer. Les objets s'envolèrent au fil de la cérémonie des serrements de mains, le G-man distribuait les boutons de manchettes, les mouchoirs et les ceintures Hickok.

— Merci, monsieur Edgar, merci, merci, merci...

Oliver n'arrivait pas à fixer son esprit sur le stylo et le crayon. Que faire d'une plume en or ? Ses yeux erraient alentour, à ce rez-de-chaussée réservé aux diplomates de premier ou second rang, aux grosses légumes gouvernementales et aux personnalités comme J. Edgar Hoover. Les sans-titres devaient aller s'asseoir au premier étage. Mais le garçon maudit l'ordre des choses chez *Harvey*. Anita fit son entrée dans un manteau d'hiver neuf. Suspendue au bras d'Orlando Frayard. Les serveurs prirent leurs manteaux et leurs écharpes et les installèrent à un endroit de choix, près de la vitrine. Les hommes et les femmes des autres tables dévisagèrent Anita. Tant d'yeux ne roulaient pas pour le galbe de sa gorge. Anita était boutonnée jusqu'au cou. Sans coiffure extravagante. Ses cheveux presque mal peignés retombaient sur son front en frange raide. Mais de son visage émanait assez d'énergie pour tout décrocher des murs.

Elle était, aux yeux d'Ollie, plus belle que jamais. Elle aurait pu hypnotiser un restaurant sans même esquisser un sourire. Ce rayonnement intense d'Anita ne devait rien à l'artifice ni à l'intention. Son teint était d'une pureté impitoyable. On aurait pu passer un an de sa vie à suçoter les courbes de son cou. Anita avait la grâce primitive d'un animal.

Oliver dut détourner les yeux. Son rictus félin gagna tout son visage. Le G-man était horrifié.

— Ollie, dois-je demander la voiture ?

— Non, répondit-il une serviette sur la figure.

Il frissonnait maintenant, avec les oreilles d'un cramoisi... le plus affreux qu'ait jamais vu Edgar.

— Qu'est-ce que je peux faire pour toi ?

Oliver désigna Orlando Frayard.

— Cet homme près de la vitrine... c'est un moins que rien à l'ambassade d'Espagne et un membre du Liberty Club. Orlando Frayard. Il court après ma sœur. Pourriez-vous lui faire du mal, pourriez-vous lui retirer son travail ?

— Ollie, je ne peux pas m'immiscer dans les affaires de l'Espagne... mais je vais essayer.

Oliver retira la serviette de sa figure. Le rictus avait

rétréci. Le marin pouvait à nouveau mâcher son homard et penser au stylo et au crayon. Lui serait-il possible d'écrire des messages sur son mur avec cette plume en or ? Que les bonnes poussent donc des cris en voyant sa chambre, peu importe. Oliver pourrait marquer le grenier, gribouiller où il voulait « Alan Ladd aime Anita Beebe ».

# Orlando Frayard

## VINGT-CINQ

Orlando était dingue d'Anita, la petite garce. Il avait pourtant une *novia* à Madrid, une fiancée de pur sang andalou qui hériterait d'un château, de deux fonderies et d'une usine métallurgique à la mort de son papa. Il l'avait vue une fois. Aussi blonde qu'Orlando, avec un joli nez et une licence de l'Université de Cordoue. Elle savait faire la cuisine, coudre et réciter les plus beaux passages de Cervantès et Lope de Vega. Orlando avait été promis à doña Isabel dès le onzième anniversaire de celle-ci. Il n'avait pas eu le choix. Il était censé rester tranquille jusqu'à la fin de la guerre, et suivre ensuite des instructions très précises pour prendre le Pan American Clipper et rejoindre sa fiancée.

La maison Frayard possédait des bureaux à Londres, à Paris, à Atlanta (Géorgie) et à Madrid. Le premier Frayard avait quitté Rouen cent ans auparavant pour faire fortune à Madrid. Les Frayard s'étaient liés avec la classe mercantile espagnole et emparés des affaires du cuir. Ils touchaient maintenant à tout. Orlando était destiné à apporter les fonderies d'Isabel dans la famille. La maison Frayard ne lui donnerait rien à manger, le forcerait à demeurer au simple échelon d'employé tant qu'Isabel ne serait pas sa femme.

Aucun des espions de son père ne savait quoi que ce soit de la petite garce d'Orlando. Il l'emmenait danser au *Mayflower Club* et à la Pall Mall Room du *Raleigh Hotel*. Mais il dut y mettre fin. Des tas de marins venaient de la rue pour la reluquer. Il dansa donc avec Anita dans la chambre de Vivian au *Willard Hotel*, sans marins ni orchestre. Il sentait le cœur d'Anita battre contre sa poitrine, leurs sourcils ondulaient et se touchaient. Il l'aurait embrassée jusqu'à en perdre ses dents.

Orlando avait d'abord rempli, chez les Frayard, la fonction de magasinier haut placé, compilateur d'inventaires. Son père l'avait ensuite placé à la chancellerie, en guise de présent au régime de Franco. Au bout de deux semaines, Orlando comprit qu'il se trouvait dans une maison de fous. Les agents secrets d'une demi-douzaine de pays arpentaient les couloirs déguisés en employés, femmes de ménage, plombiers et réparateurs de radio. Il y avait des micros dans les murs. On ne pouvait même pas se fier aux pots de fleurs.

C'était en 1941. Les supérieurs d'Orlando jubilaient, s'attendant à voir Hitler danser sur le toit de la Maison-Blanche avant la fin de l'année. Orlando se gratta le nez et prit une décision. Se vendre au camp des perdants rapporterait davantage. Si les Allemands arrivaient à pendre Herr Roosevelt, Orlando se cacherait dans une des ruelles nègres ou replongerait dans la maison Frayard.

Seulement, les Américains avaient perdu la boule. L'Armée, la Marine et le F.B.I. avaient tous noyauté le bureau espagnol, sans se concerter. L'Armée détestait la Marine et toutes deux méprisaient le F.B.I. Orlando aurait pu se vendre au service de renseignements de la Marine puisqu'il offrait plus mais ses officiers n'avaient guère eu d'égards pour lui. Alors il choisit le F.B.I.

Rien ne changea. Il prenait le tramway jusqu'à la chancellerie, s'occupait de ses paperasses et touchait vingt-cinq dollars par semaine du F.B.I. Son contact était Mme Hutch, la femme de ménage qui ne l'aimait pas spécialement. Il devait veiller à boutonner son pantalon, à ne pas avoir d'encre sur les manchettes, ni de miettes dans la bouche.

Tel un ange meurtrier, Hutch le surveillait. Puis un jour, elle fourra une note sur son fauteuil. Deux mots « Don Valentin ». Orlando regarda fixement le gribouillis de Hutch et le détruisit. Le F.B.I. avait-il besoin d'un dossier sur son patron ? Don Valentin, marquis de Estrella était le cinglé du bureau espagnol, mais on ne pouvait y toucher. Il avait reçu d'horribles blessures lors de la campagne marocaine de 1925. Il avait abordé la côte du Maroc espagnol avec des fusiliers marins et y avait traqué les tribus rebelles.

Jeune amiral de trente-deux ans, don Valentin fit renaître avec ce débarquement-clé le prestige de l'Espagne en Afrique. Mais plus tard, cette année-là, il fut capturé par ces mêmes rebelles. Personne ne sait quelles tortures il subit. Le sultan du Maroc put le récupérer contre une rançon en 1927. Il arriva à Malaga avec un bras atrophié et des taches violettes sous le menton. Il jouissait d'une plus grande popularité que le roi.

Inapte au service ordinaire, on l'envoya à l'étranger pour remplir les fonctions d'attaché naval à Washington, poste qui lui permettait de porter un uniforme et d'avoir une place spéciale aux dîners officiels. Une suite de gouvernements, centristes, de gauche et de droite le gardèrent à la chancellerie. Le régime de Franco aimait, en 1941, ses prises de position nazies. Maintenant il essayait d'isoler le marquis.

Orlando se mit à expliquer les excentricités de don Valentin au F.B.I.

— Le marquis de Estrella pense que Adolf Hitler est le démocrate suprême, le niveleur de tous les hommes. Il n'est pas allé en Europe depuis dix-sept ans. Hitler sauverait le Noir américain. Telle est la croyance fondamentale du marquis. C'est pourquoi il a formé le Liberty Club pour introduire la démocratie de Hitler dans la race noire.

Orlando glissa son rapport dans le manteau de Hutch. Celle-ci ne refit pas appel à lui.

— Mon patron vit avec une métisse de Panama, mama Salomé. Elle se fait passer pour sa gouvernante, mais c'est sa femme. Le marquis lui est dévoué. Il a peur que les Américains ne fassent pression sur l'Espagne s'ils découvrent son mariage avec une femme possédant du sang noir, il a peur d'être rappelé là-bas.

Son allocation du F.B.I. augmenta. Cinquante, soixante, puis soixante-dix dollars par semaine. Mme Hutch devint attentionnée et même lui souriait. Puis le vieux copain Viv arriva, dans des vêtements nauséabonds. Vivian de Vries qui portait une boucle d'oreille à La Citadelle de Charleston, du temps où Orlando était un timide cadet, envoyé par sa famille pour rivaliser avec les « durs » conquistadores américains. Il était devenu le laquais de Vivian et s'était fait mettre à la porte de l'école. Mais c'était il y a vingt ans. Maintenant le cousin Viv, devenu trotskyste, parlait d'un paradis pour les ouvriers et les poètes, et s'imaginait que le bureau espagnol à Washington servait de relais à l'Allemagne nazie. Il avait des renseignements à vendre, des imbécillités sur le coiffeur de Roosevelt. Orlando l'entraîna au pas de charge hors de la chancellerie, s'assit avec lui dans un café nègre et le laissa babiller sur son « contact » à la Maison-Blanche. « Oliver Beebe... un marin stupide. Il fera n'importe quoi pour sa sœur et elle est amoureuse de moi. »

Peu importait à Orlando le trou dans lequel il allait enterrer Vivian et le coiffeur. Ne pouvait-il pas pressurer don Valentin et garder le copain à sa disposition ? Don Valentin avait encore ses propriétés de famille aux Asturies et le revenu aurait suffi à entretenir Orlando jusqu'à la fin de la guerre. Il alla donc voir don Valentin pour lui raconter les histoires d'Oliver Beebe. Le coiffeur est un vrai démocrate, dit Orlando. Mais Oliver Beebe accepterait d'amocher sérieusement Roosevelt pour don Valentin et pour le Liberty Club ; seulement il fallait de l'argent pour payer Oliver, pour qu'il coure le risque d'espionner l'empereur Roosevelt.

Au Maroc, les rebelles avaient dû enlever la cervelle de don Valentin en le torturant : le vieil amiral âgé de presque cinquante ans aurait volontiers abandonné à Oliver Beebe toutes ses *fincas* des Asturies. Orlando sourit intérieurement. Puis il écrivit au F.B.I. des informations sur Oliver. Les agents ne se précipitèrent pas. Au bout de cinq jours, il trouva une note sur son fauteuil. On lui disait d'attendre un homme sur Colorado Avenue à la hauteur de Rock Creek Park.

Au mois de juillet, le parc était submergé par les marins et leurs douces. Orlando se tenait à l'endroit indiqué lorsqu'un énorme bateau, un cuirassé d'escadre sur pneus de caoutchouc s'arrêta pour lui. Orlando fut happé à l'intérieur de la voiture ; les fenêtres faisaient un tel boucan qu'il aurait pu perdre l'esprit s'il ne s'était fortement concentré sur les dollars qu'il comptait gagner. On le jeta par terre et il dut lever les yeux pour regarder un homme en costume blanc, calé dans un coin du capitonnage. Orlando sentit un étrange parfum. Il en éternua.

— A vos souhaits, Frayard.

Orlando reconnut ce visage de bouledogue aux fortes bajoues bronzées. Il avait vu John Edgar aux actualités, serrant la main de Babe Ruth et baisant la joue de Judy Garland.

— Frayard, le coiffeur du Président est-il blond... comme toi ?

Orlando haussa les épaules au ras du plancher.

— Quelles sont ses cigarettes favorites ? Les Lucky ? Les Camel ? Les Old Gold ?

Orlando haussa les épaules à nouveau.

— Combien de fois as-tu rencontré Oliver Beebe ? Une fois ? Deux fois ?

Orlando avait la figure sur la moquette. Et des bouts de laine dans la bouche.

— Moins, monsieur. Moins d'une fois.

— Alors comment le coiffeur s'est-il introduit dans ta tête ?

Orlando sortit les bouts de laine de sa bouche et mentionna le nom de Vivian.

— Beebe a une sœur... Elle est amoureuse de Vivian. Il raconta à John Edgar la visite de Vivian à la chancellerie.

— Fou à lier. N'ai pas vu cet empoté pendant vingt ans. Et il veut me vendre des trucs... des trucs pour l'Allemagne.

— Alors tu t'es dit que tu pouvais te faire un joli paquet en nous escroquant avec Oliver et en le fourguant à don Valentin. Frayard, tu es une trop belle petite merveille.

— C'est une erreur, dit Orlando. Je vais dire à Vivian de décamper. Je le tuerai si jamais il prononce « Oliver » encore une fois.

Orlando se releva et avança à quatre pattes jusqu'à la porte.

— Frayard, cette conversation n'a jamais eu lieu, compris ? Nous ne nous sommes pas rencontrés dans ma limousine. Tu n'es pas venu à Rock Creek Park. Si tu me rencontres où que ce soit en ville, ne fais pas un seul signe de tête. Parce que autrement, Frayard, si tu donnes la moindre impression de me connaître, je devrai te fermer les yeux.

Orlando resta dans son fauteuil, au bureau espagnol. Il ne jetait pas de coups d'œil à Mme Hutch. Il lui faudrait déménager de Georgetown, avoir affaire aux camelots sur les trottoirs de F Street, choisir tous ses vêtements dans un baril. Il mourrait de faim sans le F.B.I. Mme Hutch lui lança pourtant cent dollars sur les genoux. Et le F.B.I. se mit à établir son propre quartier général à l'intérieur de la chancellerie. Orlando parlait à des agents aux toilettes. Il monta en grade. Il pouvait pomper don Valentin tant qu'il voulait, mais non déboutonner son pantalon sans en informer le F.B.I.

Le F.B.I. loua une chambre pour Vivian de Vries tout en haut du *Willard* afin qu'il puisse scruter la Maison-Blanche et en dessiner les murs pour don Valentin. Les agents étaient émerveillés de leur efficacité. Hoover avait un réseau de petits espions qu'il faisait marcher au doigt et à l'œil, qu'il pouvait engraisser ou écraser comme il voulait. Le Liberty Club, dirigé d'un bureau du Département de la Justice, était devenu une annexe du F.B.I.

Orlando ne désobéissait pas à ses nombreux chefs. Il « manipulait » Vivian pour le F.B.I. en l'entraînant dans une conspiration montée pour la gloire de J. Edgar Hoover. Orlando ignorait absolument quand le F.B.I. s'abattrait sur le Liberty Club et écraserait don Valentin, cousin Viv et la petite amie du « cousin ». On lui avait conseillé d'envoyer un rapport sur Anita. Il eut donc rendez-vous dans la ville nègre avec Viv et la fille.

Elle portait une robe insensée avec un amas de crêpe qui aurait pu convenir pour une salle de bal sur Pennsylvania Avenue, mais qui faisait macabre dans un café nègre. Elle avait la chevelure la plus noire qu'Orlando ait jamais vue sur la tête d'une fille, de larges narines et elle gardait les chevilles croisées sous la table. Guère bavarde cette Anita. Elle laissait son « mari » parler. Mais les mouvements de sa gorge fascinaient Orlando. Il aurait bien aimé y poser le bout d'un doigt. En outre, il désirait la mordre sur la bouche.

— Elle a l'air idiot, dit-il au F.B.I., presque infantile. Elle est censée avoir un petit garçon caché à Milwaukee. Je ne peux vraiment pas me l'imaginer mère de famille.

Il était incapable de dire ce qu'il y avait sous cette robe stupide, mais les contours de sa bouche l'avaient rendu dingue. Il alla voir cousin Viv qui, la tête dans le cirage par manque de sommeil, lui lança des bouffées de paroles incompréhensibles.

— Lando, tu veux goûter à la poulette ? Prends-la. Elle est à toi.

Orlando monta dans la chambre de Vivian au *Willard* et Anita lui fut livrée. Il lui importait peu, apparemment, de rester seule avec Orlando. Elle portait la même robe froufroutante. Orlando entendit un grondement sous sa clavicule. Il aurait bien pu prendre peur, l'instant d'après. Mais Anita ne se montra pas farouche. Elle ne chercha pas à esquiver le premier baiser d'Orlando.

Il ne savait à quoi s'attendre. Orlando n'avait jamais éprouvé une telle morsure auparavant et sombra dans le corps d'Anita comme un enfant se meurt. Pas égoïste, elle baisait avec une ferveur qui blessa le secrétaire espagnol. Il avait envie de sangloter contre les pulsations de cette gorge. Il lui avait fallu ces trente-neuf années et une chambre louée par le F.B.I. pour tomber sur un moment de bonheur dans les bras d'une fille pas très causante à la chevelure noire.

Il enverrait Vivian en de vaines missions afin de pouvoir continuer à utiliser le *Willard Hotel* avec Anita. Que les chasseurs et les bonnes à l'étage travaillent probablement pour le F.B.I. ne le gênait pas. L'âcre saveur du regard de la fille avait plus d'emprise sur lui qu'Edgar Hoover.

Anita cependant ne ruina pas ses chances. Le F.B.I. augmenta son allocation à cent dix dollars par semaine. Les agents qui tenaient des réunions avec lui aux toilettes, désormais le ménageaient. Ils l'appelaient *Monsieur* Frayard. Il avait dû accéder à la liste des préférés du Directeur. Mme Hutch laissa une tourte au chou sur son fauteuil. Il priait pour que la guerre dure cent ans.

Et puis il rencontra Oliver Beebe. Le F.B.I. avait décidé d'attirer Oliver au Liberty Club. Le coiffeur se rendit ainsi chez don Valentin. Orlando eut alors un affreux coup au cœur. Oliver avait le regard sombre d'Anita. Et même les cheveux plus noirs. Leurs moues se ressemblaient trop pour rassurer Orlando.

Il pouvait à peine contrôler sa haine du marin. Imaginer la bouche d'Oliver sur celle d'Anita lui donna mal au cœur. Leur petit inceste pathétique prenait soudain une réalité. Autre chose qu'un simple jeu combiné par Orlando et le F.B.I., un moyen de s'assurer Oliver, d'obtenir un drôle de point d'ancrage à la Maison-Blanche.

Le marin avait l'air sensuel, sensuel et dépravé. Orlando voulait qu'il sorte du lit d'Anita. Avait-il la possibilité de s'expliquer au F.B.I. ? « Cher monsieur Hoover, vous allez devoir trouver une autre garce pour Oliver Beebe. » Le F.B.I. aurait mis le feu à son bureau et brûlé Orlando tout vif.

Il n'écrivit donc pas une ligne sur le dégoût que lui inspirait le garçon. Qu'Oliver fût brun ne regardait personne si ce n'est Orlando. Impossible d'emprisonner Oliver à la Maison-Blanche. Il devrait attirer Anita hors de sa chambre, la lui rendre indisponible.

Il l'emmena dîner avec l'argent du F.B.I., dansa avec elle dans la chambre de Vivian, la pressa d'habiter son appartement à Georgetown. La fille avait trop de domiciles. Elle était incapable de décider où garder sa chemise de nuit. A la pension, au *Willard*, ou chez Frayard ? Orlando la faisait valser d'un endroit à un autre. Elle n'avait jamais vu un homme avec autant de billets de cinquante dollars. Il les lui fourrait dans la main et lui disait d'aller s'acheter des vêtements d'hiver pendant qu'il allait à la chancellerie.

Indépendant des Frayard, Orlando faisait l'amour à Anita autant qu'il le voulait. Pourtant une impression de désordre commençait à bourdonner autour de ses oreilles. Aux toilettes, les agents parlaient d'Oliver.

— C'est pas un coiffeur, c'est le nabot le plus puissant d'Amérique. Eleanor et Frank mangent dans sa main. On

n'a pas de Président en 44. On n'a pas de Première Dame.
On a un marin. Il fait circuler Frank dans son fauteuil roulant et dit qui peut ou ne peut pas le rencontrer. Dewey
aurait peut-être pu battre Frank. Mais il n'aurait pas pu
damer le pion au marin. Faut pas vous raconter d'histoires.
C'est un sacré type, cet Oliver.

Orlando ne prêta pas attention à des propos aussi fous.
Oliver ? Il arrivait à peine à exprimer trois mots de suite.
Mais les agents n'en avaient pas terminé. Ils jurèrent à
Orlando que Beebe dirigeait le F.B.I. Orlando se fourra un
doigt dans la bouche pour ne pas rire. Puis il les vit chez
*Harvey*, la maison du homard. John Edgar et le garçon ! Il
n'osa pas tourner les yeux dans leur direction. Il s'enfonça
dans son fauteuil et regarda leur reflet dans la vitrine.
Anita ne savait même pas que son frère se trouvait là. Elle
mordait une carotte et touchait la jambe d'Orlando sous la
table. Il renversa de la soupe de poisson sur ses genoux.
Hoover souriait au marin pendant tous les plats. Ils étaient
assis avec de beaux morceaux de homard dans la bouche.

— Lando, demanda Anita, qu'est-ce qui ne va pas ?

Soudain ses jambes s'agitèrent sauvagement. Orlando
dut s'agripper à la table, quelqu'un le tenait par la queue.
Pas moyen de deviner qui. Il se sentit tout à coup content
d'avoir une fiancée à Madrid. Peut-être don Valentin avait-
il raison d'aimer les nazis. Les nazis ne vous fournissaient
pas d'argent en vous arrachant les tripes. C'eut été l'un ou
l'autre.

— Mange ta soupe, dit-il à Anita, je sors.

# Edgar, Otto et le Commandant

## VINGT-SIX

Assis dans la limousine d'Edgar, ils rotaient poliment après leur dîner de homard et de tarte aux cerises.

— Que veux-tu faire maintenant, marin ?

— Bœuf, répondit-il.

Edgar se retrouvait avec un marin qui logeait dans un grenier et qui divaguait. Il était grand temps de raccompagner Oliver à la maison.

— Oncle, qu'est-il arrivé au Bœuf de Tuskegee ?

— Oh ! il a dû prendre sa retraite. Le base-ball, c'était comme une maladie pour lui... ça lui donnait envie de tuer.

— Il est redevenu fermier ?

— Non.

— Oncle, où est-il maintenant ?

Edgar marmonna quelque chose à son chauffeur, et la limousine quitta Pennsylvania Avenue et amena Ollie dans une zone boisée où se trouvaient une vieille maison énorme et un tas de petites. Le marin n'était pas aveugle. Il était déjà venu ici, avec Mme Franklin. Il reconnut la ferme de fous, St. Elizabeth, où il avait rencontré pour la première fois le sauvage de Tangier, dans une cage.

Edgar n'eut aucun mal à pénétrer dans l'enceinte : on déverrouilla les portes pour lui. Aucun gardien ou administrateur de l'hôpital ne les accompagna. Edgar murmura au marin :

— Ne l'appelle pas Bœuf. Tout ce qui touche au base-ball le rend violent. Parle de F.D.R. si tu veux, mais jamais de classement.

On leur ouvrit la porte d'une véranda aux parois de

toile métallique, contre les insectes. Ollie vit le Bœuf. Assis sur un banc, dans un pantalon large et difforme qui avait tout l'air de knickers de base-ball. Sans forces maintenant, ce n'était plus l'homme qui avait atteint la seconde ou même la troisième base à plusieurs reprises au mois de juillet. Il tétait des bâtons de chocolat, comme Oliver Beebe. Le Bœuf ne se rappelait pas Ollie et ne posa pas une seule question sur F.D.R.

Ils quittèrent St. Elizabeth. Oliver, tout morose dans la voiture d'Edgar demanda :

— Oncle, qui lui a retiré sa charrue ?

— Il est mieux là où il est. Il n'avait guère de famille en Géorgie. Ses parents sont morts. Maintenant il a son propre infirmier. Il est bien mieux ici.

Le marin dit bonne nuit à Edgar et à Bill, le chauffeur, et se faufila à l'intérieur de la Maison-Blanche. Edgar ne se pressa pas de rentrer chez lui. Il aurait pu aller dans un club, sur un toit et s'installer en compagnie de journalistes sportifs. Ils auraient bavardé à n'en plus finir sur Joe Di Maggio et Billy Conn et sur l'avenir des « Sénateurs » sans leur Bœuf. Edgar attirait les foules partout où il allait. C'était un gars du coin, né et élevé dans le District. Pas comme Roosevelt qui se cachait dans sa chambre, ou disparaissait à Shangri-La. Il fallait bien que Washington survive, même en l'absence du Président. Privée de Roosevelt, la capitale avait au moins le F.B.I. On pouvait toujours lire quelque chose sur Edgar dans le *Star*. Il ne craignait pas de s'exprimer et l'on avait toujours son point de vue sur les insoumis, les mises en liberté sous caution, les Japs et le coup de batte de Joe Di Maggio. Son seul tabou : Eleanor Roosevelt. Il détestait cette sorcière et ses amies communisantes, mais ne se permettait pas d'attaquer la femme du Patron.

Ce soir-là, il n'était pas d'humeur à parler de base-ball avec les gars du *Star*. Le chauffeur Bill l'emmena à la fourrière de Washington. Depuis l'âge de neuf ou dix ans il s'y rendait toujours. Le G-man ne s'entendait pas avec les chats, à son goût trop indépendants, incapables de dévotion farouche pour un homme. Par contre il aimait toutes sortes de chiens. Les bâtards, les chiennes, les animaux de race. Il allait à la fourrière, regardait dans les cages, réfléchissait à l'adoption éventuelle d'un chien qui l'attirait.

Il était près de minuit, mais le gardien n'y vit aucun inconvénient. Pour J. Edgar Hoover, on ouvrait toutes les portes. Edgar aimait l'odeur âcre des chiens bien rangés dans leurs cages, sur des tas de paille humide. Il se promena de l'une à l'autre, en jetant des coups d'œil à la récolte de la semaine : un caniche nain, abandonné ou perdu, des bâtards aux yeux jaunes, un collie malade, un schnauzer qui ne le quittait pas des yeux, une chow-chow avec des cicatrices sur le cou. Était-ce une combattante des ruelles, ou une chienne égarée qui grattait pour trouver de la nourriture ?

L'arrière-salle était ouverte. Un homme, riche d'une boucle de ceinture en argent, d'une chevelure blond-roux, et d'un pantalon repassé à la militaire, haranguait les employés. C'était le jeune Colbert du Service secret qui essayait de les enrôler dans sa croisade contre les chiens sauvages de la ville. Un véritable obsédé ! Il avait pénétré dans les ruelles avec une petite armée de citoyens, il y avait trouvé des enfants mourant de faim, des rats, des putains, des alligators morts, mais pas de chiens. Puis, avec une équipe du Génie, il avait dressé le plan de Nigger Lane. Le Commandant Colbert se préparait. Il connaissait maintenant toutes les pistes et les bouges. Et il conspirait avec les employés pour sa croisade finale.

Il avait dû repérer Edgar près des cages.

— Merde, bon dieu de merde.

Et il claqua la porte. Le G-man n'avait pas à s'inquiéter. Deux des employés de la fourrière « appartenaient » au F.B.I. Edgar aurait les plans de Colbert au plus tard demain matin.

Il remercia le gardien, toucha le museau du schnauzer, et fit signe à Bill, le chauffeur.

# La peau du nombre treize

# La peur du nombre treize

## VINGT-SEPT

Guère envahissant ce président. Pas de F.D.R. à l'*Occidental* ni *Aux Trois Mousquetaires*. Il mangeait toujours chez lui. C'était Eleanor qui se rendait aux déjeuners en ville, ou montait à cheval dans Rock Creek Park. On apprenait à lui faire signe, à lui serrer la main. On pouvait toucher la dame du Président, regarder de près son visage chevalin, pourtant ce n'était pas comme rencontrer Frank.

L'empereur mangeait des tartines grillées avec son chien. Sans aucun des enfants Roosevelt près de lui.

Point d'Elliot, ni de John, James et Franklin Jr. La presse parlait de temps en temps de leurs stations de radio, de leurs affaires, de leurs actrices de femmes. Ils se trouvaient maintenant dans l'Armée et la Marine. M. Frank n'avait qu'un véritable enfant de sexe masculin : son marin, Oliver Beebe.

Quand le Patron n'était pas à Casablanca avec M. Churchill, on pouvait le surprendre au lit. Dans l'ambiance qui lui convenait : la fumée de cigarette et une sorte de magie du chez soi. Impossible de savoir à quoi s'en tenir avec le vieux châtelain. Il vous prenait, vous caressait, jouait votre Poppa un moment, et puis vous rejetait pour s'intéresser au bureaucrate qui arrivait ensuite. Vous n'étiez pas pour autant rayé de ses petits papiers. Poppa ne poussait pas de cris et ne vous faisait pas de scènes, mais pouvait fort bien ne plus vous voir pendant un an. Tenez, par exemple, le pauvre Harry ! Harry Hopkins, son assistant au visage en lame de couteau. Un homme indispensable. On avait connu un temps où F.D.R. n'aurait pas levé le petit doigt sans Harry the Hop. Churchill et Staline se montraient toujours polis avec Harry. C'était le grand manitou des approvisionnements en matériel de guerre. Harry s'installa à la Maison-Blanche après la mort de sa première femme. Mme Roosevelt lui donna le Bureau de Lincoln. Mais Harry était trop occupé pour toujours dormir au même endroit. Il faisait des sommes sur n'importe quel divan. Les huissiers se voyaient souvent contraints de parcourir une vingtaine de pièces à sa recherche. Il décida ensuite de vivre à Georgetown avec sa petite fille et sa seconde femme. Harry tomba malade. Il se retrouvait maintenant à la Mayo Clinic avec un estomac en décomposition. Les huissiers l'avaient déjà oublié. De nouveaux assistants découvrirent les endroits où Harry piquait ses sommes ; ils ronflaient sur de vieux divans jusqu'à ce que F.D.R. ait besoin d'eux.

Il n'y eut pas d'autre Harry : seulement Fala et Oliver Beebe. Le Patron était en bisbille avec sa dame. Elle l'avait trop sermonné sur l'absence d'officiers noirs dans sa Marine. Généralement, il ne restait pas sourd aux mesures qu'elle proposait. Mais comment révolutionner la Marine en pleine guerre ? « Blanche comme neige » disait-elle. La Marine de M. Franklin était blanche comme neige. L'arme réservée aux gentilshommes depuis ses origines. L'Armée recrutait bien des pilotes et des troupes de combat noirs, pourquoi pas la Marine ?

Le Patron faisait signe à Ollie qui poussait son fauteuil roulant de l'éloigner le plus possible d'Eleanor. Il fumait une Camel dans les W.-C. présidentiels, sortait sa collection de timbres et méditait sur un nouvel exemplaire commémoratif de Hong Kong, ou bien encore travaillait au courrier de Fala. Il adorait répondre aux lettres adressées à son chien. Il griffonnait quelques lignes au nom de Fala. « Cher John Temple. Je vous remercie de m'avoir écrit et de me dire ce que votre chien Sébastien mange au petit déjeuner. Je prends généralement des œufs brouillés, du bacon, des tartines grillées et du café avec M. Franklin Roosevelt. Il mange plus vite que moi, je suis donc obligé de vite avaler ma nourriture si je ne veux pas rester devant une assiette vide. Manger avec M. Roosevelt signifie avoir des brûlures de l'œsophage ou des douleurs, le ventre creux. Bien à vous, Murray, le Hors-la-Loi de Fala Hill. »

Souvent, les vendredis treize, le Patron ne sortait pas du lit. Il souffrait d'une peur morbide du nombre treize. Ollie dut parcourir le calendrier du Patron et rayer les jours de malchance jusqu'en 1945 et 1946. Le Patron s'abstenait de voyager le treize du mois, sauf en cas de nécessité absolue. Il ne voulait pas s'asseoir en compagnie de treize journalistes, rencontrer treize ambassadeurs dans son escalier, que ses treize petits-enfants se trouvent dans une seule et même pièce.

Sa peur pouvait également s'appliquer à n'importe quel élément du nombre treize. Chez F.D.R., les secrétaires apprirent à éviter d'allumer *trois* cigarettes avec la même allumette. La troisième cigarette ainsi allumée, c'était l'anathème. Capable de provoquer d'horribles malheurs, comme de mettre le feu à vos cheveux, brûler complètement vos fenêtres, ou faire poindre des furoncles sur vos fesses.

Oliver fut bientôt contaminé par la phobie du Patron. Il ne se promenait jamais avec treize Camel dans sa poche et ne prenait pas le treizième crayon du gobelet à crayons de F.D.R. Il permettait aux mitrailleurs de se réchauffer dans sa chambre mais quand ils se montraient radins et essayaient, comme les secrétaires, de donner du feu trois fois avec la même allumette, il les renvoyait sur le toit et regardait le tabac geler dans leur bouche.

Oliver devint tyrannique sur le nombre treize. Le grenier tomba sous son influence. Les bonnes ne pouvaient repasser treize blouses d'affilés, ranger treize oreillers dans le placard, plier un tas de treize mouchoirs. L'ex-impératrice Zena avait dix-huit bougies dans sa chambre pour se rappeler toutes les princesses défuntes de Bulgarie, ses neveux et ses fils, dont l'inexistence avait provoqué l'extinction de la maison royale. Les traditions bulgares interdisaient à Zena d'allumer ses propres bougies. Ollie devait donc le faire. Mais il passait la treizième bougie et la laissait éteinte.

Les bonnes étaient certaines du caractère démoniaque de la « fièvre » d'Ollie. M. Kirkland, il a dû ensorceler Ollie et le Patron. Elles brûlèrent de l'encens pour exorciser le diable et arracher cette folie du treize de la tête du marin. Celui-ci ne changea pas pour autant. Par contre, l'encens provoqua une telle puanteur au grenier qu'il dut descendre en courant pour aller lire ses magazines de cinéma dans le petit salon de Mme Roosevelt.

## VINGT-HUIT

Une fois de plus, Noël allait être militaire, avec une Maison-Blanche d'où ne filtrerait aucune lumière, les pas lents des mitrailleurs sur le toit, et le Patron évacuant sa chambre pour se rendre à Hyde Park. La demeure se vida un samedi, 20 décembre, car ni le zéro ni le deux de « vingt » n'étaient chiffres redoutés, et le Patron aimait les samedis. F.D.R. emmena sa dame et son chien, secrétaires, aides, bonnes, agents secrets, et la princesse régente de Norvège pourvue d'un entourage nettement plus important que celui de M. Roosevelt. En tout, une troupe de quarante personnes descendit en voiture au quai secret de chemin de fer sous le Bureau de la gravure et des presses et monta à bord du train présidentiel. On laissa Ollie seul.

Même en son absence, l'emploi du temps du Patron ne connaissait pas de répit. Ollie devait s'entretenir avec tous les râleurs et mécontents qui désiraient voir le Président et discerner qui avait une doléance légitime et qui n'en avait pas. Pas facile. Affaire d'intuition et rien d'autre. Comment pouvait-il vérifier le bien-fondé d'un capitaine de la Marine qui croyait que ses supérieurs le faisaient mourir de faim ? Un inventeur qui avait besoin de cent mille dollars pour fabriquer le camouflage suprême, de la rayonne qui devenait invisible sur le dos d'un soldat ? Un conseiller municipal de Buffalo qui avait l'impression que F.D.R. lui devait une faveur depuis 1923 ? Ollie les regardait droit dans les yeux. Que Dieu vienne au secours de celui qui se mettait à cligner des paupières plus d'une ou deux fois.

Ainsi se révélait le dissimulateur, selon Oliver Beebe.

Le lendemain du départ de M. Roosevelt, don Valentin apparut au sous-sol derrière la vitre du minuscule bureau dont Ollie avait pris possession pour ses entrevues. Les hommes du Service secret qui restaient là pour Noël enrageaient. Ils auraient aimé piétiner un marquis nazi. Oliver dut les retenir. Cependant il n'arrivait pas à comprendre pourquoi le Liberty Club était venu quémander quelque chose à F.D.R. Oliver s'adressa sans ambages au petit marquis.

— Le Patron vous verra le 13 juin 1948. Ça tombe un dimanche. Je ne peux rien vous donner avant. F.D.R. est de plus en plus occupé, vous savez.

— F.D.R. ne m'intéresse pas, répondit don Valentin.

Tous les petits marquis allaient-ils venir harceler Oliver Beebe ? Il avait du travail. Des généraux attendaient accroupis sur les marches du sous-sol avec des pétitions pour le Président. On envoyait, selon eux, paître l'armée à l'écart de la guerre. Oliver n'était pas un stratège militaire. Il n'avait jamais pénétré dans la Salle des Cartes. Il aurait été incapable de lire les immenses cartes vertes de l'océan Pacifique, ou de situer les contours de la France sur le mur. Mais il savait que F.D.R. ne mettrait pas en avant ses amiraux au détriment des généraux. Ce n'était pas le genre du Patron. Il les laissait rouspéter et grogner, et ils devaient venir ensuite voir Poppa pour qu'il règle leurs démêlés.

Don Valentin toussa dans son mouchoir. Il payait à Oliver Beebe cinq cents dollars chaque mois par l'intermédiaire d'Orlando Frayard. Frayard l'avait averti de la nature capricieuse du marin. On pouvait l'entraîner au Liberty Club mais pas lui parler politique en face. Et il n'accusait jamais réception de l'argent. Tels étaient les espions en 1944. Les hommes des tribus du Rif avaient arraché les ongles du marquis, et puis l'avaient délesté de ses doigts. Mais pas un seul d'entre eux n'avait une psychologie aussi complexe que celle du marin, avec dix couches distinctes de sentiments sous la chemise, capable de jouer le pauvre pour vous engueuler ensuite. Si les hommes du Rif avaient décidé de vous arracher le cœur, c'était simple, direct, à l'inverse des sombres manœuvres embrouillées d'un jeune marin.

— Le Liberty Club a besoin de vous, dit don Valentin. Nous organisons un rassemblement à Lafayette Park.

— Pourquoi ça ? demanda Oliver, soupçonneux.

— Pour protester contre les malheurs des soldats et marins noirs... Oliver, pouvez-vous nous aider ? Pourriez-vous demander à Mme Roosevelt d'y assister ? Il nous est impossible de tenir un rassemblement sans son soutien.

— Qui est ce *nous* ?, marmonna Oliver.

— Odessa Brown et moi. Elle est coorganisatrice du rassemblement.

— Pourquoi Odessa s'associe-t-elle au Liberty Club ?

— Elle a trois fils à la guerre... Ce sont des garçons de mess et des artistes du cirage de chaussures, tous.

Oliver se renfrogna.

— Je pensais que les putains ne se laissaient pas engrosser. On les dit plus futées.

Les généraux s'impatientaient. Ils frappaient sur les parois du petit bureau. Oliver leur glapit :

— Attendez, bon sang. Je suis à vous dans un instant.

Sans la moindre promesse du marin, don Valentin dut rebrousser chemin au milieu d'une haie d'agents du Service secret, qui ouvrirent de grands yeux sur le bras diminué en faisant la moue comme autant de singes. Le petit marquis n'en fut pas gêné. A quoi pouvait-il s'attendre ? L'Amérique était une terre de babouins blancs, où F.D.R. était le roi des rois, et Oliver son prince idiot.

Oliver ne retrouvait qu'au grenier son rôle de prince. Il y était monté avec un bâton de chocolat pour briser la litanie des doléances. Esclave d'un Président, et même pas un coup de fil pour vous demander comment ça va. Le Patron avait ses albums de timbres à Hyde Park. Il pouvait oublier Oliver Beebe.

Puis, tel un jeu de fils magiques, le téléphone sonna, et l'opératrice, qui n'était pas Ethel Rosenquist aujourd'hui, lui dit :

— Ollie, Hyde Park vous appelle.

Il prit le téléphone et se mit à débiter :

— Patron, j'ai vu le général Talbert, le général Lyden, le

général Armstrong et le général Taylor... je leur ai donné jeudi prochain à deux heures quarante. Ils devront en tout cas être sortis à trois heures. Vous prenez un jus d'orange avec Margaret O'Brien à trois heures zéro cinq.

— Oliver, mon petit...

Mme Roosevelt était au bout du fil. Et il lui avait donné inutilement toutes ces nouvelles qui n'intéressaient que le Patron.

— Joyeux Noël, dit-elle.

Seulement Noël, c'était demain. Elle souhaitait qu'Oliver puisse avoir sa dinde à Hyde Park. Non. Le marin s'en tiendrait au chocolat, la dinde lui donnait la tête lourde. Il pouvait dormir dans sa petite maison à Val-Kill, s'il voulait. Oliver remercia la Première Dame.

— J'ai du travail, dit-il.

C'était presque un mensonge. Les généraux qui avaient à se plaindre ne pouvaient pénétrer dans la propriété présidentielle le jour de Noël. Oliver fermerait la porte de son petit bureau. Mais il ne monterait pas à la maison de campagne du Patron sans une invitation du châtelain lui-même. Et il ne souffla mot sur don Valentin et sur cette marche nègre. Il n'allait pas lui empoisonner ses fêtes.

Ollie n'avait rien à faire la veille de Noël. Impossible d'aller chez *Harvey* avec le F.B.I. Edgar avait prévu de passer Noël loin de la capitale. Il prenait des bains de soleil à Miami. Oliver mit son caban et descendit dans Lafayette Park. Le vent déchaîné faillit le projeter sur les canons au pied du monument d'Andrew Jackson. Un homme, la voix rauque, le héla d'un banc derrière la croupe du cheval de Jackson. Oliver n'eut qu'une envie, s'enfuir en courant. Mais le vent le rapprocha de Vivian de Vries. L'épouvantail aimait célébrer les fêtes dans les parcs déserts. Oliver dut enfoncer ses orteils dans la terre pour éviter de glisser et d'atterrir sur les genoux de Vivian.

— N'as-tu pas une chambre où il fasse chaud et où tu puisses t'asseoir ?

Le vent pénétrait dans son caban.

L'épouvantail sentait le gros rouge.

— C'est pas tes oignons, mon petit gars.

— Les nègres pourraient bien te faire sortir du parc. Tu

n'es pas au courant ? Le marquis organise un rassemblement.

— Qu'il l'organise, dit Vivian, personne ne me chassera de ce banc. Il portait un chapeau qui lui barrait le visage sous les yeux et ses revers relevés cachaient ses oreilles ; Ollie ne voyait qu'une fente sur la figure qui respirait.

— Viens, dit Oliver. On va chez Odessa.

— Merci. Je ne vais pas passer la veille de Noël avec la mère Brown et ses filles qui se trémoussent.

Ollie fut incapable de le remuer. L'épouvantail agrippa le banc avec ses mains de pierre et dit à Oliver de prendre le large. Que faire ? Ollie laissa Vivian téter le vent derrière le cheval d'Andrew Jackson.

Odessa lui donna à manger des gâteaux au rhum et un vin de mûres qui noircit la bouche d'Oliver. Il lui demanda des nouvelles de son récent fils adoptif, Jonathan Roosevelt.

— Lui, monsieur Ollie ? Il est terriblement gentil avec mes filles. Jamais vu un homme s'adonner à la fornication comme Johnny. Où m'avez-vous dit qu'il vivait ? Sur l'île d'un ostréiculteur ? Ces huîtres-là ont dû se loger au bon endroit. Ça y va avec mon Johnny, du matin au soir. Rien de tel pour faire passer à une fille le solstice d'hiver. Les putains, elles tournent pas rond en décembre, vous saviez pas ? C'est les tremblements de Noël. Et Johnny les tempère en les faisant suer.

Puis il demanda des nouvelles de ses fils naturels, les trois militaires mentionnés par don Valentin. Alors les cicatrices autour des yeux d'Odessa se mirent à onduler. Elle se tamponna la figure avec un énorme mouchoir, mais se retint juste à temps de pleurnicher. Elle lui raconta une amère histoire : ses fils s'enrôlant pour combattre à la guerre et humiliés dans un camp d'entraînement ; jetés dans la brigade nègre, forcer de chier dans des latrines séparées, entraînés à laver des camions et des voitures pour Oncle Sam, à désherber le jardin du commandant, à astiquer les cuillers du colonel, à faire des tartes pour la femme de l'amiral... au service comme de vulgaires bonnes de l'Armée, de la Marine et des Marines.

— Monsieur Ollie, c'est pas juste pour une mama d'entendre ses garçons pleurer au téléphone... ils n'ont pas mis un uniforme pour vivre comme des poulets dans la basse-cour de M. Roosevelt.

Oliver était trop démoralisé par l'histoire des fils d'Odessa pour aller à la recherche de Jonathan Roosevelt dans un bordel. Il dit au revoir en touchant le mouchoir d'Odessa. Mais il ne put quitter rapidement Nigger Lane. A trois cents mètres du claque, il entendit un rugissement continu et étouffé dans l'herbe et la boue. Le sol se mit à osciller sous ses pieds. Crawfish Alley allait-elle se fendiller ? Alors à l'ombre d'une palissade cassée, il remarqua une grosse meute de chiens. Les animaux passaient entre les pieux en comprimant leurs corps allongés et en égratignant leurs ventres contre le bois. Leurs museaux semblaient incroyablement longs, Ollie aurait dit un troupeau de cochons. Ils le lorgnèrent la gueule ouverte. Mais ils ne lui sautèrent pas dessus. Le poil hérissé, ils grouillaient autour de lui. Le marin n'aurait pas pu dire combien ils étaient dans la ruelle. Leurs échines arc-boutées formaient une sorte d'interminable train cahotant. Les chiens partirent et Ollie retourna au grenier.

Il trouva une note sur son lit. Un mitrailleur avait dû descendre du toit pour répondre au téléphone. « Une certaine Anita a appelé. Si tu n'en veux pas, garde-la-nous. » Il renfila son caban et se rendit à Mount Vernon Square. Il y avait de la lumière à la fenêtre de sa sœur. Il monta dans la chambre.

Elle ne fit pas d'histoires, le laissa retirer tous ses vêtements. Il se pelotonna contre sa peau qui, toute proche, lui donnait le vertige. Il aimait respirer l'odeur du corps de sa sœur, plus familière à sa bouche que sa propre salive. Il mourrait sans cette odeur qui l'entraînait loin des greniers et des réduits présidentiels dans une zone entièrement étrangère à Weehawken, à sa mère, à son père, ou quelque passé reconnaissable. Anita était tout pour lui. En l'aimant, enseveli dans son odeur, il baignait dans une chaleur que ne pouvait atteindre un président ni toutes les marines du monde.

Ensuite, au lit, ils fumèrent les Camel d'Ollie. Elle ne

tenta pas d'expliquer ses disparitions de la pension. Oliver fut le premier à babiller.

— Ton épouvantail a déménagé à Lafayette Park.

Il vit l'affolement se dessiner sur le visage de sa sœur.

— Ton fichu journaliste. Il pense qu'après une maison, il n'y a rien de mieux qu'une statue. Il vit sous le cul d'un cheval.

— Ça m'est égal. Vivian m'a quittée. Qu'il vive où bon lui semble.

Anita n'en dirait pas plus. Il avait sondé son front en mentionnant de Vries. Elle ne l'empêcha pas de prendre son pantalon. Il se trouvait maintenant en caban, debout près de la porte. Elle lui fourra le nez dans la bouche. Ce fut son baiser d'au revoir. Oliver poussa un petit gémissement puis descendit d'un pas traînant l'escalier de la pension.

Elle avait appelé la Maison-Blanche ce soir-là et demandé Ollie sur un coup de tête. Elle n'aurait pas pensé à son frère si Orlando n'en était pas devenu obsédé.

— Le marin est le roi au F.B.I. Edgar Hoover lui donne du homard à manger et lui fait des salamalecs. Ce petit gars donne des coups de fouet à Franklin Roosevelt tous les soirs. Les amiraux tremblent à cause de lui. Ma fille, tu ferais mieux d'être gentille avec ton frère.

Elle devint donc curieuse du « roi » qui fouettait Franklin Roosevelt. Qui était cet Oliver ? Avait-il appris à avaler du feu dans le grenier du Président ? Lui ferait-il des brûlures avec sa langue ? Le désir de le voir grandit comme une douleur, une crampe le long de sa cuisse, et provoqua une éruption sur son ventre. Puis il se trouva à sa porte, en tenue de marin, Ollie comme avant, bouche bée, avec des yeux de belette en face d'elle. Anita aurait pu lui arracher les oreilles, le grand homme de Washington n'aurait pas bronché. Elle coucha avec lui, lui suça le nez et le renvoya à la Maison-Blanche.

# Yalta

## VINGT-NEUF

Anita ne le fit plus jamais appeler. Le front d'Oliver était craquelé de rides maléfiques et sa mèche avait encore baissé d'un demi-centimètre. Un vrai sauvage du grenier. Il engueulait les agents secrets qui aimaient le suivre dans l'escalier.

— Dites à M. Horn d'aller se fouiller. Je n'ai pas besoin de chaperon dans cette maison.

Les mitrailleurs apprirent à ne pas le siffler du toit. Il cognait au plafond avec son télescope et criait « m'embêtez pas ».

Il n'avait pas coupé les cheveux du Patron depuis des semaines. Roosevelt était enfermé avec ses conseillers. Ollie croisait Kirkland Horn et des généraux qui allaient et venaient avec précipitation entre la chambre de F.D.R., ses W.-C. et le Bureau ovale comme des souris bien élevées. L'établissement de l'itinéraire du Patron était la raison de tous ces trottinements. Oliver entendit parler de punaises et de la mer Noire. F.D.R. allait s'asseoir avec Churchill et Staline quelque part en Crimée. Roosevelt avait une fille, Mme John Boettiger, et il l'emmenait avec lui ; mais il n'avait pas de place pour sa dame, ni pour son chien, ni pour Oliver Beebe.

La moustache rousse apparut à la porte de la chambre d'Oliver.

— Beebe, vous avez cinq minutes pour faire votre valise. Pas besoin de brosse à dents. Les popofs aiment la mauvaise haleine.

Le marin le regarda, interloqué.

Horn le houspilla.

— Faites votre valise, imbécile. M. Roosevelt veut que son coiffeur rencontre Oncle Joe.

Ollie jeta des vareuses blanches dans une valise. Il griffonna un message pour la femme du Patron. « Chère madame F.D.R., Odessa Brown est une brave femme. Ses enfants ont souffert à la guerre. Personne ne veut les laisser combattre parce qu'ils sont de couleur. Odessa organise un rassemblement. Peut-être pourriez-vous aller la saluer dans le parc. Bien à vous, Oliver Beebe. »

Oliver partit avec Kirkland Horn, et le message fut porté à Mme Roosevelt. Ils n'auraient pas signifié grand-chose pour la Première Dame, ces gribouillages d'Oliver, si un comité de mères noires ne lui avait rendu visite dans le Salon Bleu et parlé de la Marche des Mères à Lafayette Square. La Première Dame comprenait les rigueurs de la guerre. Elle pouvait critiquer la façon dont on traitait les soldats et les marins noirs, adresser une supplique à son mari avec une liste de doléances de leur part, mais il lui était impossible d'attaquer ouvertement l'Armée et la Marine de Franklin et d'aider ces mères à organiser leur marche. Pourtant elle ne pouvait ignorer leur requête. Mme Franklin irait au parc, non pas en tant que maîtresse de la Maison-Blanche, mais en tant que mère, montrant ainsi sa sympathie pour les objectifs de la marche.

Doris Fleeson écrivit un article sur Eleanor et le comité des mères noires dans le *Washington Star*. Des histoires commencèrent à circuler sur « cette résidence de nègres », Pennsylvania Avenue. Le Président était en route pour la Crimée. Et Eleanor dut supporter les regards méchants des « aborigènes » de Washington et d'un bon nombre de femmes de sénateurs.

Vivian de Vries remarqua le nom d'Eleanor dans le *Star* et téléphona à l'ambassade d'Espagne. Il lui fallut appeler cinq fois pour obtenir Orlando au bout du fil. L'Espagnol était mal à l'aise.

— Cousin, je t'ai dit de ne pas m'appeler ici.

— Lando, il faut que je te voie... *maintenant*.

Ils se rencontrèrent dans un café nègre au nord de la chancellerie. Le regard de Vivian semblait glacé.

— Lando, combien peux-tu m'offrir pour tuer un membre de la famille Roosevelt ?

Orlando n'interrompit pas la dégustation de sa tarte à la banane et à la crème.

L'épouvantail décrispa les lèvres et découvrit les taches rouges de l'intérieur de sa bouche.

— Mme Roosevelt prévoit d'aller s'asseoir avec les nègres à Lafayette Park. Un homme pourrait lui planter un couteau dans la poitrine et disparaître. Le gouvernement penserait qu'il s'agit d'un complot nègre.

Orlando scruta ce visage tendu et osseux et décida qu'il fallait faire changer d'avis le cousin Viv. En ce temps-là, les passions se déchaînaient sur Mme Franklin Roosevelt. La moitié du monde la détestait, et l'autre moitié aurait baisé les fils de ses chaussettes blanches et sales. Mais qui aurait voulu tuer cette grande dame aux dents de cheval ?

— Vivian, qu'est-ce qu'elle t'a fait ?

— Rien, dit l'épouvantail. Elle est l'alliée de Franklin, non ? La reine du palais. Elle soulage le vieux des pressions qu'on exerce sur lui. Fait des mamours aux nègres. Grâce à elle, Franklin ne fera qu'une bouchée des Républicains et gagnera sa guerre. Mais supprime la dame, et le vieux n'aura plus ni mains, ni tête, ni pieds. Il dodelinera dans son fauteuil roulant comme un gros balourd du Dutchess County.

L'épouvantail affichait un sourire de lapin.

— Il sera obligé d'emprunter ses idées à Ollie.

Orlando termina sa tarte et se leva de table sans donner beaucoup de garanties au cousin Viv.

— Je t'en parlerai demain, dit-il.

Il boutonna son manteau et paya l'addition, abandonnant Vivian à ses idées de meurtre. L'épouvantail aurait pu aller dans sa chambre au *Willard*, se baigner, et commander une crème, du poulet et du vin. Mais la chambre sentait l'odeur d'Anita et de Frayard. Il y avait des cheveux de la fille sur les oreillers. Elle rangeait ses parfums dans l'armoire à pharmacie. Et Lando ses préservatifs dans le tiroir. L'épouvantail s'installa donc derrière une statue dans le parc. La statue coupait le vent, mais quand le froid transperçait sa chemise, il montait furtivement en haut du

*Willard*, y passait une heure, se réchauffait sur le tapis, puis retournait à son banc. On l'avait abusé à Washington D.C. Il avait donné le marin du Président à Frayard et au Liberty Club, et on lui volait sa petite amie. Anita utilisait sa chambre à lui pour étreindre un autre homme, et Vivian devait passer l'hiver à Lafayette Park.

Roosevelt. C'est le type qui force les poètes à rester sur les bancs. L'ascendance des de Vries, natifs de Charleston, valait bien celle des Roosevelt. Vivian aurait dû être châtelain. Mais il ne voulait pas être roi. En atteignant Eleanor, il toucherait l'empereur en plein visage, le renverserait. Alors on verrait une Amérique où les poètes pourraient respirer, et Vivian répandrait l'évangile de ce petit Juif russe, formerait un quarteron d'artistes et de travailleurs qui piétinerait la Maison-Blanche et assassinerait tous les rois.

## TRENTE

Le groupe présidentiel était restreint : Roosevelt et sa
fille Anna, Harry the Hop, sorti de son lit pour accompagner F.D.R., quatre hommes du Service secret, le *nouveau*
secrétaire d'État, le médecin de F.D.R., un aide de camp de
la Marine, et Oliver Beebe. On pouvait tous les faire tenir
dans les deux Packard américaines que le N.K.V.D. mettait
à leur disposition. Kirkland Horn et la plupart des chefs
militaires les avaient précédés. Le palais où F.D.R. allait
loger regorgeait de généraux et de gars du Département
d'État. Ils fumaient, flirtaient avec les sentinelles russes, des
filles de quinze ans avec des baïonnettes, des mitaines, et
d'adorables joues rondes ; les généraux laçaient et déla-
çaient leurs chaussures et suçaient des sucreries américaines en attendant F.D.R.

On sortit le Patron de l'avion, le *Sacred Cow*, et il descendit vers la mer Noire dans la même voiture qu'Anna, Ollie
et Harry the Hop. F.D.R. portait son vieux feutre gris, le
bord serré contre son front pour protéger ses yeux de
l'éclat de la neige. Il ne serait pas venu à Yalta sans son
chapeau porte-bonheur. Son visage était émacié ; il avait
perdu son « cou de nageur », la légère excroissance sous
ses oreilles qui lui donnait souvent une allure de puissance,
même dans un fauteuil roulant. Hopkins était assis dans
une couverture, la tête enfoncée dans les épaules, comme
un gigantesque oiseau endormi. Les agents du N.K.V.D.,
tout au long de la route, virent deux hommes malades, un
marin et une fille.

Le Patron ne se rendait pas chez un mendiant. Les

Soviétiques lui prêtaient Livadia, le palais d'été que le tsar Nicolas avait fait construire pour sa famille sur une colline surplombant la mer Noire. Elle comprenait cinquante pièces. Son rez-de-chaussée n'était qu'un labyrinthe de corridors et de pièces qui aurait pu engloutir deux fois la surface de Lafayette Park. Livadia avait des cyprès, des tours, des jardins, des vérandas et des poux. Des poux nazis selon le N.K.V.D. Des généraux de Hitler étaient restés à Livadia jusqu'à ce que l'Armée rouge les en chasse. Mais on n'avait pu se débarrasser de tous les poux.

Roosevelt logeait dans la petite chambre à coucher du tsar, au rez-de-chaussée. Anna dormait dans une autre aile, à l'autre bout du palais. Ollie se trouvait à mi-chemin entre F.D.R. et sa fille. Rares étaient les salles de bains à Livadia et les généraux devaient faire la queue à l'extérieur des cinq ou six lieux de commodités du palais s'ils tenaient à se laver et à se raser le matin. Mais le marin jouissait des privilèges de l'exécutif ; Anna et lui pouvaient utiliser les W.-C. du Président. Les officiers britanniques et soviétiques qui arpentaient les hautes pièces dénudées de Livadia à la recherche de leurs homologues américains étaient intrigués par Oliver Beebe. Aucun d'eux n'arrivait à comprendre les fonctions précises du marin en Crimée. Il ne faisait pas partie du groupe d'Américains qui entraient dans la grande salle de bal pour les rencontres des Trois Grands. Il accompagnait Roosevelt jusqu'à la porte et se retirait ensuite dans l'un des petits couloirs avec ses Camel et ses bâtons de chocolat. Mais il se trouvait toujours là et quand les séances plénières se terminaient, à huit ou neuf heures, il pouvait ainsi reconduire Roosevelt dans son fauteuil roulant vers la chambre à coucher du tsar et tancer quiconque essayait de retarder le Patron et de l'engager dans une conversation épineuse sur la Russie, la Pologne, ou le sort de l'Allemagne. Il frictionnait le Patron, l'aidait à se mettre dans la baignoire, lui préparait des cocktails et l'accompagnait chez les Russes pour un banquet en l'honneur de Churchill.

Qui était ce garçon que personne n'osait éliminer d'une liste d'invités à dîner ? On pouvait annuler l'invitation d'un général, écarter des diplomates ici ou là, mais jamais toucher à Oliver Beebe. Les plus proches conseillers de Churchill étaient soupçonneux à l'égard du marin. Ils avaient l'impression qu'il exerçait une influence excessive sur F.D.R. Raspoutine, ainsi l'appelaient-ils. Le Premier ministre ronchonnait en sa présence et mordillait son long cigare. Pourtant il hésitait à faire des remarques déplaisantes sur lui à Roosevelt. L'équipe britannique en vint à accepter Oliver comme un mal nécessaire. C'était le gars qui revivifiait F.D.R. après une dure journée passée dans la salle de bal.

Le Premier ministre ronchonnait aussi parce que les popofs aimaient bien le marin de M. Roosevelt. Le maréchal Staline se prenait d'affection pour Oliver, ce qui semblait parfaitement sinistre à Churchill. Les Russes flattaient-ils Oliver parce qu'il était le plus court chemin jusqu'à F.D.R. ? Les hommes du N.K.V.D. lui quémandaient des Camel en remuant leurs immenses oreilles semblables à des feuilles de chou. Le marin se croyait entouré par une ligue d'éléphants. Les Russes faisaient-ils pousser des feuilles sur la tête d'un homme comme on plante les choux en terre ? Néanmoins, il appréciait les hommes du N.K.V.D. et leur donnait toutes les Camel qu'il pouvait mettre de côté.

Il gardait aussi du chocolat pour les sentinelles de l'Armée rouge, des garçons et des filles russes qui ressemblaient à de petits enfants à côté d'un marin de vingt-trois ans, de petits enfants avec des tétons sucrés au chocolat dans leur bouche. Les bâtons et les barres de chocolat d'Oliver arrivaient de Sébastopol (un navire de communications américain y était ancré) avec le courrier du Patron. F.D.R. n'était pas venu à Yalta pour négliger Oliver Beebe. Le marin aurait été perdu dans le palais du tsar sans ses chocolats.

Il se sentait bien seul, l'après-midi, tandis que le Patron était attablé avec Winnie et Oncle Joe. Le Premier ministre avait aussi amené sa fille. Sarah, elle s'appelait, Sarah Churchill. Elle emmenait Anna en excursion loin du palais, et Oliver restait seul avec Kirkland Horn. Horn fixait Oliver avec une telle violence que le garçon devait détourner les yeux vers la fenêtre. Étrange regard que celui de Horn à Yalta. La fureur boursouflait Kirkland. Le marin n'aurait pas dû se trouver là. F.D.R. avait décidé au dernier moment qu'il ne pourrait survivre sans son « petit » en Crimée. Kirkland devait donc protéger le Président, vider le palais des hommes du N.K.V.D. (ils étaient déguisés en domestiques avec des pantalons blancs lorsque Kirkland était arrivé) et surveiller ce petit espion à la mèche relevée.

Oliver ne pouvait pas baisser son pantalon dans les W.-C. du Patron sans voir des yeux clignoter derrière des orifices aménagés dans le mur. Il restait dans sa chambre. Il regardait dehors les douces ondulations couleur d'encre de la mer et évoquait le visage de sa sœur. Il aurait aimé être dans la pension, avec Nita. Pas besoin de se peloter. Nita serait restée habillée. Il aurait reniflé les racines noires de ses cheveux et le monde aurait pu s'écrouler dans le néant.

Un jour qu'il rêvassait ainsi à sa sœur, il rencontra Youssipev. Le marin dehors, sous la véranda, découvrit sur la pelouse du palais un homme accompagné de deux agents du N.K.V.D. Il portait un uniforme moutarde avec deux étoiles aux épaulettes. Il était petit et trapu, avec la moustache de Staline et un visage vérolé, d'épaisses jointures digitales et des pieds minuscules. Mais il ne pouvait s'agir d'Oncle Joe. Il n'inspirait aucune terreur aux hommes du N.K.V.D. Ils lui faisaient des grimaces comme s'ils gardaient un ours dressé qu'ils auraient traîné à travers la pelouse avec une corde invisible autour du cou. C'était Youssipev, le double de Staline.

Staline avait cinq doubles répartis un peu partout sur le front pour tromper ses ennemis. Ce Youssipev en était encore un autre, destiné à attirer tout fanatique ou agent antisoviétique désirant tuer Oncle Joe. On lui avait tiré dessus onze fois. Un Ukrainien fou lui avait presque enlevé le menton en le mordant dans les rues de Kiev. Oliver, de la véranda, héla Youssipev. Il avait appris comment demander à quelqu'un son nom en dialecte moscovite.

Youssipev tendit l'oreille. Puis il sourit. « Youssipev », répondit-il. Avec de simples haussements d'épaules, il fit comprendre qu'en dépit des épaulettes, il était prisonnier du N.K.V.D. Oliver montra du doigt les hommes du Service secret dont les têtes surgissaient toutes les deux ou trois minutes de chaque côté de la véranda. Youssipev sourit à nouveau. Il salua Oliver Beebe. Il avait dû comprendre qu'Oliver était lui aussi prisonnier. Une autre sorte de Youssipev. Une de ces personnes tenues à merci par les grands hommes qui aiment garder sous la main quelqu'un à engueuler, quelque chose à pressurer, à jeter. Youssipev sortit une cigarette de sa poche et, traînant les pieds, rebroussa chemin sur la pelouse. Les hommes du N.K.V.D. semblaient le tenir avec une corde invisible.

Et Oliver resta seul avec des images de Youssipev, l'homme qui était et n'était pas Oncle Joe. Mais il dut suspendre ses réflexions sur le thème des doubles. La séance plénière serait interrompue tôt ce soir. Le Patron devait se rendre à la villa de Churchill. Oliver descendit pour sortir F.D.R. de la salle de bal. F.D.R., au visage hagard et bleu. Au cou de plus en plus décharné, près de la mer Noire. Il avait des cavités sous les yeux et à peine la force de coincer ce fume-cigarette d'ivoire dans sa bouche. Sa fatigue était liée à l'état de la Pologne. Ils avaient parlé, marchandé, s'étaient lancé des regards pleins de menaces, mais personne ne pouvait ébranler Oncle Joe. Les généraux, maintenant assis dans la chambre à coucher du tsar, entouraient M. Roosevelt, nu sous une serviette de toilette. Les généraux fanfaronnaient et lançaient des projets fumeux pendant qu'Oliver frottait le corps de F.D.R. qui écoutait chacune des idées et les réfutait une par une en haussant les épaules. L'Armée rouge avait passé l'Oder. Staline se trouvait maintenant en Pologne pour y rester. Fait auquel les généraux devraient s'habituer. Le Premier ministre et F.D.R. pouvaient toujours se raconter des histoires sur des « élections libres », mais Staline ne lâcherait pas le morceau en faveur d'un quelconque gouvernement polonais en exil, hébergé pour l'instant à Londres et entouré d'officiers qui se pavanaient en uniformes britanniques autour de Leicester Square. Staline choisirait un gouvernement pour les Polonais. F.D.R. en était écœuré.

Il porterait simplement son vieux costume gris à la réception de Churchill. Le Service secret dut secouer Harry Hopkins pour le faire sortir du lit. Harry entra dans la voiture du Patron en pyjama sous son manteau. Et ils se rendirent à Vorontsov, la villa de Churchill au bord de la mer. Oliver, Harry et le Patron entrèrent dans la salle à manger avec l'interprète du Patron, penché derrière le fauteuil roulant, comme un hôte que l'on n'aurait pas convié. L'équipe britannique se trouvait à table avec les généraux de Staline. Oncle Joe n'était pas encore arrivé.

Churchill accueillit Harry et le Président, salua Oliver à contrecœur. L'équipe britannique avait l'impression de rencontrer un mort. Le propre médecin de Churchill était convaincu que F.D.R. n'en avait plus que pour quelques mois. Tout le monde dans la pièce avait remarqué son teint bleuâtre et ses mains tremblotantes.

Les Anglais regardaient Oliver de travers. Celui qui massait le Président des États-Unis, ce Raspoutine en vareuse. Insufflait-il un étrange souffle chaud dans les membres mourants du Président ? Ce lugubre garçon aux sourcils noirs et aux cheveux sombres décidait-il les stratégies de l'Amérique ? Comment savoir ce que pensait Oliver alors qu'ils n'arrivaient pas à le faire parler ? Il veillait sur le Président avec une expression stupide. Mais les yeux étaient rusés. L'air de dire : qu'ils fassént grise mine, ces Anglais, jusqu'à ce que leurs nez en tombent. Impossible d'en savoir davantage sur Oliver Beebe.

Les généraux russes étaient assis, avec leurs pouces dans les manches. On aurait dit un paquet de jouets étranges en vêtements militaires, capables de péter, de respirer, de plonger des regards absents dans leurs verres de vodka et de ne lancer que de petits sourires pincés, stupides. On entendit alors un claquement de bottes retentir dans le couloir, et les jouets s'animèrent. On voyait la terreur sourdre dans les yeux des généraux. Les portes s'ouvrirent avec un gémissement plaintif. Des gardes de l'Armée rouge affluèrent dans la salle. Ils ne se montrèrent pas impolis à l'égard des Américains ou des Britanniques, ils sourirent à Roosevelt et au Premier ministre, firent une inspection sous la table du dîner et partirent sans retourner les tasses ou faire voler en éclats une seule assiette. Staline entra avec ses deux singes, Molotov et Gromyko, et deux gardes du corps du N.K.V.D. Les généraux russes se levèrent comme un seul homme, parcourus d'un frisson hystérique. Et la soirée commença.

Staline ne resta pas à bouder sur sa chaise. Il se déplaça autour de la table pour serrer la main de Churchill et s'enquérir de la santé du Président. Il s'arrêta devant Ollie. Un des généraux fit office d'interprète. Staline demanda au marin comment il trouvait la mer Noire. « Elle est belle, dit Ollie, mais les dauphins font trop de bruit sous ma fenêtre. Je n'arrive pas à dormir. » Staline étouffa un petit rire tandis qu'on lui murmurait les paroles d'Oliver à l'oreille. Et il murmura à son tour trois courtes phrases que l'interprète de Roosevelt écouta pour le marin.

— Les dauphins sont membres du parti. Je ne peux les chasser. Mais je peux leur dire d'aller nager sous la fenêtre de quelqu'un d'autre.

Autour de Winston Churchill, il y eut de petits rires polis pour faire plaisir à Oncle Joe, mais rien de ce qui concernait Oliver ne pouvait passionner l'équipe britannique. Ils méprisaient l'attention que Staline portait au marin. En revanche, les dauphins firent éclater de rire F.D.R. Son teint livide, bleu-gris, disparut. Il rejeta sa tête en arrière, et Churchill fut ahuri. C'était le Roosevelt d'avant, vigoureux, alerte, avec cette puissante tête de lion et un rire qui aurait pu englober tout un continent de choses : hommes, femmes, chaises, palais et arbres. Un rire contagieux au point d'anéantir toute résistance. A ces moments là, Roosevelt savait ensorceler le monde.

Le rugissement prit fin. La tête retomba et le teint grisâtre réapparut. On ne retrouva qu'un homme au bord de la mort. Le plus jeune des Trois Grands, mais qui ne pouvait entrer dans une pièce sur ses jambes, comme Oncle Joe. Il devait être porté ou poussé dans son fauteuil roulant ou devait approcher du sol et ramper, petit enfant qui venait de fêter ses soixante-trois ans. Il avait toute sa tête. Il pouvait encore se montrer le vieux maquignon, penché sur vous pour vous gagner à sa cause, mais en Crimée il lui fallait marchander avec un cou décharné et des mains qui ne cessaient de trembler.

Trente-sept toasts furent portés cette nuit-là dans la villa de Churchill. Le Premier ministre buvait sa vodka cul sec.

Trente-sept fois il se leva de sa chaise pour boire avec les popofs et le petit groupe qui accompagnait Roosevelt. Ni les généraux russes, ni Staline lui-même ne pouvaient rivaliser avec la soif de Winston. Oncle Joe gardait un pot d'eau à côté de son verre de vodka. A partir du dixième ou onzième toast, il buvait surtout essentiellement le contenu du pot. Roosevelt ne prit pas de vodka du tout. Comme Harry, il mordillait son verre d'eau. Mais Oliver fit le fou et essaya d'accompagner Winston Churchill. Il eut bientôt le regard malicieux d'un renard. Les serveurs de Churchill auraient pu tordre sa vareuse et en tirer une pinte de vodka. Le comportement suffisamment relâché du marin lui permettait de regarder de travers à son tour l'équipe britannique. Churchill lui offrit un cigare. De chaque côté de la table, Ollie et le Premier ministre fumèrent et réduisirent à néant deux verres de vodka sous la pression de leurs dents. Churchill commençait à admirer le dingue américain. Raspoutine avait du cran dans son genre. Il ne plongeait pas sous la table, quoi qu'on lui mît dans la bouche.

Oliver se sentait bien. Ses genoux tenaient bon. Il pouvait toujours prendre des lentilles à la petite cuiller ou lécher le caviar sur le manche de son couteau. Les vapeurs dans ses yeux ne lui avaient pas donné d'hallucinations. Il voyait bien un autre Staline dans la salle ! Le marin dévisageait Youssipev. Staline avait dû faire entrer son double pour amuser Churchill et F.D.R. Assis seul dans un coin, dans son uniforme de maréchal, Youssipev n'avait même pas de place à table. Ici, en face des alliés, on lui permit de mimer Oncle Joe. Il alluma des cigarettes, essuya sa moustache, prit le pot d'eau pour couper sa vodka. Tout le monde éclata de rire. F.D.R. s'était remis à rugir. Hopkins émergea d'un sommeil léger pour émettre un son fragile de malade. Winston faillit avaler son cigare. Staline riait *et* pleurait, un mouchoir sur la figure. Il marmonna quelque chose dans son mouchoir. L'interprète essaya d'atténuer le discours tordu de Staline. « Je suis un vieillard... je suis un vieillard... je suis un vieillard. »

Pendant toute l'imitation, Youssipev avait regardé Oliver Beebe, comme si existait entre eux une sorte de fraternité, la camaraderie de fous. Mais les mots de Staline sous le mouchoir atteignirent Youssipev. L'uniforme sembla se resserrer autour de son cou. Il détacha son regard d'Ollie, baissa les yeux. Le double avait commis le grave péché de faire pleurer Staline. Un homme du N.K.V.D. lui toucha l'épaule, et Youssipev sortit.

Staline s'essuya les yeux et porta le toast suivant. Était-ce au roi d'Angleterre ? à Harry the Hop ? à Youssipev ? Les oreilles d'Oliver sifflaient trop fort. La pièce rétrécissait autour de lui. Un général britannique dut quitter le côté de la table où il se trouvait pour aller piquer les côtes d'Oliver.

— Levez-vous, levez-vous. M. Staline boit à votre santé.

Le général saisit Oliver par les coudes et le leva de sa chaise. Autrement, ils n'auraient pu terminer le toast. Le marin remarqua des punaises dans les lustres. Il avait de la vodka dans la bouche. Aucun Anglais n'aurait osé le retirer de la table. On le tint en place jusqu'à ce que Churchill trouvât une nouvelle personne à qui porter un toast. Alors le marin retomba sur sa chaise. Il ne se fit pas mal aux bras. La chute fut douce. Avec une expression de malice cruelle sur le visage, il dormit jusqu'à la fin de la soirée.

# La Première Dame
# du monde occidental

## TRENTE ET UN

Oliver ne fut pas éveillé par le jeu des dauphins sous sa fenêtre. Le Service secret le sortit du lit. Le marin ne devait pas rater l'avion. Il rentrait à la maison dans le *Sacred Cow*, avec les amiraux, les généraux et le secrétaire d'État, mais sans F.D.R. qui allait cet après-midi quitter Sébastopol en bateau à destination du Moyen Orient. Il avait rendez-vous avec « trois rois arabes » pour parler d'une patrie pour les juifs. Oliver ne put même pas dire au revoir au Patron, enfermé dans une pièce avec le maréchal Staline. Oliver donna ses dernières barres de chocolat fourré aux soldats russes, traversa dans une voiture de l'armée les montagnes qui surplombaient la mer Noire, et monta à bord du *Sacred Cow*.

Une tragédie frappa le marin quand il arriva à la Maison-Blanche. L'ex-impératrice Zena venait de mourir pendant son sommeil. Mme Roosevelt était allée donner une conférence à Los Angeles, et aucune de ses assistantes ne voulait assumer la responsabilité d'enterrer une ex-impératrice. La tâche échut à Oliver. Personne n'avait jamais dit au marin comment mettre les gens en terre. Il dut partir de zéro.

Pas moyen de sortir Zena du grenier. Elle était étendue dans un cercueil fabriqué par les menuisiers de la Maison-Blanche selon les instructions de la secrétaire de Mme Roosevelt. Ce cercueil provisoire faisait fuir les bonnes qui avaient bien aimé Zena, mais ne voulaient pas approcher de sa chambre. Oliver ne craignait pas les cercueils de menuisiers. Il savait que les enfants de Zena avaient été assassinés pendant la guerre. Il dut cependant passer en revue ses affaires pour savoir si elle avait des parents quelque part dans le monde. Il découvrit seulement des brochures d'un ordre de frères mendiants près de Buffalo (New York). Le marin n'hésita pas une seconde. Il téléphona aux frères. Ils enterreraient Zena dans leur cimetière s'il pouvait l'acheminer à Buffalo avec un permis d'inhumer en bonne et due forme. Il manquait à Oliver l'autorité nécessaire pour mettre Zena dans un train. Il descendit deux étages et coinça le premier amiral qui sortit de la Salle des Cartes. L'amiral se fit tout petit en voyant les rides lugubres sur le front d'Oliver.

— Il y a une dame en haut. Elle était impératrice de Bulgarie. Elle vient de mourir. Le Patron n'est pas ici pour la pleurer. C'était son ami. Il va se mettre en pétard si la Marine ne fait rien. Je n'arrive pas à trouver son constat de décès. Envoyez un médecin de la Marine et dites-lui d'en faire un autre. Je vais avoir besoin d'un chauffeur et d'un camion pour la transporter à Union Station et les papiers nécessaires pour l'expédier sans ennui avec les contrôleurs. Amiral, s'il y a des bavures, vous allez voir le Patron, vous en prendrez pour votre grade et la Marine avec.

Ce fut l'hystérie lorsque Mme Roosevelt revint de L.A. Sa bande essaya de dissimuler son manque de dévouement à l'égard de l'ex-impératrice. Elles lui présentèrent une liste mesquine de détails. Une mort au grenier, dirent-elles. Pauvre Zena. Nous avons dû forcer cet Oliver Beebe à se charger de son enterrement. La Première Dame sentait que le discours pointu de ses assistantes cachait quelque chose. Elle ne prit pas la peine de leur répondre, elle leur lança un regard furibond, d'un bleu-gris glacial. Les femmes se dirent qu'elles devraient prendre garde. Eleanor était en rage. La Première Dame ne vous flanquait pas à la porte, et ne vous giflait pas. Mais si vous ne trouviez pas place dans le champ de sa miséricorde, Dieu vous préserve ! Eleanor n'oubliait jamais.

Sous son regard implacable, ses assistantes s'effondrèrent en pleurs. Syllabe après syllabe, elles lâchèrent le récit de leur propre négligence. Le visage bouffi, elles mentionnèrent la bonté d'Oliver pour Zena. Eleanor leur dit de se repoudrer les yeux.

Au pas, l'une après l'autre, les filles s'engouffrèrent dans le cabinet de toilette d'Eleanor pour s'arranger la figure. Elles fermèrent la porte, tirèrent des bouffées de Chesterfield au-dessus du lavabo. Elles connaissaient leur Eleanor. Elle n'avait pas approché le lit de Franklin depuis trente ans. Et pas à cause des ravages de la polio. Franklin l'évitait bien avant de devenir paralytique. Il avait eu cette liaison avec la propre secrétaire de sa femme au temps où il travaillait dur pour le Département de la Marine sous le président Woodrow Wilson. Il aurait pu s'enfuir avec cette Lucy Mercer à la vaste poitrine si sa mère ne l'avait menacé de le rejeter de la famille Roosevelt. Mère Roosevelt n'y alla pas par quatre chemins. Franklin ne devait plus revoir Lucy. Mais Eleanor ne put pardonner. Sûre de son bon droit, elle refusa dès lors de coucher avec Franklin. La femme légitime du gouverneur, puis du président Roosevelt avait ses propres appartements. Franklin n'y trouva pas à redire. Il lui fit construire une petite maison de campagne et une piscine à Val-Kill. En ce qui concerne Frank, gloussaient les filles dans le cabinet de toilette, Eleanor peut faire tintin.

Elles étaient simplement humaines. Comment suivre le rythme d'Eleanor ? Elle avait toute l'énergie d'une femme déçue. Capable de passer d'une bonne cause à une autre ; des Noirs aux mineurs puis à la maternité. Tout valait mieux que de rester dans un lit vide. Les assistantes partageaient exactement les mêmes idées, par contre, elles se reposaient de temps en temps trente secondes, s'arrêtaient pour avaler un sandwich, se limer les ongles. Elles ne se précipitaient pas sur vous comme un ouragan.

Eleanor descendit au sous-sol. Elle s'assit près d'Oliver et excusa ses filles. Le marin, la tête déjà en feu d'entendre tant de plaintes d'amiraux, écouta cependant la Première Dame. Ensemble, loin des secrétaires chamailleuses et des bonnes superstitieuses, ils purent pleurer en paix l'ex-impératrice. Ils iraient à Buffalo au printemps, dit Mme Roosevelt, et rendraient visite aux frères d'Oliver. Une Première Dame comme elle, il n'y en a pas deux, pensa Oliver. Elle serait revenue à toute vitesse de Los Angeles pour toucher la main de la défunte, si ses filles ne lui avaient caché la nouvelle. Elle devait maintenant se préparer pour le rassemblement nègre. Elle occuperait demain un banc à Lafayette Park avec une troupe de mères noires, répondrait à leurs questions, et parlerait à la foule.

— Oliver, dit-elle, veux-tu être à mes côtés au parc ?

— Oui, madame.

Le marin ferma son minuscule bureau au sous-sol après le départ de Mme Roosevelt, attrapa son caban et une poignée de sucreries, et se dirigea d'un pas sûr vers Mount Vernon Square. Le froid pinçait, en février, et Oliver s'enfonça les mains dans les poches. Les stores de sa sœur étaient baissés et les lumières éteintes dans sa chambre.

L'Espagnol obligeait Anita à baisser les stores. Allongé sur le lit, Orlando étalait ses cuisses lisses et ses mollets magnifiques. Ollie le paniquait.

— Mon chou, je ne peux pas descendre lui dire de ne pas m'attendre ? Il va se les geler dans le parc.

L'Espagnol fit un bond en travers du lit. Et Anita vit la belle texture de ses muscles sous son genou.

— Toi, ne bouge pas. Je ne veux pas que Beebe se fasse des idées. Il pourrait décider de monter. Je ne vais pas jouer à tape-mains en chantant avec ton frère. Il serait capable de m'arracher un bras.

Orlando ne pouvait pas pour le moment emmener Anita dans la chambre de Vivian. Le F.B.I. l'avait averti de ne pas se rendre au *Willard* tant que les dames nègres n'avaient pas défilé jusqu'aux abords de la Maison-Blanche et embrassé l'affreuse femme du Président. Après seulement il pourrait prendre Anita à Georgetown, au *Willard* ou sur le plancher de la chancellerie, là où il voudrait, Orlando Frayard, le bon petit garçon du F.B.I., qui avait donné Vivian de Vries, parlé du complot contre Mme Roosevelt.

— Ce fils de pute efflanqué a l'intention de la poignarder dans Lafayette Park et d'en rendre coupables les gens de couleur.

Orlando n'y comprenait plus rien. Le F.B.I. laissait circuler Viv. L'épouvantail se trimballait encore une bouteille de vin dans la poche. Et Orlando devait ramper à genoux dans une pension s'il tenait à forniquer avec Anita Beebe.

Tous les deux entendirent un petit coup timide à la porte. Orlando se saisit de son pantalon. Ses lèvres blêmirent. Mais toute cette blondeur au-dessus des yeux ne pouvait disparaître.

— Est-ce Oliver ? dit-il en se demandant à quelle vitesse il pourrait aller se recroqueviller dans le placard d'Anita.

Anita mit une robe.

— Qui est-ce ? demanda-t-elle d'une voix éraillée derrière la porte.

— C'est moi, Phil.

Son « mari » de Milwaukee, venu la voir en haillons, avec une forêt pathétique de poils sous le menton.

— Où est mon bébé ? dit-elle.

— Je l'ai laissé à la garderie catholique pour deux jours.

Anita eut des visions de Michael dans un grand panier d'église avec d'autres enfants âgés de deux ans et abandonnés.

— Anita, le F.B.I. me suit... impossible de promener Michael... toujours deux hommes en pardessus brun... j'ai dû me sauver. Ton frère travaille pour le Président... j'ai pensé qu'Oliver pourrait m'aider... quand je suis sorti du train, deux autres types en pardessus... ils sont en bas dans l'entrée.

Philip chancela sur le lit d'Anita. Il ramena les couvertures sur lui. Il grelottait.

— Peut-être qu'Oliver peut les chasser...

Anita se retourna. L'Espagnol avait enfilé sa chemise d'ambassade.

— Cessez de vous inquiéter, dit-il.

Il sortit de la chambre pour parlementer avec le F.B.I.

Anita se mangeait les doigts. Elle aurait juré qu'une sarigue remuait dans son lit.

— Philip, tu ne peux pas te conduire comme un être humain ? Sors de mes draps.

Il arracha des bouchées du sandwich qu'Anita préparait, il avait la bouche pleine de mayonnaise.

— Les gens meurent de faim à Milwaukee ? demanda-t-elle. Phil, si mon bébé est atteint de malnutrition à cause de toi, je te ferai sauter la cervelle.

— Bébé va bien, marmonna Philip, les joues gonflées.

Dieu ! Impossible de regarder les hommes ! S'ils ne s'empiffraient pas, ils vous sautaient dessus. Son Espagnol prenait-il des vacances sur les marches de la pension ? Elle était bien mal lotie, avec ce dingue d'Oliver qui aimait rêvasser, un mari qui se bâfrait de thon, et Orlando Frayard. Lando revint, content de lui.

— Mon petit gars, ils vont pas t'ennuyer. Retourne tout simplement à Milwaukee, et vite.

N'avait-elle aucun respect pour le père de son enfant ? Lando serrait à nouveau les seins d'Anita avant même que Philip n'ait eu le temps de quitter la pièce. Frayard était ravi de sa personne. Il avait descendu l'escalier, sur des genoux flageolants. Mais s'était montré un vrai dur avec les pardessus.

— Appelez le F.B.I., cria-t-il dans leurs revers, dites leur que vous êtes en train de jouer avec Oliver Beebe.

Ça marcha. Les agents utilisèrent le téléphone de la propriétaire. Ils saluèrent Orlando en rabattant légèrement leurs chapeaux et quittèrent la pension. Et il étreignit de nouveau cette fille hébétée.

Anita ne bougeait pas sous lui. Elle n'était pas éblouie par la pression de son corps. Simplement elle ne comprenait pas qu'il puisse négocier pour un insoumis comme Phil.

— Mon chou... qu'as-tu fait au F.B.I. pour qu'ils soient obligés de laisser Phil s'en aller ?

— J'ai mentionné Oliver. C'est tout.

Anita ne pouvait se détendre avec des mystères qui grinçaient dans les murs comme le bruit des souris. C'était la chambre d'Oliver. L'oreiller d'Oliver. Le lit d'Oliver. *Oliver*. Ce nom avait-il donc le pouvoir d'absoudre Phil, de le sortir du pétrin ? Le cou cambré, elle jeta un coup d'œil par un coin du store, dans Mount Vernon Square. Le caban se trouvait toujours là. Elle aurait aimé avoir une langue, une langue longue et puissante, pour traverser la fenêtre et dire bonjour à Oliver. Elle voulait lui sucer la figure, l'attraper dans sa bouche et l'y tenir. Elle le goûterait tout entier et alors elle saurait jusqu'à quel point Oliver possédait ce pouvoir magique.

Mais allez garder la tête sur vos épaules à propos de votre propre frère. Tantôt il la dégoûtait, tantôt elle l'aimait. Elle lui avait lavé le sexe quand il avait quatre ou cinq ans. Un doux serpent avec des bulles de savon dessus. Est-ce l'origine de la magie ? Son cou lui faisait mal, et elle dut écarter son front de la fenêtre. Oliver passerait-il février et entamerait-il mars à l'attendre ? Et pourquoi ne pas avoir de frère sous sa fenêtre ? Qui d'autre lui aurait lavé sa petite queue ?

## TRENTE-DEUX

Oliver ne voulait pas rester planté dans le parc de Mount Vernon Square. Après trois heures passées les poings dans les poches, il partit pour la Maison-Blanche. L'épouvantail l'accrocha au coin de la 13ᵉ et de G Street, en bondissant d'une cour sale.

— Donne-moi tous tes chocolats, dit Vivian en menaçant le marin avec un canif.

On n'aurait pas pu transpercer le cou d'un poulet avec cette lame, mangée par la rouille. Oliver n'avait vraiment pas le cœur à rire. Il extirpa un billet de dix dollars de son portefeuille.

— Prends une chambre, dit-il, tu vas mourir par ce froid.

Vivian se moqua du billet de dix dollars.

— Je n'ai que faire de ta charité. J'ai une chambre dans le plus grand hôtel. Elle est chauffée vingt-quatre heures sur vingt-quatre. Mais il y a des saletés sur le lit. Je préférerais dormir avec les nègres.

L'épouvantail s'éloigna d'Oliver en traînant les pieds.

— Inutile de te parler. Tu n'es qu'un béni-oui-oui de Premières Dames. Tu lui attrapes la main, demain, au spectacle nègre, t'entends ? Et tu la serres du mieux que tu peux. Parce qu'il faudra bientôt que tu te passes d'elle.

Oliver retourna à la maison. Il s'allongea sur son lit au grenier, lumières éteintes, et tira sur sa lèvre inférieure. Vivian n'avait pas bondi sur Oliver pour lui demander du chocolat. L'épouvantail essayait de lui faire comprendre quelque chose et Oliver ne savait pas quoi. Il entendit un bruit contre sa porte. Fala venait lui rendre visite. Ollie dût se tirer de son lit et laisser entrer la petite peste. En l'absence de F.D.R., Fala se rendait toujours au grenier.

Le marin n'émergea pas de son oreiller avant que le soleil n'ait apparu sur le mur. Dimanche matin, six heures. Il demanda à Ethel Rosenquist d'appeler le F.B.I.

— Oliver, tu n'as pas toute ta tête. On est dimanche.

— Ce n'est pas un problème, répondit Oliver. M. Hoover travaille sept jours par semaine.

La standardiste du F.B.I. fut sèche.

— De la part de qui, s'il vous plaît ?

— Oliver Beebe... à la Maison-Blanche.

L'appel fut transféré chez Edgar près de Rock Creek Park. Le Directeur ne dormait pas. Il allait prendre son petit déjeuner avec ses deux chiens, et invita Ollie à venir. Le marin dut s'habiller en vitesse. La limousine d'Edgar serait au portail sud dans dix minutes. Fala regarda Oliver nouer sa cravate. Il se roula dans les couvertures et poussa une plainte horrible.

— La ferme, dit Oliver, tu ne viens pas avec moi.

Il enfila son caban dans l'escalier. Le marin n'était pas obligé d'aller à Rock Creek Park. Kirkland Horn était revenu du Moyen-Orient avant M. Roosevelt, et Oliver aurait pu lui parler de l'épouvantail. Mais il ne s'entendait pas avec le Service secret. Horn se serait moqué de lui, lui aurait fait sentir qu'il n'avait pas plus de cervelle qu'une vache. Ollie devait donc prendre conseil auprès de J. Edgar Hoover.

C'était une maison de briques rouges avec des gouttières de cuivre sur un toit gris. Ils prirent le petit déjeuner dans la cuisine. Bill, le garde du corps, le chauffeur, le jardinier et le cuisinier d'Edgar préparait les toasts. Il pochait les œufs comme personne. L'œuf arrivait en parfait état sur votre tartine grillée. Il n'était cependant guère aisé de manger à la table d'Edgar. Deux airedales, « G-boy » et « Franklin Jr. », qui avaient dû renifler l'odeur du Hors-la-loi sur ses vêtements n'arrêtaient pas de fourrer leur nez partout. Le marin sentait perpétuellement deux têtes osseuses entre ses cuisses.

Franklin Jr. était le favori de la maison. Edgar l'avait

choisi à la fourrière au mois d'octobre, comme une sorte de talisman pour aider F.D.R. à flanquer une trempe au Gouverneur Dewey. G-boy, le plus âgé et le plus fort, tyrannisait Franklin, Bill, Ollie et truffait de bleus la cuisse d'Oliver chaque fois qu'il remuait la tête. Il aurait mangé les revers du pantalon de Bill si Ollie ne s'était pas trouvé là. Mais il ne pouvait fixer Edgar droit dans les yeux. Le Directeur n'avait pas besoin d'engueuler son chien. Une crispation des bajoues suffisait. G-boy s'éclipsait.

— Oncle, un type qui s'appelle Vivian raconte des folies sur Mme Roosevelt. Pourriez-vous la surveiller lors de la marche des mères ? Vivian porte un couteau.

Bill raccompagna Ollie à la Maison-Blanche, et Edgar garda les deux chiens pour lui tout seul. Il leur donna à manger des morceaux de pain grillé et frotta leurs gueules humides avec son poing. Pourquoi fallait-il qu'Ollie devienne l'ange gardien de Mme Roosevelt ? Le marin ne faisait pas partie de sa bande de poules. Il fallait être une journaliste larmoyante ou une fille laide pour rester avec Eleanor. Edgar ne pouvait encaisser cette sorcière au visage allongé et sans corset. Elle attirait tous les gauchisants, les libéraux à mentalité de vieille fille, les grands-pères intellectuels, les philosophes noirs qui aimaient vous dire que le monde ne deviendrait vraiment monde qu'avec la disparition des armées et des marines et des services de police.

Il n'avait pas l'intention de se rendre à la marche des mères. A ses agents de se charger des meneurs et des trotskystes brindezingues. Edgar suivait la carrière de Vivian de Vries depuis 1938 quand ce bébé de Charleston avait sorti son magazine *Contempo*. Le G-man lisait tous les torchons gauchisants. Le F.B.I. devait tout examiner de près, même les radotages de Vivian de Vries.

Il n'en avait pas toujours été ainsi. On avait connu un F.B.I. en sommeil, petite section du Département de la Justice avant qu'Edgar ne vienne brusquement le réveiller. Edgar, le jeune prodige, nommé à la tête du F.B.I. en 1924, à l'âge de vingt-neuf ans. Le F.B.I. occupait alors un local crasseux au coin de la 14e et de K Street, où Edgar arrivait en costume de lin clair. Les professionnels du F.B.I., des agents souvent deux fois plus âgés qu'Edgar, se payaient la tête de leur nouveau patron. Ils voyaient son porte-documents, ses fiches, ses superbes crayons et son costume blanc et ils le surnommaient « le Boy-Scout » et « Sherlock Jr. ». Ils ignoraient « le Boy-Scout » et dormaient toute la journée dans leurs bureaux, allongés sur des chaises. Edgar enleva toutes les chaises et força les agents à démissionner.

Il embaucha des avocats et des comptables, créa un service d'empreintes digitales et un embryon de laboratoire criminel. Chaque employé disposait d'une mitraillette. Mais Edgar n'était pas content. Les agents sur le terrain attiraient sur eux l'attention quand ils déterraient un repris de justice comme Alvin Karpis. Edgar aimait l'anonymat. Il bouillait quand il tombait sur des photos d'un agent spécial serrant dans ses bras une arme comme un jouet érotique. C'était de la faute des journalistes. Les journaux avaient fait du F.B.I. un cirque du Far West. Edgar n'avait pas pour fonction de servir la gloire d'Alvin Karpis. Un travail de centaines d'heures, des dépositions à faire rentrer, des fichiers à vérifier, passer la main dans le dos du bon informateur... pour ne piéger qu'un seul sale escroc, voire un minable saboteur.

Un trotskyste errant, M. de Vries, présent dans les fichiers d'Edgar depuis six ans, s'amène à Washington l'été dernier. Il rend visite à un des propres informateurs du F.B.I., Orlando Frayard. De Vries essaye de « vendre » le coiffeur de Franklin Roosevelt aux sympathisants du nazisme à l'ambassade d'Espagne. Le trotskyste a une compagne, la sœur du coiffeur, qui a une influence énorme sur cet Oliver. Le F.B.I. avait la possibilité d'arrêter de Vries et d'avertir Roosevelt de renvoyer son coiffeur... Trop facile. Edgar devait couver ses fiches un moment. Elles n'étaient pas encore mûres.

Edgar avait déclaré la guerre au Commandant Colbert du Service secret. Le Commandant fondait d'immenses espoirs en lui-même. Il voulait mettre le F.B.I. au rancart et le remplacer par son propre F.B.I. Edgar garda donc le silence. Il mettrait le Service secret dans l'embarras quand il le souhaiterait. Il organisa un réseau fantôme, une bande d'espions qui allaient et venaient dans un club fasciste dirigé par un marquis imbécile.

Le F.B.I. lisait chaque lettre, sans exception, de la valise diplomatique espagnole. Il y avait assez de micros dans la chancellerie pour créer un petit orchestre. La moitié des Espagnols qui représentaient leur pays devaient leur gagne-pain à Edgar Hoover. Simples mesures de précaution. Au demeurant, le marin n'était pas un espion. Toute sa jugeotte, il la devait à son métier de coiffeur, son talent se limitait à ses ustensiles. Il était loyal, bête et bon. A son passif, cependant, une sale grue de sœur, une garce dépravée qui débauchait Oliver et essayait de l'embringuer dans toute cette salade autour de Vivian.

Rien n'arriverait au marin. Edgar y veillait. Il ne faisait pas une faveur à Oliver. Il protégeait le Président des États-Unis. Roosevelt était sacro-saint dans la principauté d'Edgar au Département de la Justice. Roosevelt était accroché sur tous les murs. Mais cette idolâtrie ne débordait pas sur l'entourage de F.D.R. On pouvait taper sur tous ces gauchisants qui contaminaient le pays d'idées soviétiques et embobinaient F.D.R. avec leur baratin. Les seuls vrais réconforts du Président étaient son chien, ses timbres, et un garçon tranquille comme Oliver Beebe.

Puis le vieillard du Service secret, Kirkland Horn, présenta Edgar à Beebe, l'amena chez *Harvey* et Edgar le regarda pour la première fois. Il le détailla dans cet uniforme blanc de marin. Il comprenait maintenant l'attachement du Président pour Oliver. Le marin avait le visage heureux des morts, de beaux yeux sombres qui ne conspiraient pas. Et rien à révéler sous sa mèche. Pas étonnant que Franklin le laissât loger chez lui.

Edgar se mit à apprécier le marin. Il le dérobait le soir à Kirkland Horn et dînait avec lui chez *Harvey*. Les gens les dévisageaient, pensant qu'une complicité existait entre le directeur du F.B.I. et l'aide mystérieux du Président. Le garçon devait avoir l'air plein de manigances dans son col de marin. C'était l'Amérique : un matelot de première classe dînait avec les hommes les plus puissants du monde.

Edgar quitta la table du petit déjeuner. Ses deux chiens disparurent chacun de leur côté au bout de la cuisine. Le G-man devait s'habiller. Il n'aurait pas le temps de veiller sur la sorcière et sa bande de mères noires. En costume blanc, Edgar partit dans les ruelles pour contrôler ce pourri de Commandant Colbert. Washington devait se trouver dans un bel état pour que le chef de Service secret imaginât qu'une meute de chiens minables complotait l'assassinat de F.D.R. et la prise d'assaut du District.

Colbert une fois de plus, n'y comprenait rien. Croyait-il vraiment que des animaux pouvaient acquérir un sens politique dans Nigger Lane ? Combien de ces chiens errants écoutaient les conversations de Roosevelt au coin du feu ? Le pays manquait de nourriture. Il fallait apporter son propre beurre au restaurant. Les gens faisaient chez eux des provisions de carottes. Les chiens sauvages de Washington n'existaient qu'à cause de la guerre. Ils n'avaient pas l'intention de faire flotter leur drapeau sur Massachussetts Avenue. Ils crevaient de faim dans les ruelles, voilà tout, et se rassemblaient en troupeau pour gratter quelque part quelque chose à manger.

Colbert avait mis sur pied une véritable armée de volontaires pour combattre les chiens. Des épiciers, des pompiers en retraite, des flics en congé, sous la conduite du Commandant lui-même. La guerre sainte programmée pour dimanche après-midi. Colbert attendait que les ruelles se vident des mères, des jeunes enfants et des vieillards qui allaient marcher sur Lafayette Square. Alors il boucherait toutes les issues et assassinerait les chiens. Edgar s'y trouverait, seul. Il ne pouvait pas envoyer ses agents défier l'armée de Colbert. Si le F.B.I. prenait fait et cause pour la meute des pillards, la presse le mettrait au pilori.

Il n'avait pas pour autant oublié la sorcière et lui avait arrangé un petit pique-nique. Ses hommes, incognito, entoureraient la Première Dame. Quand ce trotskyste arriverait à trois mètres, ils lui attraperaient son canif ridicule et l'expulseraient du parc. La Première Dame baratinerait tant et plus les mères et ne saurait jamais que le F.B.I. l'avait débarrassée d'un assassin. Edgar fermerait boutique à l'ambassade d'Espagne, ferait décamper de D.C. cette putain d'Anita et le marin pourrait continuer à couper les cheveux de Roosevelt.

## TRENTE-TROIS

Une folle activité régnait à la Maison-Blanche lorsqu'Oliver revint de Rock Creek Park. Les bonnes parcouraient les chambres du grenier en multipliant les signes magiques avec leurs plumeaux tandis que Fala gémissait sur le lit d'Oliver. On entendait partout les pas lourds des hommes du Service secret. Ils avaient envahi le côté nord de la maison.

Le vieillard s'énervait. Son rein le lançait à nouveau. Il pisserait du sang avant la fin de l'après-midi. Il devait travailler contre le gré de Mme Roosevelt. Eleanor ne voudrait pas d'escorte à Lafayette Square. Le rein malade donna des idées à Kirkland. Il expédia au parc des agents déguisés en vendeurs de cacahuètes et en gardes champêtres. Ils étaient censés former un rempart invisible autour de la Première Dame.

Ils avaient tout leur temps. La place ne se remplirait pas avant que les nègres ne sortent de l'église. Le dimanche s'annonçait peu banal. Il n'était pas encore onze heures lorsqu'Oliver entendit une sorte de vagissement. Fala se glissa sous le lit. Les hommes du Service secret installés sur le toit de la Maison-Blanche, baissèrent légèrement leurs jumelles vers la source des gémissements du parc. Le bruit ne s'arrêtait pas. La mélodie traversait les murs et faisait frissonner les lustres. L'endroit le plus calme de la maison, la petite rangée de cabines près de la piscine intérieure de M. Franklin, abrita les maîtres d'hôtel. Ils s'y enfermèrent à clé. Rien à faire. Ce bourdonnement rendait fou.

Mme Roosevelt quitta la Maison-Blanche avec le protégé

et le chien de son mari. Oliver fut obligé de porter Fala, pétrifié, qui voulait enfoncer ses deux oreilles dans le caban du marin.

Ollie n'avait jamais compris les dames nègres. Leur gémissement s'arrêta dès que Mme Franklin eut franchi le portail nord. Était-ce la proximité de la Maison-Blanche qui avait provoqué leurs pleurs ? Elles avaient des raisons pour détester les différentes armées du commandant en chef : leurs fils transformés en abrutis crépus auxquels on ne faisait pas confiance pour tenir une carabine ou un fusil. Elles se rassemblaient donc devant la résidence du Président et se répandaient en lamentations sur le traitement indigne réservé aux soldats et marins noirs.

Mme Franklin vivait dans cette maison où passaient des généraux, mais elle ne faisait pas partie de la machine militaire de M. Franklin. Et quand les noires la virent quitter l'enceinte présidentielle sans personne pour la protéger si ce n'est un jeune marin et un chien, et traverser Pennsylvania Avenue pour entrer dans le parc, sans chapeau ni gants, son long visage frémissant dans le froid, elles n'eurent plus à pleurer. Elle était la Première Dame du monde occidental. Elle aurait pu parcourir à pied n'importe quel sentier de terre, entrer dans n'importe quelle masure, et on l'aurait reconnue, la grande et merveilleuse dame aux cheveux blancs incapable d'éconduire quiconque. Elle préférait être assise avec des mamas de couleur que d'aller à des festivités avec les matrones de la ville. Elle n'ignorait pas les ruelles comme les femmes des présidents précédents. Passer la main dans les cheveux du premier négrillon venu, ce n'était pas qu'un geste symbolique avec Mme F.D.R. Elle était venue là pour pleurer avec les mères. Elle connaissait l'angoisse d'avoir des fils à la guerre, mais sa sympathie dépassait les détails de la vie d'une mère. Son visage chevalin et ridé, avec ces dents insensées, pouvait effacer la douleur de tous les yeux qui l'entouraient. Impossible d'ignorer la Première Dame, même dans son tailleur difforme. On était charmé par son expression attentive et maladroite.

Elle fut accueillie sur l'estrade des orateurs à l'extrémité sud du parc, avec Odessa Brown et les autres membres du comité d'organisation. Il devait y avoir dix mille mères à Lafayette Square, en incluant les hommes du F.B.I., les vendeurs de cacahuètes, les marins noirs, les flics de la ville, les touristes des hôtels de seconde catégorie, le Service secret, les employées du gouvernement venues regarder les nègres, un escadron de généraux en civil qui effectuaient leur tournée charitable des taudis, Fala, et Oliver Beebe. Le marin fit son trou aussi près que possible de l'estrade, décidé à boucher la voie à l'épouvantail, à détourner la trajectoire du couteau de Vivian, avec son caban, sa main ou sa bouche. Il dut fourrer le chien entre ses jambes pour ne pas rater Vivian.

Il y avait un nègre bizarre là-haut debout sur l'estrade, derrière Mme Roosevelt et Odessa Brown. Avec une canne, une barbe et une touffe de cheveux crépus mais pas l'allure d'un vieillard. C'était, sous la ouate, le fils que Mme Franklin avait perdu, Jonathan Roosevelt, camouflé de cette façon pour tromper le Service secret. Horn, si son regard avait transpercé la barbe, aurait arraché Jonathan de l'estrade pour avoir défiguré un de ses agents. Odessa avait encore fait preuve d'astuce, en attifant ainsi le sauvage et en l'amenant au rassemblement pour la protéger, ainsi qu'Eleanor, de ces blancs et de ces nègres fous.

Les gens commençaient à montrer du doigt Ollie et Fala entre ses jambes. Le marin et le chien de Roosevelt. Mais Oliver ne donnait pas d'autographes. Il se mordait les lèvres et fixait les orteils du sauvage.

Sa sœur le découvrit ainsi. Accompagnée d'Orlando Frayard, elle se trouvait à une dizaine de mètres d'Oliver, et elle repéra son caban et son béret de marin. Il n'aimait pas bouger. Il restait figé dans une attitude particulière. Même une armée de mères noires n'aurait pu le déloger. Anita était contente d'épier son frère, de regarder sa mèche et les gonflements passagers sur les contours de son visage. A quoi songeait Oliver ? Et pourquoi semblait-il si beau en compagnie de touristes, de vendeurs, de flics, et de vieilles mamas ? On adorait son frère à Lafayette Square. Tous ces regards pour Ollie, comme s'il était un morceau de Roosevelt lui-même qu'on pouvait toucher du petit doigt.

Une lame de métal lui érafla le bras. Anita poussa un

petit cri. Orlando était déjà penché sur son ex-petit ami, de Vries.

— Tu t'es trompé de dame. Rengaine ce couteau.

Vivian reluqua Anita.

— Je pourrais autant avoir la poulette avec... Lando, laisse-moi la taillader.

Ils en étaient aux mains, ses deux foutus amants, mais on aurait dit un jeu lent et délibéré dans lequel il fallait cacher ses mouvements à tous les autres. Orlando parlait, la voix éraillée, entre des gestes silencieux pour éloigner le couteau.

— Cousin, tu vas rater ta grosse chance...

La lame de Vivian lui faisait des raies rougeâtres sur les phalanges.

— Les flics n'aiment pas les enfants qui jouent avec des couteaux... Viv, tu ferais mieux d'arrêter. La garce de Franklin pourrait bien ne pas t'attendre. Elle a d'autres discours à aller faire.

Vivian, le cou raide, redressa les épaules et échappa à Orlando.

— Mon chou, dit Anita, que diable se passe-t-il ?

Vivian zigzaguait entre les nègres, jouait des coudes pour se frayer un passage tout en écoutant les mères sur l'estrade s'adresser à la triste reine de M. Roosevelt. Leurs piaillements ne signifiaient rien pour lui. Fils ? Armée ? Marine ? Aides à la cuisine ? Latrines ? Ce n'étaient pas les revendications de Vivian. Il en restait à l'homme qui faisait des courbettes à Staline et avait aidé à assassiner Léon Trotsky. Roosevelt, l'empereur et le roi qui étranglait l'Amérique et se repaissait de sang humain. Sa reine babillait maintenant. Ses crissements ne déplaisaient pas à Vivian. Elle mentionnait les cœurs et le sacrifice, l'injustice de la guerre, le projet de son mari pour une nouvelle organisation mondiale qui combattrait le racisme, la faim, l'indifférence à la misère humaine. Elle l'appelait les Nations-Unies. Vivian sourit. C'était la manière qu'avait l'empereur de morceler des bouts de planète pour les gens avides de son espèce, Churchill, Staline et Chiang Kai-Shek. Vivian opérerait aussi un peu de morcellement. Sur cette impératrice lippue qui adorait jacasser dans un champ de nègres. Il se mit à donner des petits coups de couteau dans l'air en marmonnant au-dessus des épaules des mères. Miss Eleanor, là, Missy, Missy, Miss.

Oliver entendit des bribes de la chanson de Vivian avant même d'avoir remarqué dans la foule la tête dansante de l'épouvantail. Où étaient les gars d'Edgar ? Deux hommes en pardessus brun s'avancèrent dans l'écran mouvant des touristes et des mères noires mais ils n'arrivaient pas à atteindre Vivian. Oliver allait lever la tête en direction de l'estrade pour hurler *Madame Franklin, sauvez-vous, je vous en prie,* quand il aperçut le flou d'une barbe cotonneuse passer au-dessus de lui. Jonathan avait les yeux d'un sauvage entraîné à Tangier. Les couleurs d'une lame rouillée dans cette lumière limpide de février, ne pouvaient lui échapper. Le couteau était peut-être destiné à l'une ou l'autre de ses deux mères, Mme Roosevelt et Mme Brown. Jonathan fut contraint de sauter.

Les habitants de Washington n'avaient jamais vu un sauvage dans les airs. Des épaules pouvaient donc tomber du ciel ainsi ? Vivian s'effondra sous le coup. Jonathan avait la ruade nonchalante et précise d'une mule en folie. Mais sa barbe se détacha, et les hommes du Service secret reconnurent le maître d'hôtel qui avait balafré l'un d'eux pour le reste de sa vie. Jonathan escalada Vivian et disparut dans la foule des mères noires. Des touristes poussèrent des hurlements dans sa direction. Vivian se convulsait par terre. Son front verdissait.

Anita, viscéralement dévouée à cet enfant de salaud, voulut se précipiter près de lui. L'Espagnol lui coinça le bras. Elle sentit qu'une immense amertume envahissait Orlando, une déception qui donna à sa bouche et à ses yeux des contours pas beaux à voir.

— Tu ne peux rien faire pour ce gars-là. Allez viens.

Fala n'aurait pu rester en vie sous les jambes du marin. Il était ballotté sous la pression des talons et des semelles jusqu'à ce qu'Oliver se rappelle de le ramasser. Fala avec des touffes de poils dans les yeux et deux pattes en sang. Oliver le fourra dans son caban, et partit à la recherche de Jonathan Roosevelt. Le sauvage sortit à quatre pattes du parc à la hauteur de Madison Place. Le Service secret et la police du District ne furent pas assez rapides pour lui mettre la main dessus. Le sauvage se dirigeait-il chez lui, à Crawfish Alley ? Oliver devait l'avertir. Les putains de Mme Brown ne pouvaient venir en aide au sauvage. Le Service secret le cueillerait sur les marches de n'importe quel boxon de Nigger Lane.

Impossible de suivre Jonathan avec un chien dans son caban. Fala ralentissait sa marche. Il fut obligé de le déposer sur le sol boueux de Nigger Lane. Le vent pinçait fort dans les ruelles, et le chien de M. Franklin ne voulait pas bouger du pantalon de marin d'Oliver, petite tente bien pratique.

— Fous-le-camp, dit Oliver, comment veux-tu que je coure avec tes pattes dans mes jambes ?

Et Fala devait suivre, perdu dans le tourbillon.

C'était une course de fous, d'une ruelle à une avenue puis dans une ruelle à nouveau, Oliver axé sur la tête de ouate. Pas moyen de gagner du terrain sur Jonathan Roosevelt. Le sauvage donnait une leçon de géographie à Oliver. Poursuivre Jonathan Roosevelt donnait la schizophrénie. Le climat mental du marin ne pouvait absorber les contrastes soudains. Une chèvre affamée derrière une ambassade sur Massachussetts Avenue fit cligner les yeux d'Oliver. Il s'arrêta et lui donna à manger un bâton de chocolat, puis il reprit sa course trébuchante derrière Jonathan. Il tomba sur un bébé étendu dans un carré de verdure. Le bébé était mort. Oliver s'accroupit dans l'herbe. La poursuite l'avait éreinté. Il aurait juré être à Weehawken, en train de jouer sur un terrain vague. Il se mit à pleurer. Quand il se releva, le sauvage se trouvait debout, près de lui.

— On n'enterre pas les bébés dans cette partie de la ville ? lui demanda Oliver.

— Et pourquoi ? Le vent vaut bien une pelle. Il va faire à l'enfant une tombe confortable.

— Il y a des chiens dans les ruelles, des chiens sauvages. Ils mangent les rats. Ils ne vont pas manger un bébé mort ?

— Non, monsieur Ollie. Ces chiens sont des chiens nègres. Parfaitement loyaux. Ils ne mangeraient pas un enfant nègre.

Jonathan dévisagea son ancien mentor, le gars de la

marine qui lui avait enseigné les manières de ce monde : l'utilisation des brosses à dents, des sièges des W.-C. et des peignes. Il avait encore de l'affection pour Oliver Beebe.

— Pourquoi m'avez-vous suivi, monsieur Ollie ?

— Pour te dire de rester à l'écart de chez Mme Brown. Le Service secret n'est pas aveugle. Ils t'ont vu sur l'estrade. Ils savent que tu es chez Odessa.

— Qui dit que je vais chez Dessa ? Ces affreux n'auraient pas la moindre chance de m'attraper sans vous et le chien.

— Jonathan Roosevelt, qu'est-ce que tu racontes ?

— Ils n'ont qu'à suivre le caban et le chien de Roosevelt... Que lui est-il arrivé, monsieur Ollie ? Où est Fala ?

Oliver tâta le bas de son pantalon. Le chien ne s'y trouvait pas. Jonathan fut obligé de dire au revoir.

— La ruelle se remplit, monsieur Ollie. L'odeur d'un affreux dans le vent, on ne s'y trompe pas.

Le sauvage s'accroupit contre les murs des baraquements et fonça la tête la première, son épaule gauche éraflant le bois pourri des bords de la ruelle. Le marin ne put s'empêcher de pousser un dernier cri.

— Jonathan tu devrais te cacher dans Rock Creek Park.

— Je ne saurais comment y aller, monsieur Ollie. Merci.

Oliver entendit les claquements de l'os sur le bois, puis le bruit cessa. Le vent grondait sur son visage, le marin était complètement ahuri. Incapable de sortir de Nigger Lane. Ses pieds faisaient de tout petits pas dans l'herbe. Il avait besoin d'un homme plus âgé.

Kirkland Horn remontait la ruelle dans ses chaussures à semelles de caoutchouc. Il avait dû se rendre compte que le marin était affolé. Il n'essaya pas de secouer Oliver pour obtenir des informations. Il fit une grimace en voyant le bébé par terre. Il avait soixante-cinq ans. Et il ne pouvait détourner ses yeux d'un enfant mort. Il se pencha et le ramassa, la peau comme de l'écorce contre ses gants. Il colla le bébé sous son manteau et hocha la tête vers Oliver. Quinze pas et un seul tournant, suffirent pour qu'ils se retrouvent dans une sorte de jardin donnant accès sur Vermont Avenue. Seul le grenier lui était un foyer. Oliver ne savait plus se promener loin du toit du Président.

## TRENTE-QUATRE

Fala ne pataugea pas longtemps dans Chicken Bean Row. Des rats aux ventres longs, une chèvre barbichue avalant du chocolat avec le papier, des cloportes sournois, de gros cailloux glissants, des poupées sans tête ni orteils, des carottes sauvages et de la merde humaine ne pouvaient effrayer le Hors-la-loi de Fala Hill. Ses pattes se cicatrisaient avec des croûtes de boue. Il courut, des poils pleins les yeux. Et rejoignit une meute de bâtards qui avait pris possession de Nigger Lane.

Les chiens ne lui tinrent pas rigueur de son pedigree. Ils acceptaient l'idée d'aller en fouilles avec Fala. Mais ces animaux étaient aguerris, avec tous les avantages qu'apportent les croisements. Ils avaient de larges fronts, de petits yeux roses, du gras à la gorge pour protéger leurs veines jugulaires, des garots massifs difficiles à agripper, des parties génitales qui se repliaient sous le ventre pendant les combats, de fortes babines, des crocs bruns nauséabonds, et sur la crête du cou, une série de cicatrices qu'ils exposaient aux ennemis.

Ils avaient une manière à eux de se ranger pour l'attaque. Ceux qui portaient le plus de cicatrices formaient le pourtour de la meute. Ils étaient censés inspirer la terreur. Les plus petits, plus faibles, se tenaient au centre et venaient en renfort chaque fois qu'un chien de tête tombait. Fala n'était guère apte à la bataille. Nourri au régime d'un homme riche, de café, de sucre et de tartines grillées, il n'avait pas ce désir violent de renverser d'un coup une poubelle et de chercher avec son museau quelque chose à manger. Et comment mettre en fuite un chien étranger, sans cicatrices sur son doux pelage noir ? Il avait trop long-temps fréquenté les humains. Dorloté à la Maison-Blanche, câliné et photographié, il puait le lait et les Camel.

Il était le nouveau venu, le chien vulnérable qui occupait l'endroit le plus central. Il courait avec les boiteux et les borgnes, des chiens inutiles, les derniers à manger, les premiers à chercher un abri pendant la guerre.

Fala ne s'irritait pas d'occuper le dernier rang au sein de la meute. Il se sentait heureux de se trouver en compagnie des faibles, de prêter assistance aux blessés, de s'appuyer sur un compagnon et d'aider à reformer les lignes avec son propre corps menu. Ces chiens avaient la force de frappe d'une mini-tempête. Ils déferlaient des ruelles et se lan-çaient dans les avenues distinguées, comme un éclair de bêtes affamées écrasant des pots de crème, renversant des étagères d'épices aux devantures des marchands de légumes, volant des déchets dans des camions de bouchers, déchirant des sacs d'épicerie laissés en face des portes. Pil-ler, foncer. Piller, foncer. Autrement la police et les déta-chements spéciaux les auraient attrapés avec leurs longues perches.

La meute ne pouvait s'en tenir à une ou deux zones de Nigger Lane. Il n'y avait guère de quoi se nourrir dans les ruelles. Des carottes amères, des insectes et de la merde. Les chiens devaient donc se risquer à rencontrer les agents de fourrière, et d'autres bandes de bâtards qui faisaient les poubelles à la recherche de la même nourriture. Un vrai ravage entre meutes rivales. Les chiens du pourtour perdaient des yeux. Des oreilles et des queues disparais-saient.

Fala dut soutenir dix-sept assauts. Du sang lui gicla des-sus, mais les chiens costauds le protégèrent et il garda sa queue. Il se passait des choses étranges dans les ruelles. Des hommes en sarraus gris de boucher étaient arrivés pour chasser les chiens nègres. Un détachement pas ordinaire. Ils portaient des couteaux, des matraques et des flingues. Accroupis près d'une issue, ils tombèrent sur toute une foule de chiens. Les fusils retentirent comme des canons dans Nigger Lane. C'était le commandant Colbert et ses volontaires, organisés en groupes de combat.

Le Commandant avait de la saleté et du courage jusqu'au cou. Il n'avait jamais été aussi heureux de sa vie. Il sauvait Franklin Roosevelt des hordes de bâtards et prenait sa revanche sur les ruelles. Nigger Lane n'en pouvait plus d'absorber des bâtards. Colbert tenait ses cartes à la main. Il pénétrait dans tous les souterrains, tous les recoins, il repérait avec précision le moindre bâtard tapi sur un tas d'ordures nègres. Puis un de ses groupes d'éclaireurs aperçut un homme en costume blanc, et la joie du commandant s'évanouit.

Ses hommes ne tueraient pas des chiens sous les yeux d'Edgar Hoover. Ils n'étaient que des bouchers, des épiciers et des flics en congé. Le F.B.I. épouvantait au point de dépouiller de leurs sarraus le dos des volontaires. Colbert s'approcha d'Edgar, aveuglé de rage.

— Hoover, les ruelles ne sont pas de votre ressort. Foutez-moi le camp d'ici.

Les bajoues d'Edgar ne s'enflammèrent pas. Il n'envoya pas de postillons à la tête du Service secret. Il garda son accent tranquille de Virginie.

— Commandant, je pense que je vais m'installer sur l'herbe un moment. Ne vous préoccupez pas de moi, fiston. Continuez votre travail.

Le Commandant se précipita aux différents avant-postes pour tenter de rassembler ses hommes. Mais la nouvelle de la présence d'Edgar était déjà parvenue aux avant-postes. Les bouchers déposaient leurs flingues. Il restait à Colbert une petite troupe d'épiciers et de vieux de la vieille du Service secret. Les volontaires s'apprêtaient à tomber sur une nouvelle meute. Ils sentaient le sol trembler. Les bâtards fonçaient à nouveau. Le Commandant leva le bras. Les volontaires tireraient quand le bras se baisserait. Le signal n'arriva pas. Les dents claquaient dans la tête du Commandant.

Colbert avait reconnu un petit scottish dans la meute. Fala courait avec ces chiens nègres. Le Commandant comprenait maintenant d'où venait l'intelligence des bâtards. De Fala. Le chien de Roosevelt avait une double vie. Mascotte de la Maison-Blanche et meneur de chiens errants. Le Commandant renvoya ses hommes. Impossible de combattre à la fois Edgar Hoover, Roosevelt et le Hors-la-loi de Fala Hill. Les hommes de Colbert sortirent des ruelles en traînant les pieds sur les cadavres. Les bâtards avaient gagné.

Fala ne se souvenait pas du tout du commandant Colbert. Il courut avec les chiens sur un monticule dans Bloodfield Alley. La meute prit soin des blessures et dut gratter profond pour trouver des carottes et ne pas crever de faim. L'estomac de Fala se mit à gronder, à réclamer du café et des tartines grillées. Pendant la pause, quand une majorité de chiens fut endormie, il abandonna sa position centrale et se glissa hors de la meute.

Fala avait le flair pour retrouver Pennsylvania Avenue. Il se trouva aux grilles de la Maison-Blanche dix minutes après. Les sentinelles furent horrifiées. Elles n'avaient jamais vu le Hors-la-loi de Fala Hill couvert de sang et de merde. Un agent du Service secret vint le chercher. Quelque chose clochait. Personne ne faisait grand cas de Fala. Les maîtres d'hôtel et les bonnes se rassemblaient devant le bureau de l'huissier-chef et le saluèrent à peine. Les bonnes portaient des amulettes sous leurs chemises, de minuscules grelots qui, écrasés entre leurs seins, faisaient un bruit horrible. Fala aboya et sauta en l'air sans réussir à attirer l'attention des maîtres d'hôtel attristés. Alors il se faufila dans le bureau de l'huissier pour voir ce qui pouvait être plus important que la réapparition du chien de M. Roosevelt. Une chose noire, morte, était étendue sur la table de l'huissier dans une petite couverture déchirée. Fala fonça sous les genoux de tout le monde et alla se cacher dans le Salon Bleu.

Le Service secret, le personnel de la maison, et les huissiers de M. Roosevelt tremblaient. Les bonnes ne voulaient pas détacher leurs mains des amulettes. Ce démon, M. Kirkland, il apportait un enfant mort dans la maison. Les prières et les incantations n'y faisaient rien. M. Kirkland refusait de se débarrasser de l'enfant. On lui suggéra d'enfermer l'enfant dans une taie d'oreiller et d'appeler la police. Horn répondit non.

— J'ai trouvé cet enfant. Et je ne vais pas laisser n'importe quel imbécile le jeter dans une tombe sans pierre tombale. *Non*. Cet enfant reste ici.

Ils s'imaginèrent que le vieillard était devenu fou. Qui a jamais entendu parler d'un bébé nègre dans le bureau d'un huissier ? Les bonnes montèrent à l'étage Roosevelt pour dire à Mme Franklin ce que le diable Horn avait fait. Seule Mme Franklin était en pouvoir de vider le bureau de l'huissier, de faire enlever cet enfant. Sans elle, M. Kirkland ne bougerait pas. Les hommes du district 16 ricanaient doucement derrière son dos. Ils s'enhardirent au fil de la veillée mortuaire dont Kirkland ne décollait pas. Leurs ricanements s'approchaient de plus en plus de l'enfant. Kirkland ne se souciait pas de ce que pensaient ses hommes. Ils voyaient des bouts de poils gris et drus poindre à la racine de cette moustache qu'il devait teindre en roux chaque semaine. Ce vieillard avec un rein malade, qui avait voué sa vie à la garde des présidents. Il s'était rendu en Crimée, avait senti ses tripes branler dans un avion, paré les coups du N.K.V.D., attrapé des poux pour l'amour de F.D.R. Et il était devenu la bonne à tout faire d'Oliver Beebe. Kirkland n'abandonnait toujours pas l'enfant.

Un visage long et ridé aux yeux endormis l'observait de la porte du bureau de l'huissier. Mme Roosevelt en peignoir. Les bonnes l'avaient fait sortir du lit pour sermonner le démon et le punir aussi.

— Kirkland, dit-elle, Kirk...

Elle était penchée au-dessus de l'enfant mort avec un air de pitié si profonde... la grimace de Kirkland disparut.

— Madame, je n'allais pas laisser cet enfant dans l'herbe. Je suis de la Virginie de l'Ouest où l'on n'abandonne pas les morts.

Les bonnes jetèrent un coup d'œil dans la pièce. Un poing potelé remua sous la couverture. Elles s'écrièrent alleluia et agrippèrent leurs grelots pour ne pas s'évanouir. Mme Roosevelt soufflait sur le petit enfant et il bougeait un poing. Doux Jésus, il avait dû se décongeler comme un gros pâté de boue. Les joues creusées en toile d'araignée de Mme Franklin avaient le don de guérison. L'enfant mort se mit à gémir. Une des bonnes monta en courant chercher des petits gâteaux, de la soupe et Oliver Beebe.

Horn restait inébranlable.

— Ça n'y change rien, madame. Je ne vais pas rendre cet enfant orphelin en le donnant à un hôpital. Il a besoin d'une mère immédiatement.

Oliver entra dans la pièce. Voir le bébé gémir lui serra le cœur. Élevait-on des Pinocchios noirs sous le toit du Patron, des choses mortes qui apprenaient à crier ?

— Ollie mon petit, dit Mme Roosevelt, qui pourrait servir de mère au bébé de Kirkland, as-tu une idée ?

Le regard d'Oliver passa de Mme Roosevelt au bébé et à Kirkland Horn.

— Dessa Brown, répondit-il sans la moindre hésitation.

Mme Roosevelt esquissa un sourire et téléphona à Crawfish Alley. Le Service secret dut s'aventurer dans le bordel, trouver Odessa et l'amener par le portail nord. Mme Roosevelt lui servit un thé de minuit dans le Salon Ouest. Les maîtres d'hôtel montèrent et descendirent l'escalier dans un cliquetis de théières. Ils commençaient à se sentir moins fiers de Mme Franklin. La Première Dame aurait dû rencontrer Mme Brown au portail et lui passer l'enfant sans autre forme de procès. Mais Mme Franklin n'avait pas les manières snobs des maîtres d'hôtel. Elle parlait à Dessa Brown avec de vieilles chaussettes de laine aux pieds, des miettes et des feuilles de thé sur son peignoir. Sans protestations, consternation ni remarques cassantes, Dessa accepta de prendre l'enfant.

Alors, l'enfant de Kirkland quitta la maison, l'huissier-chef reprit possession de son bureau. Alors une bonne découvrit Fala en train de ronfler dans le Salon Bleu. On expédia le chien au grenier. Les bonnes lui firent couler un bain. On le frotta jusqu'à ce que ses yeux roulent d'un plaisir sans mélange. « Eh bien, jamais je... », dirent-elles en chœur tandis que l'eau noircissait avec tout ce sang et cette merde. Mais il leur fallait terminer leur travail. M. Franklin serait de retour dans deux jours, et le Patron, il pouvait pas vivre près d'un chien couvert de paquets de merde.

# A l'intérieur de St. Elizabeth

## TRENTE-CINQ

Vivian ne savait rien des maîtres d'hôtel aux cheveux crépus. Il n'aurait pas pu dire qui lui avait donné un coup de pied sur la tête. Il se rappelait une forte pression autour de ses yeux. Il croyait avoir déchiré et traversé les jupes de l'impératrice avec son couteau. Il sentait le sang tout en tombant dans les pommes. Il se réveilla dans une chemise d'hôpital, les manches nouées derrière le dos. On ne lui avait pas dérobé tous ses esprits. Il se trouvait dans un service quelconque pour fous violents. Il hurla à son infirmier :

— P'tit gars, je l'ai eue la dame de l'empereur ? Je l'ai achevée Eleanor ?

L'infirmier lui demanda de fermer son sale clapet. Il vécut ainsi pendant une semaine, les deux bras sous la chemise. Ils lui donnaient à manger de l'huile de foie de morue et de la gelée aux fruits avec une grande cuillère. Ils l'escortaient aux toilettes et lui libéraient un bras pour qu'il puisse dérouler le papier. Puis ils le sortirent du service des dangereux. La chemise d'hôpital disparut. Et les infirmiers lui donnèrent un compagnon. Un géant en pantalon de fermier.

Ils passaient les après-midi dans une véranda fermée, Vivian et le géant à la tête lugubre. Les infirmiers avertirent Viv de ne pas mentionner le base-ball en présence du géant. Le base-ball l'exciterait. Il avait déjà cassé cinq ou six vérandas.

— C'est Tutmiller, dirent-ils, le Bœuf de Tuskegee, vous savez, celui qui jouait pour les « Sénateurs » en juin, juillet et août derniers. L'espoir de l'année jusqu'à ce qu'il devienne fou furieux. Appelle-le Otto.

Vivian hérita donc d'un joueur de base-ball qui ne pouvait plus en parler. Qu'importe. Ils passaient leur temps à mâcher des bâtons de chocolat que l'hôpital leur fournissait dans une boîte spéciale. Les infirmiers complotaient gentiment contre Otto et Viv. Pas de base-ball. Pas de nouvelles d'Eleanor et de F.D.R. Vivian s'aménagea une poche dans la joue gauche pour mettre de côté le chocolat.

Le Bœuf avait un visiteur qui ne s'attardait pas dans les salles d'attente. Il arrivait directement à la véranda, ce monsieur en costume blanc.

— Qui est ce type ? marmonnait Vivian au Bœuf.

— J'en sais rien. C'est mon oncle Ed.

Edgar ne taquinait pas le Bœuf ni ne prenait de haut Vivian le trotskyste. Il n'était pas là pour leur jeter des regards méchants. Il apportait des bandes dessinées, une brosse à cheveux, et des paquets de bubble-gums que seul le F.B.I. pouvait se procurer. Pas moyen d'acheter des bubble-gums dans les magasins. Il restait assis avec le Bœuf, partageait ses silences, parce que le G-man avait sa propre conception de la loyauté. Il aurait pu envoyer un agent apporter la brosse à cheveux. L'agent aurait obligeamment souri à Otto. Mais Edgar n'était pas grossier. Il n'oublierait pas le Bœuf.

Les regards échangés entre le fermier et Oncle Ed rendaient Vivian jaloux. Pourquoi donc personne ne lui rendait-il visite dans la véranda ? Pourquoi ne pouvait-il pas voir Oliver Beebe ?

— Oncle, comment va Mme Roosevelt ? Est-elle morte ou vivante ?

Edgar ne fit pas languir le trotskyste.

— Elle respire, fiston, elle respire autant qu'avant.

Viv se mit à pleurer. En pensant aux injustices, et non à son propre sort. La reine se trouvait dans sa Maison-Blanche, et lui, captif dans une véranda. Décidément, ce n'était pas un âge pour les poètes. Edgar distribua les bubble-gums et les infirmiers le firent sortir par une ouverture aménagée dans la toile métallique. Le Bœuf dit au revoir en agitant la main. Vivian restait plongé dans ses pensées sur ces adultes sans dignité qui faisaient claquer des bulles de gomme dans un asile. Il était pourtant content de mâcher des bubble-gums. Le bruit de la mastication semblait réduire à néant le fait que Mme Roosevelt fût vivante. Otto et lui moulaient la gomme entre leurs mâchoires. Les explosions des bulles remplissaient les après-midi. Vivian n'était pas inquiet. Il survivrait. Il avait son infirmier, Otto et la prochaine visite de l'Oncle à laquelle il rêvait déjà. Mais il souhaitait que les infirmiers lui disent le nom de cet endroit. Allait-il voir son existence s'écouler dans une véranda qui n'avait même pas de nom ?

# Les deux et les rois

## TRENTE-SIX

On aurait dit un squelette dans un sac de vêtements. Son cou avait disparu. Sa peau ressemblait à du papier sous les reflets bleus ternes. Que diable était-il arrivé à F.D.R. ? Il avait rencontré Haïlé Sélassié, Ibn Séoud, et Farouk d'Égypte, s'attendant à une bonne conversation avec trois rois. Ils firent des sourires à Roosevelt et échangèrent des cadeaux, mais ils ne voulaient pas parler des Juifs. Roosevelt ne put rien faire pour les Sionistes.

Son chapeau lui couvrait le visage quand un homme du Service secret l'apporta à la maison. On s'excusa auprès de la presse. « Attention, le Patron est endormi. »

F.D.R. se barricada dans son lit. Ce n'était pas la première fois qu'il gouvernait en pyjama avec une robe de chambre grise en lambeaux posée sur les épaules. Le Président gardait ses matinées pour Anna, Ollie et son chien. Il ne voulait pas voir âme qui vive avant onze heures. Il esquivait les longues entrevues avec sa femme. La légitime pouvait avoir dix à douze minutes, comme les autres. Il ne quittait pas son lit pour le déjeuner qui arrivait sur une table roulante et chauffante. Sa fille devait y jeter un coup d'œil. F.D.R. ne reconnaissait plus les odeurs de nourriture. Il regardait fixement une pomme de terre au four et hurlait :

— On dirait des épinards. Emportez-moi ça.

L'après-midi, il se passait de sa sieste pour faire une patience, travailler à sa collection de timbres et entraîner Ollie dans de terrifiantes parties de poker. Le Patron aimait changer la valeur des cartes. Et il établissait ses propres règles du jeu, généralement sans en avertir Oliver avant le milieu de la partie.

— Les deux sont jokers, annonçait-il. Les deux et les rois.

L'ancien sourire transparaissait sur la bouche pâle et inerte, la mâchoire reprenait de l'épaisseur tandis qu'il regardait Oliver transpirer. Le marin n'avait pas de chance pour dégotter les deux et les rois. Il tombait toujours sur les plus mauvaises cartes du paquet.

Après ses parties, le Patron semblait toujours revivre. Il se mit à inviter des amiraux dans sa chambre. Son lit ressembla de plus en plus à un quartier général. On apercevait les bords d'une carte sous son oreiller. Il perdait peu à peu le désir impérieux de s'isoler avec son marin et son chien. Le quatrième jour après son retour de Suez, il sortit de son pyjama pour déjeuner dans son Bureau ovale avec J. Edgar Hoover. Le déjeuner n'était pas officiel. Edgar s'introduisit furtivement par le portail sud. Il ne voulait pas répondre aux reporters. Il y avait trop d' « observateurs d'Edgar » à la Maison-Blanche, des hommes et des femmes qui interprétaient chacun de ses éternuements.

On leur servit de la soupe de maïs qui avait le goût d'une purée de boue et d'amidon jaune. On ne pouvait en rendre responsable le Président. La cuisinière de la Maison-Blanche, une garce notoire, travaillait pour Eleanor et n'aurait pas été mécontente d'empoisonner F.D.R. et ses invités. F.D.R. en prit une cuillerée et beugla :

— Mon Dieu ! Edgar, ce truc est horrible. N'en mange pas.

Et ils rirent. F.D.R. ne se laisserait pas gâcher son déjeuner. Ils se nourrirent de biscuits salés et de fromage. Un maître d'hôtel arriva avec des bouteilles de ginger ale tièdes.

— C'est un complot, dit Roosevelt. Ils aimeraient me faire partir pour rester seuls à occuper les lieux.

Il devait quitter Washington la semaine suivante et partir pour la Géorgie, à la petite Maison-Blanche de Warm Springs. Mais auparavant, il avait à prononcer un discours devant le Congrès réuni sur son voyage en Crimée. Ses ennemis disaient que grand-papa Roosevelt avait exécuté une danse pathétique à Yalta pour apaiser l'ours russe. Encore une bataille. Il n'avait pas parcouru la moitié de l'hémisphère pour aller mordre ses alliés. N'avoir pu créer une Pologne « démocratique », le troublait, mais le Congrès s'attendait-il à le voir rejoindre le camp des nazis pour libérer Varsovie d'Oncle Joe et renvoyer celui-ci en Ukraine ?

Ils burent de la ginger ale tiédasse et Roosevelt interrogea Edgar sur le barouf de Lafayette Park. Rien du tout, déclara le G-man. Un trotskyste inoffensif. Un débile mental qui publiait son propre magazine imbécile. Il n'aurait pas pu approcher de Mme Roosevelt. Un noir impétueux avait déclenché les troubles, un valet de bordel. Les agents spéciaux d'Edgar présents au parc avaient entouré Mme Roosevelt et encerclé l'estrade après que le valet eut bondi.

Le Patron remercia Edgar d'avoir aidé sa dame à s'en sortir et murmura quelque chose sur une partie de poker. Il serra la main d'Edgar et un homme du Service secret le conduisit à sa chambre dans son fauteuil roulant, Fala courait entre les roues, tout près du pantalon du Patron. F.D.R. portait le même pantalon qu'en 1935, dont le bas s'effilochait, remarqua le patron du F.B.I. Il évita les « observateurs d'Edgar » en empruntant une porte de service sous le portique Sud. Une moustache rougeâtre le lorgna juste avant qu'il ne passe la porte. Il dut serrer ses épaules pour ne pas se cogner au vieillard Horn.

— John Edgar, comment se fait-il donc que tu ne sois pas monté au grenier rendre visite à Oliver Beebe ?

— Parce que ce n'est pas le jour de me faire couper les cheveux.

Il quitta le vieux fou à la moustache qui tiquait, dépassa le magnolia de Jackson, et traversa la pelouse sud en sautillant.

## TRENTE-SEPT

Le F.B.I. avait déjà déménagé du bureau espagnol. La femme de ménage, Mme Hutch, était partie. Plus d'agents aux toilettes pour rencontrer Orlando Frayard. Orlando lui-même avait été gommé de la liste d'Edgar. Quelques chèques apparaissaient miraculeusement sur le bureau d'Orlando. Des chèques d'Edgar. Le G-man tenait bien ses comptes. Il payait exactement ce qu'il devait et puis fermait le compte, définitivement.

Orlando rendit Oliver Beebe responsable de la désaffection manifestée par le F.B.I. à son égard. Oliver prenait maintenant sa revanche sur les infidélités d'Anita. Il devrait abandonner la petite conne, la renvoyer à Ollie. Orlando n'avait guère de perspectives de carrière aux États-Unis. Son contrat de secrétaire à la chancellerie arriverait bientôt à expiration. Orlando avait encore une fiancée à Madrid, une fille aux nombreuses propriétés. Il était temps de l'épouser. Il élèverait du bétail aux Asturies, dirigerait l'une des usines de son père, si seulement l'Amérique pouvait se dépêcher de gagner la guerre.

Son patron, don Valentin, était devenu « indésirable ». Edgar Hoover avait dû envoyer à ses trousses le Département de la Justice. L'Espagne rappelait don Valentin. Impossible cependant d'emmener sa putain avec lui. Mama Salomé n'avait pas les papiers d'identité nécessaires. Elle était étrangère, résidente illégale, sortie d'Uruguay par une compagnie de bateaux à vapeur qui fournissait des domestiques aux États-Unis. Même si le marquis pouvait faire entrer mama à Madrid, elle était métisse et elle n'aurait pas été accueillie à la cour espagnole en tant qu'« épouse » d'un ex-attaché naval.

Le petit marquis ne s'en consolait pas. Il supplia Orlando de prendre soin de mama. Ce n'était pas un pays pour les métis. On la forcerait à quitter Dupont Circle quand le marquis partirait en Espagne. Orlando devrait trouver un logement pour mama. Don Valentin offrit à son secrétaire des appointements mensuels pour veiller sur mama en Amérique.

Orlando promit. Mais il n'avait pas l'intention de passer la guerre à tenir la grosse main de mama. Il en ferait don à Mme Brown. Mama compterait les oreillers du bordel et discuterait de philosophie avec Odessa.

Il prit le tramway jusqu'au *Willard Hotel*. Le F.B.I. avait oublié de lui fermer la porte de la chambre de Vivian. Il tirerait parti du répit accordé pour « faire la cour » à Anita une dernière fois. La garce l'attendait. Assise sur le lit de Vivian dans un peignoir blanc de tissu éponge du *Willard*.

— Nita, quelqu'un t'a arrêtée sur le palier ? T'a posé des questions sur Viv ou Ollie ?

— Non, dit-elle, la bonne m'a fait entrer directement.

Orlando se déshabilla. Il voulait que la garce le reluque jusqu'à ce que ses yeux en explosent de sang et de fièvre. Mais les plis soucieux de son visage étaient sans rapport avec Orlando. Elle se suçait la lèvre avec une intense concentration et tripotait les boucles métalliques d'un tire-bouchon d'hôtel. Il lui aurait arraché le nez avec ce truc si elle n'avait pas eu un frère à la Maison-Blanche.

— Comment se fait-il que tu joues avec un tire-bouchon quand je suis là ?

— Parce que tu as dit que tu allais apporter une bouteille de vin.

— Ne t'énerve pas. Je peux toujours voler une bouteille à l'hôtel.

Anita le fixa.

— Je ne vais pas boire de vin dans la chambre d'un homme qui a disparu. J'ai téléphoné à la police... Je leur ai demandé ce qui était arrivé au type du parc, et ils ont dit : « Désolés, madame. » Le nom de Vivian de Vries ne leur disait rien.

— Tu n'étais pas obligée d'appeler la police. Il suffisait de demander à ton vieux Frayard. On est ici dans la ville d'Edgar Hoover. Le F.B.I. peut enlever d'un parc n'importe quelle andouille quand ça lui chante.

— Mon chou, qui t'a raconté tellement de choses sur le F.B.I. ?

— Mais c'est pas vrai ! dit Orlando, il t'arrive d'être éveillée ? Comment crois-tu que je t'ai acheté tous tes vêtements d'hiver ? Je travaille pour le F.B.I.

Il plongea ses mains blondes sous le peignoir d'Anita. Elle n'eut pas de mouvement de recul. Il était si mignon sans sa chemise, son pantalon ni ses chaussures. Le peignoir gisait déjà sur le plancher. Orlando la léchait avec cette fichue langue espagnole. Anita aurait maintenant aimé être avec son frère. Ollie tressaillerait dans ses bras. Si fort était son désir. Tout en sourcils noirs et gencives rêveuses. Il ne souriait pas avant d'avoir fait l'amour avec Anita.

L'Espagnol pouvait rendre Anita dingue d'une simple pression de son pouce. Mais il ne faisait que polir les surfaces. Il fallait Oliver pour lui tordre les tripes, la faire croire qu'elle enfantait à nouveau. C'était Oliver qu'elle haïssait et qu'elle aimait. Pas Orlando Frayard.

Elle ne pouvait pardonner à l'Espagnol. Il lançait de l'argent à la figure de Vivian, le manipulait, avait contribué à sa disparition. Partout où il allait, Orlando avait toujours un sauf-conduit. Il pouvait sortir d'ambassades, de chez *Garfinkel*, du Liberty Club, du *Willard*, de chez *Harvey*, de chez don Valentin, et du F.B.I. Orlando s'était servi d'elle et de Vivian. Le corps d'Anita appartenait-il au F.B.I. ? Était-elle leur petite fille incestueuse ? Pourquoi cherchaient-ils à faire du mal à son frère ?

Elle se trouvait sur Orlando, lui faisant l'amour, s'avançant entre ses cuisses lisses et blondes, regardant la satisfaction sur son visage, le grain de sa peau entre ses yeux fermés. L'agent secret d'Edgar Hoover. Elle enfonça le tire-bouchon dans son cou. Lando ne hurla pas. Ne leva pas la tête de l'oreiller. Sa blondeur ne disparut pas. Ses narines se plissèrent, une fois. Du sang gicla sur Anita comme si elle lui avait posé un ventilateur dans le cou. Elle tourna le tire-bouchon aussi loin que possible. Les mollets d'Orlando se tendirent, mais il ne pouvait rejeter Anita du lit. Ses yeux restèrent fermés. Le ventilateur sembla s'arrêter de fonctionner. Orlando s'endormit.

Anita l'abandonna. Elle ouvrit la fenêtre et monta sur le toit. Elle n'emporterait pas sa robe de chambre. Elle avait l'impression de marcher sur un lit compact et glissant de mousse gelée. Le vent soufflait entre ses seins et se glissait entre les pierres mal jointes de la bordure du toit. On aurait dit le sanglot d'un homme. Anita ne craignait pas les fantômes. Les morts pouvaient l'appeler en pleurant, Anita n'entendrait pas. Si elle clignait les yeux très fort pour éviter les escarbilles qui sortaient des cheminées, elle voyait la Maison-Blanche, avec ses balcons, fenêtres et mitrailleuses sur le toit.

Quelle était la chambre d'Ollie ? Elle gratta la poussière avec ses orteils et dansa pour Oliver Beebe. Elle y parvenait assez bien, même sans piano. Les tourbillons du vent jouaient une sorte de musique sur son visage. Elle entendait le rythme de « Mairzy Doats », la chanson préférée de l'Amérique qui avait fait fureur en 1944, des syllabes sans queue ni tête pour apaiser le front de l'intérieur. « Mairzy Doats », on l'écoutait encore en 1945. Personne ne s'en lassait. Anita la chantait tous les jours. Shirley Temple se trémoussait sur fond de « Mairzy Doats » aux actualités Movietone. Mme Roosevelt le fredonnait dans son petit salon. Pourquoi Anita ne pourrait-elle pas en faire une sérénade à son frère ?

> *Mairzy Doats and Dozy Doats and little lamzy divey*
> *A kiddley divey too, wouldn't you ?* *

Elle avait bien dû chanter cette chanson cinquante fois pour Oliver. Ses jambes étaient fatiguées. Difficile de danser « Mairzy Doats » sur des escarbilles, sans chaussures...

---

* *Les juments mangent de l'avoine et les biches mangent de l'avoine et les petits agneaux mangent du lierre*
  *Un chevreau mange du lierre aussi, pas vous ?*
  « Mairzy Doats » fut une comptine avant d'être une chanson *(N.d.T.)*.

Pourquoi Oliver ne lui avait-il pas fait signe de sa fenêtre ? La Maison-Blanche ne bougeait pas pour Anita. Elle avait un petit enfant à Milwaukee, bébé Michael, avec du caca dans sa culotte. Ne pouvait-elle pas chasser ce caca en chantant ? Elle était tout ce qu'une femme pouvait espérer devenir. Mère, sœur, fille, con. Baiser son frère, abandonner son enfant, quitter la maison paternelle. Elle avait été le petit agneau qui mange du lierre pour cent hommes. Le sens de « Mairzy Doats » convenait parfaitement. C'était la chanson d'une fille qui apprenait à parler et à respirer avec une pine dans la bouche.

Nita avait un auditoire : un homme accroupi à côté d'elle. Les cheveux noirs ondulés, de l'or aux doigts, il ne lorgnait pas ses seins. Drôle de type. Il avait le teint mat d'Oliver. Était-ce un découvreur de talents à la recherche d'une Shirley Temple ou d'une Fanny Brice ? Ou un des directeurs de l'hôtel qui avait quitté son bureau pour monter lui lire le règlement du *Willard* sur le chant à poil ?

— M'sieur, que voulez-vous ? Je suis occupée. Vous pouvez pas me dire ?

Le type commença à bégayer. Il avait de grosses lèvres pour un homme.

— Mon Dieu, vous voulez prendre ma photo ? Apportez un appareil la prochaine fois.

L'altitude avait dû l'épouvanter. Il restait à croupetons. Il devait embrasser les escarbilles, avaler un tas de poussières. Ses chaussettes se salissaient. Le vent lui remontait le pantalon à mi-mollets et laissait voir ses jarretières. D'un noir soyeux. Il avait la bouche ouverte. Impossible d'entendre son aboiement tranquille dans le vent. Elle devait lire sur ses lèvres. Il disait : « Mademoiselle Anita, je suis l'ami de votre frère... »

C'était Edgar sur le toit. Ses agents à l'hôtel avaient repéré la dingue qui dansait, mais Edgar ne voulait pas les laisser la ramener. Arrivé spécialement de la Justice pour sauver Anita Beebe ! Ses hommes l'attendaient dans la chambre de Vivian. Ils ne cessaient de pointer du doigt le tire-bouchon dans le cou de Frayard. Le directeur n'était pas aveugle. Il savait où le métal piquait. Un sifflement sortait de la gorge de Frayard. Le F.B.I. était préparé à ce genre de contingences. Ils enveloppèrent Frayard dans les draps et les couvertures et l'enlevèrent du lit sans déranger le tire-bouchon. Le F.B.I. possédait son propre « hôpital » à Arlington (Virginie) un home de convalescence pour les agents et indicateurs malades. Ils l'amenèrent là pendant qu'Edgar escaladait la fenêtre.

Il avait regardé, photo après photo, Anita Beebe, habillée et déshabillée, debout, assise, pelotonnée sur les genoux de quelqu'un, en intérieur et en extérieur. Des équipes d'agents spéciaux avaient troué des murs, creusé derrière des glaces avec un engin périscopique, pour prendre en photo Anita au lit avec Oliver, Orlando et Vivian de Vries. D'ignobles photos. Edgar les avait trouvées dégoûtantes et enfermées à clé dans son tiroir.

Il fallut un vent de tempête, un tas fragile de pierres autour d'un toit et des cailloux dans ses chaussures pour instruire Edgar Hoover. Les photos rabaissaient Anita Beebe. Elle faisait bien moins putain au naturel. Il ne trouvait rien de lubrique dans sa danse. Elle ne secouait pas ses membres vers Edgar. Elle criait simplement sur le toit. Mais il ne comprenait pas ses gazouillements. La façon dont elle levait les cuisses ne le gênait pas. Elle resplendissait dans les franges de soleil qui glissaient le long de son dos dont les muscles ondulaient au rythme de ses mouvements. Et son cul était ferme, parfait. Qu'Oliver ait été contraint d'aimer cette fille ne faisait plus mystère. Edgar ne pouvait pas tenir compte des accidents de naissance. Elle aurait pu être la sœur de n'importe qui.

Sa danse lui fit oublier les tire-bouchons et les espions. Il aurait pu passer l'après-midi en compagnie de Nita, mais elle s'approchait de plus en plus du bord inégal du toit dont elle ébranlait les pierres avec ses talons et Edgar s'inquiétait, accroupi, prêt à agripper ses pieds si elle se mettait à glisser. Il l'appela.

— Miss Anita.

Elle ne le repoussa pas. Elle s'éloigna du bord, sourit, et descendit du toit avec lui. Edgar dut l'habiller. Ses agents s'étaient précipités à Arlington avec Orlando Frayard. Les journaux ne feraient qu'une bouchée de Roosevelt s'ils découvraient que la sœur d'Oliver avait embroché un vulgaire diplomate à l'intérieur du *Willard Hotel*. Anita devrait rester sous la tutelle d'Edgar pendant un petit moment.

Deux hommes du F.B.I. l'accompagnèrent à la pension. Elle ne pouvait même pas se brosser les dents sans sa nouvelle escorte. Ils l'aidèrent à faire ses valises, avec des « Oui, m'dame », « Non, m'dame » et prirent le train avec elle jusqu'à Milwaukee. Ils réveillèrent son « mari » Phil d'un vague sommeil d'insoumis. Phil se frotta les yeux et les ouvrit tout grands en voyant les deux pardessus bruns. Il devenait fou. Pour que le F.B.I. amène Anita à votre porte... l'année s'annonçait joyeuse.

Nita semblait bizarre. Elle n'arrêtait pas de se tortiller les orteils. Et ne demandait pas de nouvelles de son bébé. Les hommes du F.B.I. entrèrent au salon avec Phil et lui donnèrent des instructions en les ponctuant de hochements de tête. Anita ne devait à aucun prix quitter Milwaukee. Phil non plus. S'il essayait de monter dans un car, ils le jetteraient dans un camp d'internement, avec des prisonniers de guerre. Ils dirent à Phil de ne pas mettre un tire-bouchon dans les mains d'Anita et qu'il serait judicieux de dormir la lumière allumée. La fille avait attrapé une fièvre rare à Washington. Il se pourrait qu'elle délirât de temps en temps. Phil devait absolument s'assurer qu'elle ne rentrât pas en contact avec son frère Ollie. Si jamais des lettres d'Oliver arrivaient, Phil ne devait pas les ouvrir, mais les envoyer au F.B.I. dans leur enveloppe d'origine. C'est Oliver Beebe, marmonna Phil entre ses dents. Oliver a passé cette maladie à Anita. L'Amérique appartient à Ollie et à J. Edgar Hoover. Ces deux types mènent F.D.R. par le bout du nez. Après l'effondrement de l'Allemagne et l'épuisement de la Russie, Oliver allait se rendre maître du monde.

Les deux pardessus bruns repartirent pour Washington. Ils ne purent trouver Edgar dans son bureau. Le G-man était parti pour le home de convalescence d'Arlington afin de surveiller la réparation d'Orlando.

Le tire-bouchon s'était logé à un endroit sensible, dans les membranes autour de l'œsophage d'Orlando. Les chirurgiens ne voulaient pas l'extraire avant d'avoir consulté leurs confrères d'une autre clinique. Orlando dut rester allongé trois jours avec le tire-bouchon dans le cou. Puis les docteurs entrèrent avec leurs bistouris, coupèrent tout autour et décollèrent chaque circonvolution de métal. Ils avaient fait faire une sangle spéciale de plastique qui s'adaptait sous les oreilles d'Orlando. Elle lui tronquait le visage en cachant la mâchoire. Le pronostic était formel, dirent-ils à Edgar. Le cou sera guéri dans un mois. Il n'y avait pas de quoi s'inquiéter. Orlando ne garderait qu'un petit souvenir, une voix rauque jusqu'à la fin de ses jours.

Les médecins ne voulaient pas le laisser parler avec cette sangle sur le cou. Il réussit cependant à couiner deux mots à Edgar : mama Salomé. Edgar tout d'abord ne réagit pas. Le marquis fasciste avait déjà quitté le pays. Qu'est-ce que le F.B.I. avait à voir avec la gouvernante-épouse de don Valentin ? Mais la sangle couinante d'Orlando commença à le troubler. Il envoya un homme enquêter sur les affaires de mama Salomé. La vieille grosse vache était dans le pétrin. Personne ne voulait d'elle. Les propriétaires et les locataires de Dupont Circle conspiraient contre mama. Impossible de laisser une métisse hériter de l'appartement de don Valentin.

De jeunes avocats du Département de la Justice se présentèrent dans les bureaux des propriétaires. Ils murmurèrent simplement quelques mots sur mama, Edgar, Eleanor et Frank. Et les propriétaires abandonnèrent leur ordre d'expulsion. Ils n'auraient pas hésité à lutter contre M. et Mme Roosevelt, et tous leurs amis qui aimaient les nègres, mais ils n'osaient pas s'accrocher avec le F.B.I.

Les hommes les plus proches de M. Hoover furent ahuris du plaisir qu'il prit à contrecarrer les propriétaires de Dupont Circle et à secourir mama Salomé. Pas moyen de savoir où la générosité d'Edgar allait se nicher. Il était Caligula, ou Robin des Bois, ça dépendait des jours. Edgar agissait toujours beaucoup plus facilement lorsque la Maison-Blanche était vide. F.D.R. avait emmené son marin et son chien à Warm Springs. Seule Eleanor restait dans les parages. Et cette sorcière au long visage ne gênait pas le F.B.I. d'Edgar.

## TRENTE-HUIT

Ce n'était pas le Président Roosevelt, dans ce petit bout de Géorgie sur la route de Pine Mountain, mais le seigneur de la montagne, capable de faire revivre un village. Il y était arrivé dans les années vingt, éclopé sans espoir, pour prendre des bains dans les eaux magiques de cette station délabrée avec une vieille auberge impossible et de petites maisons qui logeaient des mulots depuis une centaine d'années. Personne ne venait à Warm Springs si ce n'est les rats des champs.

M. Roosevelt tomba amoureux de cet endroit perdu. Il prit cette vieille auberge et en fit Georgia Hall, un centre pour le traitement de la poliomyélite. Quand certains villageois s'émurent d'une contamination éventuelle de leur piscine, M. Franklin offrit un bassin aux enfants de Georgia Hall. Il jouait au water-polo avec eux. Il créa une Fondation pour les paralysés et lutta pour que s'installent de nouveaux commerces dans la ville. Il se fit élever une petite maison sur une colline surplombant Georgia Hall. Après qu'il eut accédé à la présidence, ce chalet devint la Petite Maison-Blanche, la retraite en Géorgie de M. Franklin.

Mars 1945 touchait à sa fin. La moitié du village était venue à la gare saluer le maître de Georgia Hall. On trouvait là le maire, le directeur du *Warm Springs Hotel,* le forgeron, inventeur des leviers et des poulies qui permettaient à M. Franklin de conduire sa Ford. Le coiffeur qui sculptait la chevelure de M. Franklin avant l'époque d'Oliver Beebe, les jumeaux qui tenaient l'épicerie, le croque-mort du village, les marines qui aidaient à assurer la garde de l'enclos du Président sur la colline ; et les malades de Georgia Hall. Mais on ne pouvait pas « souhaiter le bonjour » à un seigneur qui avait un chapeau sur les yeux.

Monsieur Franklin descendit de l'arrière du *Ferdinand Magellan* dans un minuscule ascenseur. Une rangée d'hommes du Service secret le séparait des villageois. On le porta dans une limousine que l'on venait de sortir d'un fourgon spécial. Elle le conduisit à la Petite Maison-Blanche.

M. Franklin se retira dans son étroit lit de pin. Le Service secret se tenait derrière sa porte. Les hommes de Horn savaient piquer un somme le nez contre le mur et engloutir des morceaux de fromage sans salir le tapis du Président. Horn les réveillait en leur donnant des coups sur le bras. « Ayez l'air vivant. Je n'ai pas besoin d'une troupe de Belles au bois dormant. » Le Patron resta seize heures dans sa chambre. Il fit appeler Oliver Beebe. Ses amiraux avaient fait le voyage avec lui. Mais F.D.R. n'en rencontrerait aucun. Il ne voulait pas voir non plus ses médecins, ses secrétaires, ou son masseur. Ni examiner le courrier qui arrivait de Washington. Ni signer de document. Ni prendre son café avec Fala. Ni téléphoner à sa dame. Il voulait seulement jouer aux cartes avec le « petit ».

Les deux et les rois. Les deux et les rois. Roosevelt transformait la moitié du jeu en cartes polyvalentes. Oliver n'y pouvait rien. Il était la proie de la soif du Patron pour les royaumes de flushes et de quintes. Le marin n'arrivait pas à exploiter ses rois-jokers. Ses cartes ne valaient pas grand-chose, au bout du compte. Il songeait au roi de carreau et à d'autres cartes pendant que Roosevelt le battait à plates coutures.

Le poker avec Ollie ressuscitait toujours le Patron. Il signait ses papiers maintenant, voyait ses amiraux et ses médecins. Il descendit à Georgia Hall et déjeuna avec le personnel. Mais il n'avait plus la force de jouer au water-polo avec les enfants. Tout le monde remarqua son cou décharné au cours du déjeuner. Il pouvait à peine casser en deux son petit pain. Les articulations de ses doigts vacillaient contre le couteau à beurre. Pourtant il souriait et racontait encore des histoires et ne se retranchait pas derrière son teint pourri gris-bleu. Il était le maître de Georgia Hall et le Président des États-Unis.

Soudain le Patron abandonna « les deux et les rois ». Il ne voulait plus approcher de la table à jouer. Oliver erra, désœuvré. Des marines étaient éparpillés dans les buissons. Le Service secret avait ses propres guérites. Les hommes de Horn refusaient de bavarder avec lui. Il remarqua une grande dame brune dans la maison des invités, venue à Warm Springs avec Mme Shoumatoff, l'artiste qui avait peint l'aquarelle de Roosevelt dans sa cape bleue qu'on trouvait chez tous les coiffeurs. Le Patron sans une ride ni un grain de beauté. Ce n'était pas Roosevelt mais le visage retouché d'un poupon de Président pour les salons de coiffure d'Amérique. Madame se trouvait là pour exécuter un autre « portrait » de F.D.R.

Le Patron devait poser dans la salle de séjour tandis que Shoumatoff lui mesurait le nez avec une petite règle coulissante. Pourquoi le Patron ne hurlait-il pas contre Shoumatoff et ne la mettait-il pas à la porte ? Sans doute à cause de la grande dame brune aux belles mèches grises et au long cou, Mme Lucy Mercer Rutherfurd de Baltimore et du New Jersey. Le Patron posait pour Shoumatoff et regardait la dame brune.

Il emmena Mme Rutherfurd en promenade dans sa vieille Ford bleue sans inviter Shoumatoff, ni les amiraux, ni Ollie, ni Fala. Le Patron pouvait se débrouiller sans chauffeur dans cette voiture-là. Les poulies spéciales lui permettaient de changer de vitesse et de manœuvrer les freins à la main. Il ne put cependant demeurer absolument seul avec la dame. Le Service secret resta dans ses pattes. Pour monter en haut de Pine Mountain, deux des limousines de Horn encadrèrent la vieille décapotable.

Horn, assis dans la dernière voiture, n'était après tout qu'un flic payé par le Département du Trésor pour protéger la vie du Président. Sans le droit de commenter le roman d'amour de M. Roosevelt, qui durait depuis trente ans. Le Patron n'avait pas choisi une grue. Cette femme était toute dévouée à F.D.R. Horn le savait. Il devait arranger toutes ses rencontres avec le Président. Elle assistait en secret à toutes ses investitures, regardant les cérémonies entre les rideaux d'une limousine de Horn. C'était Kirkland Horn qui trouvait moyen de l'introduire dans le Bureau ovale du Président pour un déjeuner qui durait deux heures, Kirkland qui l'installait discrètement à Hyde Park quand la légitime n'était pas dans les parages, Kirkland qui préparait les itinéraires de leurs promenades en auto dans Rock Creek Park.

La voiture de Roosevelt atteignit le sommet de Pine Mountain. Horn détourna les yeux. Il n'autorisait pas non plus ses hommes à regarder le baiser d'un Président. Mais même avec le regard perdu dans les arbres ils ne purent éviter de voir l'étreinte dans la voiture, la douce embrassade d'un Président et de sa Lucy. Quel boulot pathétique, ingrat, d'être le chef du district 16. Le Patron n'avait pas de vie privée. Le monde battait au rythme de son cœur. Le Service secret se trouvait toujours à trois mètres.

La caravane présidentielle retourna à la Petite Maison-Blanche. Le Patron ne se sentait pas d'humeur pour le poker. Qu'importe. Le petit était descendu à Carver Cottage, où il logeait avec deux des amiraux. Mal à l'aise, ceux-ci laissèrent la libre disposition des lieux à Oliver devant ses airs menaçants et sa mèche. Ils décidèrent d'utiliser les toilettes de Georgia Hall, préférant se déshabiller en face d'enfants estropiés que de regarder dans les yeux un marin.

Oliver apprit à jouer au water-polo avec les jeunes polios beaucoup plus agressifs que lui. Ils le ridiculisaient comme ils voulaient, plongeant entre ses jambes, agrippant son caleçon de bain, cachant la balle dans le creux d'un bras, l'envoyant rouler contre la poitrine d'Oliver. Il n'était pas dérouté par leur façon miraculeuse de tenir dans l'eau. On aurait pu faire flotter une équipe d'éléphants malades sur la surface salée de la piscine de M. Franklin. Nul bébé, nulle vieille dame hystérique ne se serait noyé à Warm Springs. Oliver s'amusait. Les polios l'exténuaient, lui donnaient des coups qui lui laissaient des marques profondes, mais il ne sortait pas de la piscine. Ce furent les polios qui l'abandonnèrent. Ils ne trouvaient pas drôle de s'en prendre à un marin qui ne se fâchait pas et ne jurait jamais.

Le soir, il restait à l'intérieur. A travers les trous des murs de bois passait un terrible courant d'air. Le vent secouait le toit du petit chalet. Le mobilier glissait constamment contre Oliver. Les glaces claquaient contre le mur et se fêlaient en lâchant des éclats. Les amiraux déménagèrent de Carver Cottage et allèrent dormir à Georgia Hall. Au lit, Oliver gardait son caleçon sous trois couvertures. Il entendait des mulots grignoter des racines, sous le plancher. Le bruit de leurs crânes qui cognaient doucement sur le bois, le réconfortait. Pourquoi ? Il n'en savait rien.

Il prenait ses petits déjeuners à Georgia Hall. On servait des « hush puppies » * que le Président lui avait fait goûter. Oliver en devint friand. Il en dévorait huit d'affilée. Puis le ventre gonflé, il plongeait dans la piscine.

Il ne montait sur la colline que deux fois par jour. Soit pour rafraîchir la nuque du Patron, soit pour une commission de Mme Shoumatoff, une note à remettre en main propre à un amiral ou à un assistant, une escapade avec Fala dans les buissons. Le Patron était préoccupé, écartelé entre Mme Rutherfurd, Shoumatoff, et les affaires d'État. Il buvait un « old-fashioned » sur sa terrasse de bois, sans Oliver Beebe. Il se promenait avec la grande dame brune. Ses mains n'arrêtaient pas de trembler. Il avait du mal à enfoncer des Camel dans son fume-cigarette d'ivoire ou à attraper un timbre rarissime de Hong-Kong avec sa pince. Il toussait beaucoup.

L'existence d'Oliver à Warm Springs se réduisait aux « hush puppies » et à la piscine. Il nageait, mangeait, nageait, mangeait, nageait, mangeait et jouait avec le chien. Ce rituel fut interrompu un après-midi. Des amiraux et des agents secrets ne cessaient de monter en courant sur la colline. Des marines en armes rôdaient dans l'enclos avec des baïonnettes. Des femmes sanglotaient à Georgia Hall. Les polios abandonnèrent leur partie de water-polo. Oliver sortit de la piscine. Il sentit une épaisse et horrible force statique sur la route argileuse qui menait à la petite maison de M. Franklin. Des hommes du Service secret, des amiraux, des secrétaires et des serviteurs philip-

* Petits gâteaux de farine de maïs.

262

pins de Roosevelt s'entassaient devant la porte. Personne ne pouvait entrer.

Oliver, encore en caleçon de bain, laissait sur la terrasse la marque d'argile humide de ses pieds. Il vit Shoumatoff et la dame brune sortir en hâte de la maison des invités avec leurs sacs de voyage. Le dos de la dame brune était parcouru d'un tremblement. Quelqu'un avait envoyé chercher le petit. « Monsieur Beebe ». Le Service secret le fit entrer à l'intérieur. Les amiraux étaient chagrins. On traitait Oliver avec plus de considération qu'aucun d'entre eux. Mais on le colla dans le vestibule. Des médecins et des agents secrets passaient à côté de lui à toute vitesse comme s'il était une créature négligeable. Un ronflement profond, horrible traversa le mur et effraya Oliver. Qu'est-ce qu'une vache faisait dans la chambre du Patron, une vache avec un sale rhume ? Le ronflement se prolongeait. Il s'arrêtait et reprenait. Oliver entendit ensuite un râle, la respiration pénible d'un homme. Puis plus rien du tout.

Un bras le tira. Kirkland Horn l'entraînait dans la chambre. Les docteurs sortirent de la pièce. Le Patron était allongé en pyjama, les mains jointes, les ongles bleus, les yeux fermés. Sa lèvre inférieure semblait retomber, informe. Des rides sombres et dures couvraient ses deux tempes. Horn traîna Ollie plus près du lit. Qu'est-ce qu'Ollie était censé faire ? Il baisa les deux tempes craquelées du Patron. Il ne dit pas au revoir.

Deux hommes du Service secret vinrent chercher le petit, le raccompagnèrent dehors et le confièrent aux amiraux. Avoir appelé Oliver pour lui faire embrasser un président mort relevait d'une folle prémonition de Kirkland. Beebe exerçait un pouvoir étrange sur le Patron. Mais il ne pouvait pas lui rendre la vie avec un baiser.

F.D.R. avait eu une attaque, vers une heure. Assis en compagnie de Shoumatoff et de Mme Rutherfurd avant le déjeuner, il se plaignit soudain de maux de tête et s'évanouit dans son fauteuil. On fit venir des médecins de Georgia Hall. Le Service secret porta Roosevelt dans sa chambre. Les médecins s'échinèrent pour le déshabiller. Horn dut emprunter les cisailles du jardinier et découper le pantalon et la chemise. Ils épongèrent le Patron et lui mirent son pyjama. Les médecins approchèrent avec leur appareil à prendre la tension. De leur baragouin infernal, Horn arracha des bribes qui avaient une signification. Hémorragie cérébrale. Congestion massive. Le sang grondait dans le cerveau.

Le vieillard eut de tristes besognes à effectuer. Il se débarrassa de Shoumatoff et de la Rutherfurd. Ce n'était pas pure méchanceté d'agent secret. Il aurait aimé garder Mme Rutherfurd près du Patron. Mais la presse accroupie entourait déjà la maison. Il ne pouvait se permettre qu'un journaleux quelconque d'Atlanta jure ses grands dieux que Roosevelt avait transformé la Petite Maison-Blanche en lieu de rendez-vous pour lui et sa beauté aux yeux noirs, avec Shoumatoff comme chaperon de Lucy. Il fallait que Horn chasse les deux femmes de Warm Springs. Restait Oliver Beebe.

Le marin était intouchable du vivant de Roosevelt. Il circulait comme il voulait à Yalta, à Pennsylvania Avenue, et à Hyde Park, aussi sacré que Fala. Il ne fallait pas avoir d'histoires avec le petit de M. Franklin. Une demi-douzaine de bureaux dans Washington possédaient leur dossier sur Oliver Beebe, y compris le Service secret. Un Roosevelt mort ne pouvait protéger Oliver sous sa cape bleue. Il y avait assez de jalousie répandue dans Washington D.C. pour arracher le pantalon blanc et salir le nom de Roosevelt. Le petit de M. Franklin était sorti de la Marine avec ses ciseaux et ses peignes, et la Marine, comme la baleine de Jonas, devrait l'engloutir.

Les amiraux s'exécutèrent. Ils conduisirent Oliver à Atlanta où on le mit dans un car à destination de Portsmouth. Il en sortit sans fers aux bras. Personne ne toucha au petit. Il logeait dans une chambre minuscule près du dépôt de munitions de Portsmouth. Ce fut la fin d'Oliver, pour un temps.

# Edgar et les chiens

## TRENTE-NEUF

Le Patron était mort et enterré dans la roseraie de sa mère de Hyde Park, et Edgar avait maintenant affaire à un nouveau commandant en chef. Il ne s'entendait pas avec Harry. Il n'allait pas se coucher près d'un bonnetier d'Independence (Missouri). Pas question d'accrocher le portrait de Harry sur les murs. On ne voyait que des « Roosevelt » au F.B.I. avec d'étroits rubans noirs fixés aux cadres. Edgar porterait le deuil de F.D.R. aussi longtemps qu'il en aurait envie. Il trônait dans son propre duché près de la Maison-Blanche. Un président aurait eu beaucoup de mal à le faire sortir de son fief du Département de la Justice. Hoover était incorruptible. Qui plus est, personne ne savait ce que contenaient ses dossiers. Tel un écureuil féroce, il couvait les renseignements. Il n'était pas obligé de faire des courbettes à Harry S. Truman.

Edgar se promenait. Impossible de se précipiter aux courses de chevaux, à Pimlico. Les pistes étaient fermées à cause de la guerre. En revanche il pouvait aller voir Winchell à New York, partager des côtes de bœuf de première qualité avec M. et Mme Babe Ruth, manger des framboises au vin blanc au *Stork Club*, ou rester à Washington et prendre son repas du soir chez *Harvey*. Sans Oliver Beebe en face de lui. Edgar dînait seul.

Une nuit d'avril, Edgar disparut. Pour une heure seulement. Le G-man remonta d'un coup sec le bas de son pantalon et s'avança dans Nigger Lane. Il se rendit à Crawfish Alley et but du calvados avec Dessa Brown. Les filles du claque gloussaient devant lui, ravies de la proximité du

F.B.I. Mme Brown ne se trouvait pas sur sa liste. Elle n'espionnait pas pour Edgar mais pouvait éventuellement lui rendre un service. Les flics vous laissaient tranquille si vous comptiez Edgar parmi vos amis. Il n'était pas venu pour obtenir des renseignements. Le calvados lui réchauffait les lèvres. Mme Brown ne lui cacha pas Jonathan Roosevelt. Edgar n'arrêterait pas l'homme qui avait bondi et donné un coup de pied sur la tête de ce trotskyste à Lafayette Park. A la différence du Service secret qui le recherchait et le forçait à fuir d'une cave de Mme Brown à l'autre.

Assis avec Edgar et Mme Brown, il buvait du calvados.

— Où est M. Ollie ? demanda-t-il pendant une pause au cours de la conversation.

— Il n'est pas avec Harry Truman, dit le G-man, mais je vais le trouver et je vous préviendrai.

Le G-man remercia Mme Brown et quitta le claque. Mais il ne partit pas incognito. Une meute de bâtards surveillait sa promenade dans les ruelles. Les chiens ne montrèrent pas les dents. Ils ne mordillèrent pas ses hauts revers de pantalon. Leurs gorges émettaient de petits bourdonnements. Edgar s'imagina qu'ils avaient faim. Il se trouvait près du cœur de la meute, avec les chiens borgnes, et puis il avança. Ce bourdonnement s'amplifiait. Les meneurs ne s'écartaient pas du pantalon d'Edgar. Les yeux jaunes clignaient dans sa direction, leurs têtes balafrées longeaient son entre-jambes. La meute l'accompagna jusqu'au bout de Nigger Lane. Les chiens ne déboucheraient pas ce soir sur Vermont Avenue. Edgar appela le F.B.I. d'une cabine. Trois minutes après, arrivait une voiture qui l'emmena chez lui à Rock Creek Park.

# Oliver Beebe

## QUARANTE

Le mois de juin était une fois de plus tropical, et l'on aurait dit qu'une tourbière s'élevait du Potomac tandis que la ville reposait dans son propre marécage. Des voyageurs dans le tramway de Pennsylvania Avenue regardaient les portiques et les toits de la Maison-Blanche s'effacer dans la brume de chaleur de Washington. L'air collait aux doigts et aux vêtements comme une sorte de soupe folle. Impossible de respirer dans les ruelles. Les bars sur les toits le long de la grande avenue devaient fermer. Personne ne voulait lamper du gin dans un ciel vert comme de la boue. A St. Elizabeth, c'était invivable. Les médecins, infirmiers et pensionnaires s'agglutinaient dans les vérandas pour éviter cette atmosphère gélatineuse, capable de transpercer un mur de planches.

On trouva un jeune homme sur la pelouse. Pas un clochard ni un évadé. Il rendait visite à ce joueur des « Sénateurs » de Washington, maintenant en retraite, Otto Tutmiller. Ce jeune homme avait les cheveux noirs, et le regard vide, absent, commun à la moitié de la population de l'asile. Mais le jeune homme n'était pas fou. Ce n'était qu'Oliver Beebe, en civil.

St. Elizabeth constituait le seul lien qui lui restait avec le District de Columbia. Impossible d'entrer dans une Maison-Blanche dirigée par Bess et Harry Truman. Sans Fala, sans Mme Roosevelt, sans F.D.R., la demeure croulait, les lustres se décrochaient et la saleté stagnait sous les tapis. Il savait que le Bœuf frisait la catalepsie et ne le reconnaîtrait pas mais au moins Oliver obtiendrait le réconfort d'un visage dont *lui* se souvenait et qu'il aimait.

Il se trouva donc coincé dans une véranda avec des médecins, des infirmiers, et des hommes en pyjama gris. Le Bœuf avait de la visite aujourd'hui, un ami, Vivian de Vries. Tous les deux, assis, le crâne tondu, venaient de supporter la coupe de cheveux réglementaire. Vivian ne voulait pas dire bonjour à Oliver Beebe, pensant qu'il travaillait encore pour F.D.R. (les infirmiers ne l'avaient pas informé de la mort de M. Franklin).

Oliver resta dans la véranda pendant plus d'une heure. Il rappelait quelque chose aux docteurs, mais qui pouvait se souvenir du coiffeur d'un ancien Président ? Ollie quitta la véranda et rendit son laissez-passer. Inutile d'aller chercher un bus. Une limousine l'attendait. Le chauffeur d'Edgar l'invita à monter dans la voiture. Le G-man était invisible. Il préservait jalousement son intimité derrière les vitres pare-balles.

La voiture démarra, avec Oliver Beebe. Edgar n'avait pas usé de magie pour faire revenir le marin oublié. Un de ses indics l'avait repéré au terminus des cars Greyhound. Il savait qu'on avait planqué Beebe quelque part mais il ne pouvait fourrer son nez assez loin dans le Département de la Marine pour rattraper Ollie. Il devait se fier à une bande dépenaillée d'informateurs. On s'était passé le mot. M. John Edgar Hoover cherchait à savoir ce qu'il était advenu d'Oliver Beebe.

Il n'arrivait pas à comprendre pourquoi Ollie devait s'introduire furtivement dans D.C. sans sa tenue de marin. Difficile de tenir une conversation avec le garçon. « Kirkland est mort, dit Edgar. Il y a un mois. Horn... ses reins l'ont lâché. »

Oliver ne s'attendrit pas. Pas le moindre apitoiement sur le vieillard. Edgar sortit de la voiture. Il devait donner un coup de fil hors de D.C. Le marin semblait plus bavard quand Edgar revint.

— Oncle, allons-nous déjeuner chez *Harvey*?

— Non, répondit le G-man.

— Bon, parce que je n'ai pas envie de homard.

Ils quittèrent le District dans la voiture d'Edgar sans

qu'Ollie demande pourquoi ils se trouvaient en Pennsylvanie et dans le New Jersey ensuite. Ils s'arrêtèrent pour prendre des cornets de glace au chocolat recouverte de toutes sortes de sucreries avec une cerise au sommet. Edgar céda à son faible pour les renseignements.

— Oliver, où les amiraux t'ont-ils mis ?

— Portsmouth, répondit le marin.

Edgar marmonna entre ses dents. On cachait Oliver sous le nez d'Edgar, dans une base de la Marine, et le F.B.I. n'était pas capable de le dénicher. Les amiraux se payaient la tête du F.B.I. Margaret Truman est assise à son piano, Harry fait ses petites promenades matinales, et pendant ce temps-là le F.B.I. doit s'affairer dans le noir. Le marin se remit à parler.

— Est-il allé à la pêche avant de mourir ?

— Qui ? grogna Edgar.

— Le vieux Horn. Il aimait pêcher.

Fallait-il qu'Edgar connût les manies de chaque agent du Service secret ?

— Oui, dit-il pour faire plaisir au garçon, Kirkland est allé à la pêche... Ollie, qu'as-tu fait à Portsmouth pendant deux mois et demi ?

— J'ai compté des trucs.

Edgar fixa le garçon.

— Quel genre de trucs ?

— Des lacets. Des nœuds papillon. De la nougatine. J'étais employé au magasin.

— Tu as vendu de la nougatine aux marins et à leurs femmes ?

— Non. On ne voulait pas que j'aille dans la boutique. Je travaillais aux stocks.

— Et maintenant ?

— Du service sur un destroyer. Je vais être sur le *Wendell Willkie*. Il part pour Guantanamo demain matin.

— Ton capitaine t'a donné une permission de deux jours ?

— Vingt-quatre heures.

— Et on t'a dit de ne pas porter ton uniforme hors de Portsmouth ?

Le garçon se renfrogna. Mais Edgar avait le chic pour

soutirer tous les détails qu'il voulait sur la grande machine que constituait la Marine US. Ordre de mission spéciale au matelot Oliver Beebe. Et ils accusent le F.B.I. de se comporter comme au Moyen Age. Certes Edgar aurait pu laisser tomber un agent prodigue dans quelque minable bureau d'enquêtes en Oklahoma, mais il n'enterrerait jamais un marin sous une pile de nougatine. Il n'avait pas kidnappé Oliver Beebe. Le G-man était en service, pour le compte de la veuve, Eleanor, l'affreuse sorcière. Il avait appris par un de ses agents à Poughkeepsie (État de New York) que Mme Franklin avait demandé des nouvelles d'Oliver. Il livrerait donc Ollie à la sorcière pour une partie de l'après-midi, en souvenir de F.D.R. A quoi servait le F.B.I. s'il ne pouvait rendre un service à Franklin Roosevelt, mort ou vivant ? Il avait appelé la sorcière dans sa petite maison de campagne, pour lui annoncer qu'il amenait Oliver Beebe.

Pas idiot le marin, il savait épeler les mots sur un poteau indicateur aussi vite que Bill le chauffeur. Ils se dirigeaient vers Poughkeepsie. Il reconnut les vieilles granges et clôtures du domaine du Patron. Mais ils ne s'arrêtèrent pas à la grande maison de famille près de la rivière. Edgar emprunta une route de terre. Bill le chauffeur maudissait la topographie dégueulasse et le terrain accidenté. Des branches et de la caillasse heurtaient les ailes. Des chenilles venaient mourir sur les vitres. Ils durent attendre qu'un taureau traversât la route. Puis la limousine émergea des bois. Ils se trouvaient maintenant dans une clairière. Oliver n'avait-il pas couché à Hyde Park ? Ce devait être Val-Kill, chez Mme Franklin.

Ils arrivèrent à une petite maison de pierre avec une piscine d'où sortit Mme Franklin, un bonnet de bain sur la tête. La jupe de son costume de bain était nettement au-dessus du genou. Edgar, Ollie et Bill descendirent de voiture. Mme Franklin agita la main dans leur direction. Même Edgar devait reconnaître que la sorcière possédait un incroyable sourire. Rien à voir avec l'appât communisant. Ces grandes dents de devant n'étaient pas capables de mystification. Ses cheveux avaient blanchi depuis la mort du Patron. Mais il n'y avait rien de fantomatique dans ses yeux. Ils surgissaient de ce visage long et ridé, intenses, pleins de franchise.

— Oliver, mon petit...

Elle embrassa le garçon en face d'Edgar et de Bill et trouva des costumes de bain pour tout le monde. Ils sautèrent tous les quatre dans la piscine. Bill aimait nager, un cigare dans la bouche. Edgar nageait comme un petit chien, d'un bout à l'autre de la piscine. Mme Franklin gardait les coudes hors de l'eau. Son souffle creusait des vagues. Elle ressemblait à un phoque fabuleux. Oliver s'empêtra dans les nénuphars qui poussaient au bord.

Ils partagèrent un casse-croûte, sur la terrasse de la petite maison. Edgar fut reconnaissant à la sorcière de ne pas se montrer curieuse. Mme Franklin n'était pas du genre fouineur. Elle ne demanda pas à Ollie les raisons de sa disparition. Cependant elle taquina un peu le F.B.I.

— Edgar, pourquoi ne vous entendez-vous pas avec Harry ?

Le G-man avait déjà retiré son costume de bain. Il était assis sur la pierre brûlante, vêtu de lin blanc. Les insectes du marécage adoraient sa gomina et bourdonnaient autour de lui sans qu'il les écartât de la paume de sa main. Il parla d'Harry Truman.

— C'est lui qui a commencé, madame. Il a été raconter que je tenais le Département de la Justice à la gorge. « Edgar ceci, Edgar cela. » Qu'il me mette donc au rebut. Je tapoterai le piano comme sa sacrée fille. J'donnerai des récitals dans le parc.

Mme Franklin rit. Et le G-man pensa que peut-être elle n'était pas à ce point gauchisante. Il possédait toute son histoire sur ses fiches. La petite fille laide qui ne savait ni lire ni écrire à six ans. Orpheline de père et de mère avant d'en avoir dix. Se fiance à son cousin, le jeune et beau Franklin Delano Roosevelt. C'est le mariage, et les enfants, et la vie avec la mère de Franklin, la vieille Sara, qui dirige la maison. Franklin prend une maîtresse. Qui s'enfuit et va s'occuper des enfants d'un homme riche du New Jersey, M. Rutherfurd, avant de devenir sa femme. Seulement l'histoire avec Frank est pas finie. Président avec la polio certes, mais il adore faire la cour à ces dames. Et avec Lucy, ça dure. Le Service secret est obligé de camoufler ses déplacements. Edgar n'élevait pas une bande d'imbéciles au F.B.I. Ses hommes espionnaient la voiture du Président dans Rock Creek Park. Edgar dut les avertir.

— C'est Franklin Roosevelt dans la voiture. Quiconque colporte ce spectacle-là se retrouvera éleveur de poulets au Tennessee.

Et la veuve de Franklin ? Elle avait survécu à trente ans de Lucy. Et si Edgar se mettait maintenant à aimer les rides et les dents de cheval... Il murmura au marin.

— A quelle heure dois-tu être à Portsmouth ?

— Neuf heures ce soir.

Edgar jeta un coup d'œil à sa montre.

— Nom d'une pipe... Excusez-moi, Madame Roosevelt, mais nous devons partir.

Oliver et Bill s'habillèrent derrière la maison. Le marin ne savait comment dire au revoir. Devait-il serrer la main de Mme Franklin ? Il pleurnicha sur son épaule.

— Je voulais sauver la vie du Patron. J'l'ai embrassé, madame. Mais ses lèvres sont restées bleues. Et Kirkland m'a fait enlever de Warm Springs.

Qui pouvait comprendre le bafouillage du marin ? Mme Franklin toucha sa mèche.

— Ollie, dit-elle, Fala va te manquer... il est dans les bois en train de chasser les écureuils.

Oliver avait complètement oublié le chien. Dans sa tête de marin, il avait dû s'imaginer que le Hors-la-loi était enterré avec F.D.R. Mme Franklin se promena autour de la maison en appelant Fala. Le chien ne vint pas. La limousine quitta Val-Kill. On entendait la caillasse grincer sous le châssis. Bill maudit à nouveau la route. Les petits chemins de campagne déglinguaient les limousines. Le continuel claquement des chenilles sur la vitre faisait cligner les yeux du chauffeur. Tout à coup sur la route, un sconse ou une sarigue noire, l'échine bombée, frôla la voiture.

— Seigneur, dit Bill, c'est un mois de juin fou. Un sconse se transforme en flic pour faire la circulation.

— Ce n'est pas un sconse, dit Oliver.

Il ouvrit la porte.

— Allez monte vite, toi, on est pressé.

Fala sauta dans la voiture. Il laissa tomber les brindilles dont il était couvert sur la moquette d'Edgar. Devenu chien de la campagne, sans les tartines grillées de M. Franklin, il était presque maigre. Fala se mit à geindre en caressant le nez d'Oliver. Le marin lui rappelait-il la Maison-Blanche, le café, le bacon, le pain grillé et F.D.R. ? Ollie marmonna comme si le chien d'un président pigeait quelque chose aux intonations de l'anglais de Weehawken : « Monsieur Fala, je ne suis plus coiffeur. On m'a mis à la porte du grenier. »

Edgar n'emmènerait pas Oliver à Portsmouth si cette conversation ne cessait pas immédiatement. Le Hors-la-loi profita d'une portière ouverte et sauta dans l'herbe. Bill conduisit comme un fou. Il n'allait pas donner à ce chien une seconde occasion de se faufiler sur la route. Il avait des instructions. Portsmouth à neuf heures. Ils traversèrent le Dutchess County, l'aiguille du compteur à cent soixante. Pas besoin de craindre Dieu ou les hommes avec Edgar dans la limousine. Les policiers les rattrapèrent à la sortie de White Plains et se précipitèrent dans la voiture. Sous leurs chapeaux à large bord, leurs tempes se mirent à battre fort à la vue du costume blanc, des bajoues et des cheveux gominés. « Excusez-nous, monsieur Hoover. » Pas d'ennuis avec le F.B.I. Hoover coursait peut-être un gang de saboteurs prêts à faire sauter les réservoirs d'eau potable.

— Pouvons-nous vous aider, monsieur ?

— Merci, mon gars, tout va très bien.

Les policiers descendirent du marchepied d'Edgar, et la limousine repartit dans la direction du New Jersey. Le G-man avait une pointe de remords. Il avait accouplé Ollie et sa sœur comme une paire d'oiseaux de laboratoire. Bon. Mais pas inventé Vivian ni Orlando Frayard. Il avait dû faire avec. Et il avait bien confiné Ollie dans une boîte que le F.B.I. avait confectionnée tout spécialement pour l'occasion. Un coiffeur de président pouvait s'attirer toutes sortes d'ennuis.

Ils arrivèrent à l'arsenal à neuf heures moins trois. Edgar

espérait que les amiraux remarqueraient sa voiture et se rendraient compte qu'ils ne pouvaient pas engloutir Oliver Beebe dans leur merveilleuse Marine. Celui-ci remercia Edgar et Bill. Il passa la grille, les mains dans les poches, un marin à la fin d'une guerre.

# TABLE

Collection **10|18**
dirigée par Christian Bourgois

## liste alphabétique des titres disponibles

**ACHEVÉ D'IMPRIMER
SUR LES PRESSES D'ELANDERS
(SUÈDE)
LE 22 NOVEMBRE 1982**

N° d'édition : 1390
Dépôt légal : décembre 1982